HÔTEL DF

du même auteur
chez le même éditeur

BOUE
ÉDUQUER LES TAUPES
L'AUTRE VISAGE DE ROCK HUDSON
UN SCORPION EN FÉVRIER

GUILLERMO FADANELLI

HÔTEL DF

Traduit de l'espagnol (Mexique)
par Nelly LHERMILLIER

CHRISTIAN BOURGOIS ÉDITEUR ◊

Titre original :
Hotel DF

ISBN 978-2-267-02287-2

Première partie

1

Frank Henestrosa

La vie ne m'a pas fait de cadeau, mais cette fois je ne me plaindrai pas. Une bonne partie de ma vie j'ai voyagé dans un train sans fenêtres qui avançait lentement. Voilà ce que je ressens, pas autre chose. Le jour de mes vingt ans, l'avenir m'a asséné une bonne tape sur la nuque et m'a dit : « Ne souris pas, le pire t'attend. » À présent, après avoir échoué dans des projets où toute personne normale est en droit d'échouer, je me pose cette question : comment se fait-il que le temps se soit consumé du jour au lendemain sans m'offrir seulement un prologue à peu près digne ? Je n'ai aucun doute sur le fait que je suis instable et invisible aux yeux de ceux qui recherchent des vies intéressantes afin, lorsqu'ils se comparent à elles, d'avoir l'impression d'être des ratés, mais savoir que les gens stables sont des assassins en puissance me réconforte. Si on m'en donne l'occasion, je suis capable d'écrire de bons articles, à l'instant m'en vient un à l'esprit sur les dames qui font de l'exercice dans un jardin public en poussant des enfants dans des landaus ; voilà un sujet bien plus intéressant que celui rebattu et cruel de la corruption, de la misère et du plaisir des idiots. Voyons, je pose la question : que ressent le pauvre enfant qui se trouve dans le landau tandis que sa mère trotte pour retrouver son corps déformé par la naissance du bébé ? Le vrai vertige de la vie. Je fais une pause : si je réfléchis bien, le sujet est assez paisible, car on ne voit pas de telles scènes dans le District fédéral, peut-être celle d'un voleur qui enlève un landau avec tout ce qu'il contient, y compris le bébé, pour les vendre ensuite au marché noir.

Je peux affirmer que je suis absolument maître de mon temps, moi Frank Henestrosa, journaliste à mes heures, poète comme tout un chacun, sans aspirations. Aujourd'hui je me demande : où est le prologue de la maturité ? Devant la vitrine d'une confiserie traditionnelle de la très passante rue Cinco de Mayo, j'observe mon visage : les pommettes ne grossissent pas, peut-être sont-elles un peu gonflées à cause de l'alcool. Quel alcool ? Car je ne suis même pas un ivrogne de roman. Que ne donnerais-je pour retourner dans le ventre de ma mère ! Je ne veux pas me plaindre, mais les biologistes pourraient avancer dans leurs recherches afin de nous ramener à l'état de gamètes au lieu de cloner. En effet, écrire un article sur des dames qui poussent des landaus est une idée idiote, car ce thème n'a aucun intérêt, même pour moi. Le journalisme ne m'autorisera pas les extravagances qui sont tolérées en littérature. Je me vois ainsi : comme un homme qui n'a aucun thème à développer et qui désire retourner dans le ventre de sa mère ; quelle définition juste mais, en même temps, que de lâcheté dans un seul être ! Si je devais me définir, je n'aurais pas besoin de tourner et retourner davantage le sujet : je suis un homme dépourvu de thèmes importants, un être humain qui n'a pas de thème.

Je ne permettrai pas au désordre de s'installer en moi ! Si cela arrive, tout se perdra à nouveau. Je ne suis pas un homme jeune, mes muscles font la sieste, on ne me considère comme beau sur presque aucun continent et personne ne m'a jugé suffisamment important pour sacrifier une partie de sa vie à m'aimer. *Aimer*, quel mot insipide, dénué d'élégance ! Tout bien considéré, je ne permettrai pas au désordre de s'installer dans ma tête. Il y a des centaines de raisons de sombrer dans la folie à notre époque, je n'ai pas l'intention de me concentrer sur une seule d'entre elles. Un quadragénaire est un champ de culture pour les tourments inutiles. Merde alors. Si encore il n'y avait qu'une seule raison de devenir fou et de déborder de son crâne, mais je rêve, car dans quelques mois nous arriverons à cette date qui depuis que je suis adolescent éveille en moi une angoisse nordique, religieuse : l'année 2010. Des gens du Nord, ces damnés, il y en a partout. Déloger le calendrier de ma tête, eh bien, en voilà une belle sagesse ! Mais qui cela trompe-t-il ? Au contraire, avant de bannir le décompte des jours, il faudra que je m'invente de nouveaux objectifs à réaliser dans le fameux et irrespirable *lendemain*.

La bonne nouvelle, c'est que j'ai retrouvé mon calme, ma tête reste intacte après une brusque nausée, mes pieds sont prêts à se remettre en chemin. À cet instant, planté devant la confiserie Celaya, je m'aperçois que je ne connais pas une seule mauvaise personne qui n'aime les friandises. Si je me trouvais face à un tribunal m'accusant d'avoir été un homme de la pire espèce, je répondrais : « Non, messieurs les juges, l'une des preuves de mon innocence est que ma bouche n'a jamais goûté un sablé ou un gâteau aux noix, allons, pas même un insipide pignon. » La vie ne m'a pas fait de cadeau, pas une seule idée ne me vient maintenant à l'esprit pour accroître la petite fortune que j'ai en poche. Quelle sorte de lecteur raisonnable et expérimenté perdrait son temps à lire un article écrit par le médiocre rédacteur, le vieux bohème Henestrosa ? Un article qui n'irait sans doute jamais au fait. Personne n'a vu mon visage à la télévision, personne ne sait qui est Frank, *l'Artiste* Henestrosa ; allez au diable, fils de pute ! J'imagine déjà la réaction des lecteurs quand ils liront le papier sur la dame qui, voulant perdre quelques kilos, court en poussant le landau de son bébé autour du parc Hundido. « Il l'a inventé, ce type écrit sur des idioties alors qu'en temps de crise il faut consacrer son imagination à des sujets plus importants », dirait le lecteur qui n'a pas vu mon visage à la télé, honteux d'avoir posé les yeux sur cette chronique. C'est assez. Je dois tout de suite prendre une décision : une décision qui ne peut être remise à plus tard, car en dépit de ma malchance j'ai cinq mille pesos en poche ! Cinq mille pesos en billets rigides et arrogants, un argent que j'ai gagné à la force du poignet en écrivant des articles exécrables, certes, mais qui doivent avoir une curieuse valeur si un journal veut bien lâcher pour eux quelques pesos. De nouveau je perds la tête : est-ce que je sais, moi, ce que signifie le mot *valeur* ? Je n'ai pas de théorie là-dessus.

Il me fait horreur d'écrire des articles qui seront publiés dans des canards miteux ou mis sur Internet pour remplir l'espace, mais il me paraît honnête de prévenir que le seul argent bien gagné est celui que l'on obtient en accomplissant un travail déplaisant. Le contraire n'est pas méritoire. Quand me débarrasserai-je de telles manies ? Je déteste donner libre cours à mes opinions : quel galimatias que d'opiner alors même qu'on n'en a aucune envie. Qui cela peut-il bien intéresser ? Les gens se fichent de l'avis de Frank, *l'Artiste* Henestrosa, sur la manière de gagner son argent. Si je me réveillais un jour en renonçant à donner des opinions sur tout et n'importe quoi, j'aurais une toute petite chance de connaître un monde différent ; en tout cas, il serait meilleur pour ma santé d'expliquer les raisons pour lesquelles j'en suis venu à avoir la tête que j'ai. Pourquoi justement cette maudite tête ? Ce n'est pas ma faute, car les actes – les actes stupides ou encore plus stupides – ont pour finalité unique, absolue, de me déclarer coupable ainsi que de demander leur clémence aux enfants et aux chiens de toutes tailles (sauf les rottweilers), c'est-à-dire aux êtres animés parmi lesquels je trouve mes meilleurs alliés. Les enfants et les chiens. Les autres, qu'on les jette aux égouts ! Oui, une telle chose est compréhensible, je n'en doute pas, mais pourquoi justement ai-je cette tête-là ?

2

Hôtel Isabel

Mon seul privilège : ouvrir les yeux à l'heure où j'en ai envie ; en échange, j'ai eu une vie de chien, une de plus sur cette planète. Et je maintiens que rien ne changera dans cette vie-là, même en prenant de temps en temps une décision arbitraire ou en la jouant aux dés et en me comportant comme un emmerdeur d'adolescent. Je sais que chacun invente des raisons pour justifier ce qu'il fait ou est prêt à faire quoi qu'il advienne, je le sais bien et je ne vois pas d'inconvénient à suivre le livret. Pendant des années j'ai été à la recherche d'une femme que je ne connaissais pas, j'ai tout fait pour la rencontrer, sauf la chercher ; je veux dire que je me suis approché des arbres dans l'espoir qu'une pomme me tombe sur la tête, que j'ai frotté mon humble personne à des fripons de basse engeance, et souvent arpenté les trottoirs du centre-ville. L'endroit où la rencontre s'est produite s'appelle lieu commun, rien ne changera ce fait. Le nom du lieu commun est *hôtel Isabel*, si je pose la question : « Qui connaît l'hôtel Isabel ? », presque personne ne répondra par l'affirmative. Tous les habitants de la ville sont passés un jour devant sa façade, mais seuls quelques-uns se souviennent de son nom. La mémoire est un mystère. L'hôtel Isabel ne va pas s'écrouler, il suffit de jeter un coup d'œil sur son corps compact et sans lézardes pour s'assurer que les défenses de l'éléphant dureront aussi longtemps que l'humanité. C'est un hôtel plutôt ordinaire, s'il a quelque chose de particulier, ce sont ses hôtes : la plupart d'entre eux sont des étrangers. C'est comme ça. Les touristes ont le don de se passer le mot et ce mot est le suivant : « L'hôtel est abordable, situé dans le Centre, les clients sont des touristes comme toi. Ils ont sûrement une bonne raison d'y loger, non ? »

Que se passe-t-il dans cet hôtel à huit heures du matin ? Il est bon de le savoir. Moi, à cette heure, je suis encore dans mon lit, oui, le lit de mon minuscule appartement situé dans l'arrondissement d'Álamos. Mais à l'hôtel, c'est différent. Le soleil sourit au-dessus de la tête des lève-tôt et, dans les entrailles du Centre, des tas d'yeux sont ouverts, curieux. Dans un fauteuil ample et confortable du salon, deux hommes bavardent, comme si les racines de leur amitié étaient entrelacées depuis leur naissance. On voit qu'ils se sentent à l'aise. Je connais l'un d'eux parce que nous nous sommes rencontrés sur de sales boulots, quoi que cela signifie. L'autre, on le surnomme *le Nairobi*, personne ne sait pourquoi on lui a collé un sobriquet si étrange. Pourquoi pas *Mombasa* ? Il est vrai qu'il a certains traits africains, mais *le Nairobi* ne sait pas quelle est la capitale du Kenya, ni que celle-ci a été bâtie sur un marécage. Il fait des efforts et essaie de se rappeler qui est à l'origine de son surnom, mais ne s'en souvient pas. « Quel est le coquin qui m'a appelé comme ça la première fois ? »

se demande-t-il souvent, mais il préfère l'oublier. *Le Nairobi*, comme je l'apprendrai plus tard, est un maître dans le monde des marécages et lui aussi frise la quarantaine, comme son compagnon de fauteuil, l'autre, mon camarade ou ancien collègue, *le Boomerang* Riaño, qui ne va pas se plaindre de son surnom, car il lui plaît, il le trouve recherché ; *Boomerang*, c'est comme le nom d'un super-héros, maudit sois-tu, Riaño, mais si tu es un méprisable cochon de marécage comme *le Nairobi*, d'où vient cette fierté ? (Voici ce que la nature du boomerang a de plus remarquable : on le jette avec tout le corps, et au moment de le lancer on doit imprimer un mouvement de rotation avec le poignet, car c'est la rotation qui le fait revenir.)

« Quand *la Señora* mourra, on va tous le sentir passer. Les jalousies vont se déchaîner. Personne ne pourra contrôler le désordre, des parents vont sortir de tous les trous. Je le vois venir », balbutie *le Nairobi*. Avoir un journal et un cigare dans les mains serait idéal pour donner du panache à cette conversation raffinée.

Là se trouvent mon vieil ami et celui qui l'accompagne, devant la modeste réception de l'hôtel – un comptoir, un registre, des casiers de documents, des arums se dressant dans un vase – où le réceptionniste ressemble à un somnambule refusant d'admettre qu'il est réveillé. Le bruit des assiettes et des couverts dans la salle à manger contiguë à l'entrée est joyeux, les serveurs prennent du café, car ils sont pleins de zèle et ont décidé d'être réveillés quand les premiers clients montreront leur nez.

« Les chefs ne meurent jamais », pontifie *le Boomerang*. Aujourd'hui il s'est réveillé d'humeur plutôt sombre. De quoi se plaint ce délinquant lettré ? « Et quand ils meurent, d'autres chefs font leur apparition, il en sort même par les grilles d'égout.

— Moi, j'aurais été journaliste, comme toi, si j'avais su que c'est ça le journalisme, écrire des bobards, colporter des ragots. » C'est *le Nairobi* qui parle. Il se désole de ne pas avoir étudié, mais on ne verrait pas sur toute la terre une silhouette plus ridicule que celle du *Nairobi* drapé dans une toge et couronné d'une toque. Tant ses lacunes sont nombreuses.

« Une vraie saloperie, c'est vraiment pas la peine de le souhaiter. Il y a beaucoup de jalousie dans ce milieu, et ceux qui réussissent sont les plus corrompus », dit-il. Posture typique du *Boomerang*.

« La vérité, c'est que les journaux, je m'en tape.

— Tu as raison, *Nairobi* », dit-il. Il se gratte le menton et regarde en direction du comptoir, il regarde sans voir.

« Si seulement tous étaient comme toi dans le négoce. Tu sais ce que j'aime chez toi ? J'ai pas besoin de te menacer comme les autres. Tu évites de pourrir mon pauvre estomac. T'as pas de fille ? Présente-m'en une, je te fais mon beau-père. C'est le moment d'agrandir la famille.

— Des enfants, moi ? Non. Si tu veux, j'ai un chien, je te le prête et après tu me le rends.

— C'est vrai, Riaño, je te parle sérieusement, idiot, j'aimerais que tu connaisses *la Señora*, ça ferait ton affaire, le salaud est un sage, il est plus vieux que la mort. Il est revêche, antipathique, mais quand il a confiance en toi, c'est dans la poche. Si tout va bien, tu le connaîtras dans quelques mois, promis. Moi je vote pour toi. Les policiers, ils me croient pas, surtout Gaxiola, ces tarés ils me disent que *la Señora* est une invention. Un ordre de *la Señora* suffit pour les enterrer vivants. Les enfoirés. Il faut que je parte, à quelle heure arrive le pédé ? » *Le Nairobi* veut parler du réceptionniste du premier service.

« Entre huit et neuf heures. C'est le plus ponctuel de tous, il croit administrer le Sheraton. » Riaño sourit malgré lui. Au-dessus de sa tête, une lampe suspendue reflète ses cheveux noirs. La lampe pend du plafond à quatre mètres de hauteur.

« Très bien, il peut croire ce qu'il veut ; le garçon s'amuse avec les touristes, non ? Il a même pas de courses à faire. Je te charge du négoce, *Boomerang*, je vais dans mon château, à l'Escandón, si tu as besoin de moi tu m'appelles pas, vu que je te paie justement pour ça, pour pas m'emmerder.

— T'inquiète. Et qu'est-ce que je fais avec le chien ? C'est une bête très affectueuse. Tu seras pas déçu.

— Bouffe-le. »

Le Nairobi est parti, son employé, le journaliste de bas étage, ministre plénipotentiaire à l'hôtel Isabel, allume un cigare en l'honneur de la journée qui commence, il apprécie les matins malgré ses insomnies, et soupire quand il se souvient que vingt ans en arrière il préférait le matin pour écrire des poèmes. Comme nous nous ressemblons, cet homme et moi ! C'est sans doute pour cette raison que sa présence me cause un tel malaise. Les surprises se préparent sans que personne les pressente, c'est trop tôt ; dans les rues, le fracas d'un rideau métallique qui glisse sur ses rails annonce qu'une journée de plus s'est mise en marche : l'argent ne pousse pas par terre et la nourriture ne peut pas attendre. Dans deux heures j'arriverai à l'hôtel, prêt à dépenser mes cinq mille pesos. Qui va m'arrêter ou me faire un sermon ? Personne ; la pauvreté, on la frappe là où ça lui fait le plus mal, en jetant en l'air le peu qu'on a en poche. Je m'approcherai de l'hôtel et je chercherai ma chance, j'ai gagné assez pour entrer par la grande porte, voilà ce que je ferai, un blond corpulent et dégingandé vient de me donner cette idée magnifique.

3

Le rêve de *l'Artiste*

J'aime me promener dans la rue Cinco de Mayo, je me souviens de mon père, toujours vêtu d'une veste, regardant les gens de travers, de travers et d'un air méprisant. Aujourd'hui je suis mon père, je reprends le rôle avec résignation. Des troupeaux de personnes passent à côté de moi, chez presque toutes je trouve un détail susceptible d'attirer mon attention. Quel détail ? Je ne sais pas, ce peut être un genou cagneux ou une tache sur le dos de la main. Si brusquement ces personnes se déshabillaient pour faire une montagne de leurs vêtements, la montagne serait sans valeur. Il est probable que même la Croix-Rouge refuserait de s'emparer de tant de frusques ordinaires ou déteintes. La colline formée par les vêtements des personnes qui vivent dans le District fédéral dépasserait en hauteur le mont Everest lui-même, mais ce serait une image pitoyable, vu sa modestie. Je me demande si quelqu'un comme moi pourrait constituer un objet d'étude, un type qui marche tout le temps tête baissée et qui a le don de ne pas heurter de face les piétons, une habileté singulière, sans aucun doute. Immédiatement elle me distinguerait des autres. Peut-on tirer de l'argent de cela ? De mon aptitude à ne pas gêner les piétons ? Je ne crois pas, bien qu'il m'arrive de trouver par terre des pièces de monnaie qui suffiraient à peine pour acheter cinq ou six *tortillas* de maïs (une fois j'ai trouvé un sol péruvien). Triste ? Pas du tout, pourquoi serais-je triste alors que j'ai gagné cinq mille pesos grâce à quelques griffonnages ? De plus, personne ne me dit comment les dépenser. Vous voyez. Triste, *l'Artiste* ? Je laisse cela à ceux qui, à cet instant, ont moins d'argent que moi dans leur portefeuille.

Je parie ce qu'on voudra que ce vieillard aux cheveux frisés et jambes de bois, appuyé sur un jambage en pierre et qui me scrute de façon malicieuse, n'a pas plus de cinq cents pesos en poche. Le coup d'œil que me jettent les vieillards décrépits ne m'intimide pas, même si leurs cheveux poussent encore. Quelle calamité que le regard des vieux, pourquoi ne s'arrachent-ils pas les yeux quand leurs cheveux blanchissent ? Je regrette vraiment d'avoir de telles pensées, je ne sais pas ce qui m'arrive. Il y a plus de trente ans je me promenais dans cette même rue Cinco de Mayo, à côté de mon père, mais j'ai l'impression qu'alors les gens se comportaient de façon différente et n'avaient pas cet air de moutons qu'on vient de tondre, si courant au XXIe siècle. Aujourd'hui, les étrangers sont devenus beaucoup plus étrangers. Est-ce que c'est bien ? À l'époque, mon père m'invitaient à manger des *tacos* dans une échoppe du nom de *Spartacus*, nous mangions debout, sans nous presser, devant un comptoir d'où émanait l'odeur de braise de la viande. Il ne faut pas s'étonner que l'on déjeune debout dans une ville où la spécialité est de manger des *tacos* dans la position la plus inconfortable, sur les branches d'un arbre, à califourchon ou appuyé au tronc, peu importe. Mon père était un homme bon, qui n'avait pas de profession précise. Lire quelques livres était sa fierté et il se vantait de ce que sa femme lui était fidèle. Il lisait des romans de Ricardo Garibay[1], il était si ému que cela ne se voyait pas, mais moi, pour cette raison justement, je le remarquais. Lorsqu'il a terminé de lire *Fiera infancia*[2], il s'est mis à être plus aimable et plus indulgent envers moi, son esprit cogitait à coup sûr : « Si je continue à maltraiter ce taré, demain il va écrire un roman contre moi. » Assez parlé de mon père. Il est clair qu'étant glabre je ne vais pas utiliser mon argent pour acheter de la crème à raser, ni une boîte de cigares Hoyo de Monterrey, encore moins une écharpe de laine à imprimé anglais, à carreaux, solennelle, ça jamais.

Comment dépenser mon argent ? Dîner cinq jours de suite au restaurant *El Danubio* ou *Los Girasoles*, laisser de gros pourboires, offrir une assiette de langoustines à mes voisins de table, me réjouir de leur gratitude. « Ne vous inquiétez pas, monsieur, j'ai été très honoré de vous inviter, voulez-vous du vin blanc ? Que diriez-vous d'un chardonnay ? Non seulement l'ambiance le permet, mais elle l'exige de personnes telles que nous. C'est moi qui vous invite, bien entendu. » Oui, il y a la possibilité de faire étalage de ma prodigalité au restaurant, mais qui vais-je

1. Ricardo Garibay (1923-1999) : écrivain et journaliste mexicain, prix du Meilleur roman étranger publié en France en 1975 pour *La Maison qui brûle la nuit.*

2. *Fiera infancia* (« Cruelle enfance »), 1982, mémoires non publiés en français.

tromper ? Je ne suis ni un sybarite ni un homme du monde. Si je n'avais pas d'yeux, je serais un sage, mais en attendant je me contente d'être un médiocre semblable à tous ces crétins qui se promènent sur le trottoir en prenant des grands airs. Que de visages importants sur un trottoir encombré de tant de malheureux ! Ils ont peur, voilà la vérité. Peur. C'est alors que je découvre cet homme blond et dégingandé dont je parlais plus haut, il circule très content de lui au milieu de mes compatriotes, comme si ses cheveux dorés ne le mettaient pas au centre de tous les regards. Ce blond est sa propre étoile de Bethléem. Mince alors, si j'avais une crinière comme celle-ci… L'étranger est allemand et sa silhouette me pousse à prendre une décision : je prendrai pension à l'hôtel Isabel. J'en ai assez de nourrir la même truie, je vais ouvrir l'enclos, voir ce qui se passe. L'Europe est à quelques pas, sans qu'il soit besoin de passeports, d'avions, de frontières ou autres extravagances. Enfin une idée reste obstruée dans ma tête, une bonne idée. J'en ai mis du temps !

Je n'ai jamais été en Europe. Moi, *l'Artiste* Henestrosa, traverser la mer ? Sûrement pas ! Cependant, aujourd'hui plus que jamais, j'ai besoin de m'entourer de personnes cultivées, écologistes, raffinées, d'oublier de vivre dans une poêle tenue par le diable. Je ne suis pas idiot au point de penser que tous les Européens sont tels que je les ai décrits, mais il me plaît de le penser, oui, cela me plaît ! Et je n'irai pas sur leur continent juste pour être déçu. Je reste ici. Dans ma tête se produisent de mystérieux événements, les images se déplacent sans béquilles à des vitesses folles, rien ne peut être pourri à ce point dans ma vie si à quelques rues de là existe un hôtel comme l'Isabel. J'envahirai l'Europe sans monter à bord d'un avion, je dépenserai, à raison de cinq cents pesos par jour, cinq cents balles par soirée, peu m'importe qu'une telle somme couvre à peine le coût de la chambre, d'un bon repas au restaurant et de deux verres d'un modeste brandy. Mon âme se réveille, je me fiche que mon double menton ait commencé à se dilater, que personne ne lise mes articles de journaux ou que la date de ma décrépitude approche à la vitesse grand V. Du seul fait de m'imaginer en train de partager l'escalier, la salle à manger avec l'une de ces jeunes Blanches qui viennent passer leurs vacances au Mexique, mes testicules s'enflamment comme des croquettes de maïs, question de physique, quelque chose qui s'échauffe sous mon pantalon et requiert un thermomètre pour se mettre en chiffres, provoquant un diagnostic. Je n'ai pas besoin d'autre chose. En fait, quand il m'arrive de me masturber en regardant les présentatrices du journal télévisé, je saute de bonheur sur mon lit. Le bonheur monté sur le dos du cheval ! Pourquoi les présentatrices n'iraient-elles pas se pomponner et se faire belles quand elles savent que des millions de personnes se pressent derrière leurs appareils électroniques pour les admirer ? On a envahi Gaza ? Oui, mais la nouvelle perd de son scandale lorsqu'elle est communiquée par la bouche d'une belle jeune femme incapable de montrer sur une carte où se trouve la Palestine.

L'affaire est plus que résolue : s'il n'y a ni blondes ni méditerranéennes dans l'hôtel, j'allumerai l'écran pour le journal de quinze heures, avec un peu de chance je verrai cette fille du nord aux gros seins qui commente chaque événement d'un air malicieux. Personne ne lui a-t-il dit qu'elle n'est qu'une présentatrice qui ne doit pas faire de commentaires sur tout comme si elle était une spécialiste ? Mais qu'importe ! elle peut le faire parce qu'elle est belle. En effet la nordique, l'homme politique, l'écrivain, le monsieur qui vend des patates douces dans la rue, tous veulent absolument nous faire partager leurs opinions. Ils ont pour cela une bouche et des expériences. À cet instant, je le pressens, deux jolies Françaises au nez en trompette se trouvent à la réception en train de réserver une chambre à côté de la mienne, ouillouillouille ! Et de nouveau la présentatrice du journal télévisé se trompera, elle dira Iran au lieu d'Irak, mais c'est qu'elle a tant de notes à réciter, des centaines de méfaits qui attendent leur tour d'être racontés. Il n'y a pas de quoi être pédant et se formaliser lorsqu'elle sourit en annonçant au monde la plus récente tragédie. L'étoile de Bethléem est de mon côté, elle me guidera, avec cinq mille pesos en poche, sur le chemin qui mène à l'angle des rues Isabel la Católica et República de El Salvador.

4

Stefan Wimer

La peur de vivre avec une femme et de créer une famille doit avoir un nom dont je ne me souviens pas maintenant. Peut-être est-ce une maladie comme la méningite, mais je ne veux pas le savoir. D'autres maladies ? J'ai souffert de ce mal, ou dois-je dire *de ce bien* ? Ne pas déranger la paix du sépulcre où vivent les célibataires a été pour moi une loi divine. Et pourquoi vais-je dépenser le peu d'argent que j'ai dans un hôtel ? C'est un pressentiment, *un coup de cœur*, comme on dit. Ce n'est pas la peine de le crier sur tous les toits, parce que j'ai quatre ou cinq de ces coups de cœur par semaine ; dès que je pose les yeux sur une femme qui m'attire, l'émotion fait de moi une canaille. J'imagine son nombril, j'essaie de deviner si un homme comme moi pourrait entrer dans sa pensée. Je ne sais pas si le mot *pensée* est approprié, peut-être serait-il plus juste de me demander si un homme comme moi pourrait survivre dans sa géographie. Je continue mon chemin et l'espace d'un instant j'hésite, je m'arrête, je réfléchis à la possibilité d'entrer à l'hôtel Gillow qui se trouve aussi dans la rue Isabel la Católica. « Ne sois pas stupide, me dis-je, ici tu ne rencontreras que des personnes qui vont regarder ta veste comme si c'était le plus sale torchon de la cuisine. » Alors j'avance et découvre que le blond, mon guide involontaire, entre justement où je veux aller, dans le peu renommé hôtel Isabel, lieu commun où s'est tenue ce matin la rencontre entre deux malfaiteurs, *le Nairobi* et mon vieux camarade, *le Boomerang* Riaño ; dans l'air de la réception on peut encore sentir les traces de leur présence.

Je veux espérer que dans l'avenir les êtres humains cesseront d'être reconnus ou classés d'après leur nationalité, mais à l'aube du XXIe siècle la barbarie, pour des raisons pratiques, est loin d'avoir été éradiquée et Stefan Wimer, le blond dégingandé qui m'a inspiré pour aborder l'hôtel Isabel, est un citoyen allemand. Mais que sais-je, moi, de l'Allemagne ! Comment puis-je le distinguer d'un Norvégien ? Que sais-je, moi, de la Norvège ! Quand ce Stefan est soûl, il affirme être bavarois, lorsqu'il est sobre ou qu'il a la gueule de bois, il se vante d'être un authentique Berlinois : des bêtises que l'on exprime à la légère pour être en paix avec la vie. Stefan est immense si l'on compare sa taille à celle des anciens Mexicains, on dirait une armoire dont les parois ont été tapissées de molles tranches de jambon rose.

« La ville a un peu changé, je suis un très bon observateur, je ne peux pas vous dire exactement en quoi elle a changé, mais elle n'est pas la même », commente Stefan. Il s'adresse au réceptionniste de l'hôtel. C'est un fait : où qu'il se trouve Wimer entame une conversation.

« C'est toujours la même. Les uns prospèrent, les autres font faillite, ainsi les choses s'équilibrent. Ce sont des lois qui ne dépendent pas de nous, monsieur. »

Pablo Paolo, le réceptionniste, s'est réveillé aujourd'hui d'humeur pensive. Il en a le droit. Lui aussi aime faire la conversation, donner son temps à chaque client qui sollicite son attention. Lui aussi veut s'enrichir d'expériences.

« Vous ne vous souvenez pas de moi, mais j'ai séjourné dans cet hôtel il y a environ un an… » Stefan laisse ses paroles en suspens, il le fait à voix basse, comme s'il révélait un secret. Il n'est pas ce qu'on pourrait appeler un homme susceptible, mais il souffrirait de ne pas être reconnu par Pablo Paolo, le réceptionniste.

« Je me souviens parfaitement de vous, mais j'essaie d'être discret et de ne pas faire de cet hôtel une boîte à commérages. Si vous venez l'année prochaine je m'en souviendrai aussi, ainsi…

— Alors je vais vous faire un aveu : le District fédéral est ma ville préférée, j'aime cette ville, c'est pourquoi je peux dire qu'elle est plus moche qu'avant. Je crois que c'est la ville la plus horrible au monde. Mais vous savez quoi ? Ça me plaît.

— C'est toujours la même, je peux vous l'assurer, les gens sont plus pauvres qu'avant, c'est sûr, mais ils continuent à dépenser », répond Pablo Paolo, et il passe outre aux jugements de son client. « Si elle vous paraît si affreuse, qu'est-ce que vous êtes venu y faire ? » La question silencieuse se reflète dans le visage du jeune monté en graine. Ça lui fait plaisir d'avoir l'air d'un homme sérieux. Et bien sûr qu'il se souvient de Wimer : « Il est resté ici plus d'un mois la dernière fois, seul un idiot sans mémoire ne se souviendrait pas de ce mastodonte. »

Ce que Stefan est venu faire au District fédéral ? Personne ne le sait. Les occasions que j'ai eues de parler avec lui n'ont pas suffi à m'en donner une idée. Acheter de la cocaïne bon marché. Ramener une Mexicaine dans son pays. Revivre l'expressionnisme allemand. Dépenser les euros qu'il a gagnés en une semaine en élaguant des jardins. Devenir l'ami intime du *Nairobi*. Tout cela est possible. Il est déconcertant de se rendre compte que ce type qui parle si bien l'espagnol peut passer des heures à parler de lui-même sans rien dire de soi, sauf que soi, c'est lui. Stefan a passé son enfance à Augsbourg, puis son père, dégoûté de vivre à l'endroit où il était venu au monde, a déménagé avec sa femme et leur fils unique à Schöneberg, une banlieue à l'ouest de Berlin. « Mon père détestait la Bavière, il voulait que son fils grandisse à Berlin. Quelqu'un ici connaît-il la bière Augustiner ? Lui il l'aimait, il pouvait en boire vingt-cinq en une soirée, maintenant il est mort et oublié dans un cimetière de la Belziger Strasse. Ces tonnes de bière vont nourrir la terre, la terre est davantage reconnaissante que l'on enterre un ivrogne plutôt qu'un homme sain, parce que les ivrognes donnent de la saveur à cette terre, sinon, que je sois pendu ! »

5

Krumme Lanke

Lorsque je prends des décisions, je me sens soulagé, un peu plus léger. Ce qui est lourd, ce sont les conséquences et la sensation d'avoir tiré en l'air sans palper le sang de la proie avec mes doigts, d'avoir gâché quelques jours de plus. Il est absurde de ma part de tenir pour établi que le blond Wimer est un talisman qui me porte chance. Ma naïveté vaut bien deux doublons d'or ! Les doublons d'or existent-ils encore ? Peut-être à Hollywood. Je n'avais pas envisagé la possibilité de tomber sur *le Boomerang* Riaño, et encore moins au milieu des malfrats qui ont sournoisement pris possession de l'hôtel : *le Nairobi*, *la Señora*, Samuel, entre autres bestioles répugnantes. Je laisse cette rumination pour plus tard, vu que les malheurs forment la chaîne d'aminoacides la plus éloquente au monde et que je n'ai pas suffisamment d'autorité pour pleurnicher à ce sujet. Pour le moment, Stefan Wimer, le blond qui porte une moustache de paysan, l'Allemand qui donne l'impression d'avoir avalé un morse entier, s'est assis dans l'escalier qui mène aux étages supérieurs de l'hôtel, sur les marches recouvertes d'une moquette moelleuse couleur sang, en attendant que la femme de ménage termine de ranger et de nettoyer sa chambre. Comme Flora, la bonne, sait reconnaître une personne patiente, le type venu d'Allemagne lui donne l'impression d'être un saint.

Vivre a un sens lorsque des femmes tournent autour de vous, Stefan reconnaît que la passion masculine est la passion la plus stupide, mais aussi la plus essentielle au monde : des femmes, encore et toujours plus de femmes. Chaque homme naît avec un nombre plus ou moins raisonnable de femmes dans la tête, c'est évident, mais à trente-cinq ans le nombre dans la tête de Wimer a débordé la digue du barrage. S'il n'y prend garde, les femmes entreront même par les fenêtres, elles casseront les tuyauteries, l'eau inondera les planchers, le mystère deviendra pénombre et mort. Les lionnes devraient chercher l'ombre sur le trottoir d'en face, pense Stefan, et il se souvient du jour où Chloé, la sœur de son père, l'avait invité à se promener aux lacs de Berlin. Ils avaient d'abord nagé sous l'astre jaune qui chauffait les eaux du Krummer Lanke, puis ils avaient mangé une soupe de pommes de terre aux tables dressées sur les bords du Schlachtensee. La soupe et les eaux du lac avaient la même consistance. Le corps nu et osseux de Chloé prenant le soleil sur la berge lui avait provoqué une violente érection, qui l'avait obligé à rester plus d'une heure plongé dans l'eau du lac jusqu'à la taille. Là, il s'était masturbé.

La vision de cette femme continue à le perturber, jusque sur les marches de l'hôtel Isabel. Stefan se fâche, il est un voyageur, pas un vieux libidineux qui, attaché sur sa chaise, ressasse ses souvenirs ; les automobiles ont un passé plus solide et plus précis que celui des hommes : dans le passé d'une Mercedez Benz décapotable on trouvera une Mercedez-Benz 500K Special Roadster 1936, pas un cabriolet Volkswagen 1936. Une personne, au contraire, ne sait pas d'où elle vient et dans les branches de son arbre généalogique se cachent une armée de Chinois, des gauchos, des Otomis ou même des chiens.

Les choses sont ce qu'elles sont, Wimer, elles ne changeront pas.

Pendant mon séjour à l'Isabel j'ai rencontré Wimer plusieurs fois au bar de l'hôtel. Je suis timide jusqu'à la moelle des os, je ne pratique aucune langue, et quand un étranger parle espagnol je me sens outragé, ou plutôt minable. Mes paroles relèvent de la plus stricte sincérité, outragé parce que je ne peux lui rendre la pareille ; or *l'Artiste* Frank Henestrosa, comme je m'appelle, comme on m'appelle, paie ses dettes et ne permettra à personne de l'humilier. Aussi ai-je conversé en espagnol, de manière frugale, avec Wimer, j'ai écouté ses propos ennuyeux énoncés à voix haute et appris des choses qui ne me regardent pas. Que vient-il faire dans le District fédéral pour la troisième fois ? Ne se lasse-t-il pas de patiner sur les trottoirs tachés de graisse, de respirer la suie et le sang ? Il semble que non, en fait Stefan espère trouver au District fédéral une Mexicaine qui ait assez d'audace pour partir au bras d'un Allemand décapotable à Berlin. Il n'aura pas à attendre trop longtemps car Flora, la jeune bonne, l'observe affalé dans l'escalier, elle ne peut croire à tant de nonchalance, même si elle sait d'expérience que les étrangers prennent les choses avec calme. La bonne réfléchit : « Ce monsieur n'a pas honte de se coucher par terre alors qu'il pourrait s'installer dans l'un des fauteuils de la réception ; ces choses-là doivent être normales dans son pays, mais il se trouve au Mexique, où nous sommes pauvres et avons des manières. » Celui qui s'allonge dans des escaliers salis par des milliers de pas doit sans doute être considéré comme un paresseux, n'est-ce pas Flora ?

« Monsieur l'Allemand, votre chambre est prête », annonce la femme de ménage.

Elle attache ses cheveux avec un ruban de soie. Si elle ne le faisait pas, sa longue chevelure sombre lui couvrirait le visage ainsi que la moitié de son corps maigre comme une esquille. Que Flora est maigre ! Il ne déplaît pas à ce fripon de Stefan qu'on l'appelle *monsieur l'Allemand*, au contraire, ça l'amuse. Il faut tenir compte du fait que Flora n'est pas la Mexicaine qu'il espère séduire puis faire monter à bord d'un avion de la Lufthansa à destination de Berlin. Elle n'est que la femme de ménage de son hôtel préféré et il ne se passera pas deux secondes avant que Stefan distingue, parmi la masse des femmes, celle qui l'accompagnera à l'appartement de Prenzlauer Berg où il vit actuellement.

Il l'a clairement laissé entendre depuis notre première conversation au bar quand, assis au comptoir épaule contre épaule, il parlait en me regardant à travers un miroir : « Les Allemands ont des idéaux, qui les tuent ensuite à force de travail. Beaucoup d'idées, beaucoup de travail, non, cela ne mène nulle part, tu sais, on perd toujours à être idéaliste. » Il le dit et son visage d'enfant, de chérubin ivre, se fait sévère. Le père de Stefan a travaillé comme s'il allait vivre plus de deux vies, puis il est mort alors qu'il venait d'avoir soixante ans. « Je ne veux pas vivre un seul jour de plus que mon père, s'était promis Stefan à l'enterrement, je veux seulement ouvrir les yeux tous les matins, me trouver avec une femme qui me parle espagnol, ou plutôt mexicain. »

« Tu as bien dormi, blondinet ? » Flora lui touche l'épaule du bout de ses doigts tendres et elle recommande : « Allez dans votre chambre, monsieur l'Allemand. Le lit est fait, les fenêtres sont ouvertes, ne vous penchez pas trop, car vous êtes plus lourd de la taille vers le haut. Je veux pas dire que vous soyez gros, mais il y a des gens qui sont plus lourds d'ici vers le haut, dit Flora en indiquant son nombril.

— Je n'ai pas bien dormi. Quel est le numéro de ma chambre, Flora ? » Stefan bâille comme un hippopotame.

« Vous ne le connaissez pas encore ?

— Je suis très distrait. Peu importe, je peux la trouver sans connaître le numéro, qui fait attention aux numéros ?

— Comment dit-on vingt et un en allemand ?

— *Zimmer Einundzwanzig*.

— Ça, personne ne le comprend, ici il vient beaucoup d'étrangers, mais vous, les Allemands, personne ne vous comprend, vous devez beaucoup souffrir pour apprendre ces mots-là. »

Stefan est retourné dans sa chambre, il ouvre sa valise et met dans la paume de sa main l'once de cocaïne qu'il a achetée la veille : « Te voilà, dévergondée, jolie brune », dit-il, il embrasse l'enveloppe avec la même véhémence que dans le futur, imagine-t-il, il embrassera sa femme mexicaine. Il remet sa jolie brune à sa place et se jette sur le lit de tout son long, tel un arbre abattu.

6

Le Boomerang Riaño

J'ai voulu être footballeur quand j'étais jeune, car j'avais eu une illumination, la même révélation qui tous les jours – de Rio de Janeiro à Naples – anime environ cent millions de personnes. Je ne me suis pas abandonné à cette prémonition, comme je l'aurais dû, sinon je serais connu aujourd'hui comme Frank, *le Footballeur* Henestrosa. À vingt ans, le football m'a semblé trop simple : courir et penser, rien d'autre, envoyer une balle piquée à un avant-centre, revenir en arrière, couper vers le centre, cadrer le tir, centrer ou rouvrir par la bande, quel est le mystère ? Le secret n'est pas secret, il consiste à faire en sorte que personne ne sache quel sera ton prochain mouvement. L'arrière croit que tu vas lui faire face, alors tu changes de rythme, lances le ballon jusqu'à l'extrémité gauche, puis... Dommage que ma nonchalance soit comme une tumeur qui me paralyse les genoux et que les deux entraîneurs que j'ai eus à vingt ans n'aient pas fait confiance à mes théories une fois mises en pratique. Pourquoi doivent-ils toujours répéter la même phrase : « On n'est pas à un pique-nique » ? Un échec de plus, en effet, mais je ne vais pas me plaindre, cette fois je dirai seulement ceci :

le passé a trébuché sur un ballot du nom de Henestrosa, il s'est redressé et, tout content, a continué son chemin.

À la différence de ce qui s'est passé avec moi, *le Boomerang* Riaño ne semble avoir eu aucune espèce d'illumination, ça on peut le voir dans ses yeux de pruneau noir pourri. *Le Boomerang* souffre cruellement d'insomnie, ses os ne craquent plus, dans sa bouche le tabac est capable d'anéantir les plus puissants microbes. Les cachets d'alprazolam le font souvent rêver de sa mère, aussi a-t-il laissé tomber les anxiolytiques pour avoir la paix. Il rêve par épisodes et dort sur le dos, les bras croisés sur la poitrine, telle une momie qui n'en finit pas de se résigner à la position horizontale, une momie anxieuse qui émet des râles. Lorsqu'il monte le perron qui débouche sur les chambres de l'aile nord de l'hôtel Isabel, il regarde le bout de ses chaussures en cuir bleuté. C'est le ton de ses veines. Et de ses boyaux. Deux ampoules ont été enlevées exprès, le couloir s'obscurcit à mesure qu'il s'enfonce vers l'intérieur. Personne ne vient se promener par ici, sauf Camila et ses gens. Les chambres du premier étage de l'aile nord sont interdites aux clients et les volets marron de leurs fenêtres ont été fermés. Je n'ai jamais mis les pieds de ce côté, mais mon intuition me dit que je dois avoir de la retenue et me tenir à distance. On a remis à plus tard les réparations nécessaires pour rendre les chambres habitables, mais dans deux d'entre elles la vie palpite dans des murmures. Que de mystère distille l'atmosphère de cette caverne ! Camila Salinas est la seule femme de chambre à qui il est permis de s'occuper de l'aile nord et elle utilise rarement le tablier bleu ciel, ses dents semblent saines, d'un coup de pied bien lancé elle pourrait briser une rangée de péronés. À première vue elle ne donne pas cette impression de violence, au contraire, les infirmières qui ne sourient pas pourraient en faire leur sainte patronne. Elles lui laisseraient des aumônes juteuses et Camila accomplirait des miracles. *Le Boomerang* la trouve devant l'entrée du couloir, ils se sourient et ce sont des spectres, ils ne se connaissent pas vraiment ; ils savent seulement qu'ils travaillent tous deux pour *le Nairobi*. Il connaît par cœur tous les poèmes de Salvador Díaz Mirón[1], elle a, quant à elle, quelques notions en ce qui concerne les grenades à fragmentation et les crèmes exfoliantes, une culture générale, rien de plus.

« Je me demandais si tu connaissais un remède contre l'insomnie, quelque chose de naturel, pas de produits chimiques », dit *le Boomerang*. Son profil en lame de couteau semble avoir été taillé à la hache.

« Pas de produits chimiques ?

— Des plantes, des griffes d'ours, n'importe quoi qui me fasse dormir sans avoir de cauchemars.

— Tu t'appuies sur le mauvais arbre, mon job est d'être réveillée, *Boomerang*. Ne prends plus de café, le corps il faut lui enlever des substances, pas lui en ajouter.

— Mais qu'est-ce que tu crois ? Les vices sont sacrés.

— Les tisanes de valériane ou de fleurs d'oranger sont bonnes pour ça. À ton âge, les vices sont un obstacle.

1. Salvador Díaz Mirón (1853-1928) : poète mexicain précurseur du modernisme.

— Les tisanes me font rien, ce qu'il me faut, c'est un cercueil et un oreiller. Ce matin *le Nairobi* était dans le coin. Il dit qu'il va me présenter à *la Señora.* Tu l'as déjà vu ? » *Le Boomerang* Riaño passe sa langue sur ses lèvres, c'est un mouvement rapide, presque imperceptible. Il doit l'admettre, l'idée qu'il existe un patron sans visage en plus du *Nairobi* le rend nerveux et lui fait perdre son sang-froid.

« Non, moi je fais partie des basses classes, de la troupe. J'ai entendu parler d'une *Señora*, oui, quelquefois, qui sait ? Tant qu'il nous paie, laisse *le Nairobi* inventer ce qu'il veut. Il fait ça pour nous effrayer, le salaud. » Camila baisse les yeux et tombe sur les souliers bleus du *Boomerang*. « Ils sont beaux », pense-t-elle.

« Il faut le croire, on ne sait jamais. Comment ça va par ici ?

— Par ici ? Rien, juste de l'ennui. Je vais nettoyer les chambres. »

Le Boomerang retourne sur ses pas. Une strophe de Díaz Mirón lui vient soudain à l'esprit : « Quand vais-je jeter toute cette merde aux égouts ? » se demande-t-il. Et la strophe : « Je voudrais être l'un des nœuds avec lesquels tu ornes tes tempes resplendissantes ; je voudrais être dans le ciel de tes bras, boire la gloire que tu as sur les lèvres ! » Le poète délinquant récite des vers dans l'obscurité, il ne manquait plus que ça. Riaño observe du coin de l'œil Pablo Paolo, le jeune famélique qui s'occupe de l'administration dans la journée, en train de feuilleter le registre derrière le comptoir de la réception. « Celui-ci, au moins, il est plus ridicule que moi », murmure Riaño avant de sortir de l'hôtel en quête du coup à boire qui divisera la journée en deux chaînons. Comment cet homme et moi avons-nous pu un jour être amis ? Quiconque a vu un perroquet se reposant sur le dos d'un chien connaît la réponse.

7

Laura Gibellini

J'ai tendance à me croire coupable. Si je me présente sur la scène où vient d'avoir lieu un cambriolage, aussitôt mes yeux, mon tempérament oisif, tout me signale comme le principal suspect du crime, alors que je ne sais même pas ce qui s'est passé. Dans les discussions, je pense toujours que l'autre a raison. Quand je lis un livre, je crois à toutes les théories qu'il contient, je ne prendrais sûrement pas le risque de les réfuter ou de mettre en doute la compétence de leur auteur. Si le regard d'une femme croise le mien, elle aura l'impression que je suis un homme qui ne pourra jamais la rendre heureuse, et je le crois aussi. Le plus triste, dans cette histoire, c'est que je ne fais aucun effort pour prouver le contraire. Quel destin que le mien ! Mais cette fois non plus je ne me plaindrai pas. Si j'ai décidé de passer plusieurs nuits à l'hôtel Isabel, c'est parce que c'est là justement qu'est descendue Laura Gibellini, et que bientôt nous ferons connaissance. J'ignore encore son existence, mais quoi qu'il en soit, cela ne manquera pas d'arriver. À l'école primaire puis au collège, les filles ne me regardaient pas d'un mauvais œil, je dirais même que plus d'une a abusé de moi dans la salle 104, une salle dans laquelle on gardait les ustensiles et les pupitres en attente d'être réparés. Que s'est-il passé ensuite ? Comment se fait-il qu'aucune femme n'ait eu l'idée d'abuser de *l'Artiste* Henestrosa ? Eh bien il y a cette Susan Servín et une autre encore, mais j'ai dû faire de gros efforts pour gagner leur confiance, de plus ces sortes de relations ne comptent pas, du fait qu'elles ne se produisent pas avec grâce et spontanéité, il faut se donner du mal ; or l'effort est la malédiction par antonomase, mais je ne vais pas me plaindre cette fois, simplement elles ne comptent pas à l'heure de devenir exigeants.

Cette Laura Gibellini à laquelle je fais référence se promène en ce moment sur le trottoir ensoleillé de la rue Cinco de Febrero. Dans l'esprit de cette fille de catholiques andalous s'ouvrent des portes et des ouvertures de toutes tailles tandis qu'elle se demande si c'était une bonne idée de faire ce voyage au District fédéral au lieu de se rendre à Buenos Aires, ou sur les plages d'une île des Caraïbes. Son flegme un peu amer, son mauvais caractère ne lui permettent pas d'avoir des remords juste par plaisir, mais il existe un instant de trouble pendant lequel elle se met à faire des bêtises comme à douter de toutes ses décisions. Laura donne parfois l'impression de ne pas avoir toute sa tête, mais qui a vraiment toute sa tête ? Voyons, que les raisonnables et les prudents se plantent devant elle. Voyager sans être accompagnée dans une ville aussi dangereuse que le District fédéral, c'est avoir une grande confiance dans les êtres humains, or la naïveté coûte plus cher que les péchés, c'est un fait, il n'y a aucun doute. On ne peut pas se promener sur la grande place du Zócalo, dans le Centre de Mexico, en soupirant et en se demandant comment ç'aurait été de prendre une bière Quilmes dans un bistrot de Buenos Aires. Elle s'est trompée ? Eh bien on verra.

Tout ce va-et-vient de son tempérament est la faute de la chaleur mexicaine, une chaleur poisseuse qui finit par former des croûtes dans le cou. Les vendeurs ambulants lui offrent leur marchandise, plus d'un observe effrontément la Gibellini : « Si la demoiselle le permet nous sommes prêts à entreposer notre marchandise dans son entrejambe, disent les yeux de certains vendeurs, ainsi qu'à la guérir du soleil en mouillant son nombril et son ventre avec nos langues savoureuses, un peu râpeuses. » De ces yeux qui la poursuivent émane une cendre lumineuse, d'innocence morte, comme si les badauds avaient laissé leur âme dans les bouches d'égout.

« Messieurs les Aztèques, continuez-vous à perdre toutes les batailles ?

— Oui, c'est notre manière de survivre. »

Laura s'étonne de l'absence de fontaines et de robinets publics dans une ville qui fut construite sur l'eau. Elle rejette la faute sur les Espagnols : « Ils ont détruit les canaux pour bâtir leurs palais stupides, mes ancêtres ont esquinté cette ville, rien de moins » ; de nouveau la possède une culpabilité ingrate et floue, un remords sincère ? Allons donc ! En tout cas, la culpabilité est une manière de détester encore plus ses compatriotes. Et pourtant, quelles lettres affligées Laura aurait envoyées à Philippe II pour l'informer des injustices commises en ses royaumes d'outre-mer ! Elle lui aurait narré dans le moindre détail chaque écorchure, l'histoire de chaque Indien mort, l'odeur des boyaux et du sang séché.

Les vélos aussi sont rares, ni eau ni vélos, seulement des pierres, des vendeurs de rue, la chaleur, des églises espagnoles, des édifices nains, des regards hypocrites, parfois coquins, du plastique, des odeurs en éruption, des croûtes dans le cou. Ça lui manque tellement de discuter de ces questions avec quelqu'un, de parler, de jurer, de forer son propre passé alors qu'elle est sur le point de fêter ses trente ans. Et de toujours prendre le contre-pied. Ce n'est pas une méthode, mais toujours contre-attaquer augmente chez elle l'émotion et la vérité des choses. *Emmerder* est le verbe divin. Laura est née à Cadix, ce qui, d'emblée, ressemble beaucoup à avoir un travail. Être gaditane et tenir les couverts de façon incorrecte, prendre le contre-pied, utiliser des verres à vin pour boire du Coca-Cola, mettre le pain dans la soupe du voisin, s'endormir au milieu du coït, cette attitude n'est-elle pas la preuve la plus évidente qu'on a vraiment une vie ? Laura pense que si les personnes la croient stupide elle est sauvée. Stupide et grossière, voilà sa planche de salut. Il est vrai qu'à un certain âge on commence à additionner les morts, car les anciens sentiers de la forêt deviennent circulaires et un après-midi jaune, après avoir beaucoup cheminé, pour la première fois on se retrouve en train de marcher en rond. Comment s'y opposer ? Cependant, je ne comprends pas la contrariété de Laura, mince, trente ans, c'est rien du tout, il y a seulement cinq siècles une femme de cet âge était considérée comme vieille, mais aujourd'hui c'est différent, il y a des chanteuses de rock qui ont autant de rides que de grains de sel, des DJ de quarante ans, les femmes mûres s'habillent comme des barbies, aucune d'elles ne veut être vieille : à l'exception de Gibellini.

Laura a vu la mer quelques jours après sa naissance, mais elle ne l'a pas regrettée lorsque, à dix-huit ans, elle est partie pour Madrid : les gens se déplacent d'un côté et de l'autre, on n'y peut rien changer ! Les provinciaux émigrent à la capitale pour se rendre odieux. « J'ai deux souffrances : l'une est d'être originaire de Cadix, l'autre de vivre à Madrid, dans le quartier de Lavapiés. » Sous une certaine lumière, ses taches de rousseur sur le visage lui donnent l'air d'une adolescente, mais elle ne l'admet pas. « Ce sont les restes d'une maladie vénérienne », me dira-t-elle quelques jours plus tard, mais alors, je ne saurai pas si je dois rire ou faire une grimace de dégoût.

« Quand j'étais adolescente, j'ai attrapé la syphilis dans un bordel, dans les environs de Cadix. C'est un marin qui me l'a refilée. Je ne l'ai jamais revu.

— Qu'est-ce que tu faisais là ?

— Je m'amusais énormément, Frank. Mon histoire ne t'impressionne pas, n'est-ce pas ?

— Non, ma sœur a autant de taches de rousseur que toi. Ce qui m'intrigue, c'est pourquoi les femmes s'imaginent être des prostituées et inventent toutes sortes d'histoires à ce sujet. C'est un peu infantile. »

Avant que cette conversation ait lieu, Laura traverse la foule qui se déplace autour de la Pharmacie de Paris, à l'angle des rues Cinco de Febrero et República de El Salvador, elle observe un homme en blouse blanche, assis sur une chaise en pleine rue, un écriteau à côté de lui sur lequel on peut lire « dix pesos la consultation », ainsi qu'une copie floue de son titre universitaire enveloppée dans un mica opaque, docteur, monsieur le docteur à l'épaisse barbe bien rasée, monsieur le docteur aux os durs et au diplôme de rue. « Mais cet homme est exactement comme Julio Cortázar, s'étonne Laura. Julio n'est pas mort. » Si nécessaire, cet homme pourrait faire une opération chirurgicale là sur le trottoir, redresser des vertèbres en manipulant ses grands doigts, mais le docteur Cortázar n'a pas besoin d'en venir à ces extrémités, il griffonne quelque chose sur une ordonnance jaunâtre ou vend lui-même des potions dans des petits sacs en plastique, des potions amères – « elle est amère parce qu'elle guérit » –, épaisses comme de la crème de marécage – « elle est épaisse parce qu'elle est nutritive », dit-il, qui oserait en douter ?

Dans la pharmacie, attachés à une corde en plastique, pendent des dizaines de jouets couverts de poussière qui n'ont pas trouvé acheteur en vingt ans, sur les rayons près des étroites caisses enregistreuses sont exposées à la vente des pommades miraculeuses, des savons au jojoba, du nitrate d'argent, des gélules de foie de requin, des ciseaux chromés, des nez artificiels. Laura n'a jamais vu dans toute sa vie une collection pareille, elle est fière de le reconnaître : « Les touristes de la rue Corrientes ou ceux qui prennent le soleil comme des phoques sur la célèbre plage cubaine de Varadero aimeraient bien être ici, ils aimeraient bien essayer un nouveau nez en trompette ou prendre une potion qui fasse fonction de régulateur cardiaque », mais est-ce si sûr ? Quelqu'un voudrait-il vraiment plonger quelques minutes dans ces catacombes médicinales portant le nom ridicule de Pharmacie de Paris ? Bien sûr, « car ici les époques sont empilées les unes sur les autres, comme des strates géologiques ». Laura Gibellini s'insuffle du courage plusieurs fois par jour, surtout après une longue promenade fatigante, ou le matin lorsqu'elle se réveille inquiète et déprimée. Certains passent une partie de la matinée à trotter dans un parc ou à faire des exercices musculaires, mais Laura quitte son lit et se fustige, comme si elle était de trop en ce monde et cherchait chaque jour des raisons de prouver que Dieu n'existe pas. Elle est pressée, sans en connaître la raison, peut-être est-elle pressée de lancer des malédictions comme de vieillir. Étant donné qu'absolument personne ne peut vivre sans conflits, le plus sensé est de les provoquer soi-même, ainsi au moins a-t-on un certain avantage. Laura traverse la vaste place du Zócalo telle une caravelle qui a guetté la terre ferme et continue par la rue Cinco de Febrero jusqu'à República de El Salvador. Après avoir cherché un objet dans son sac, elle traverse l'étroite rue Isabel la Católica puis entre à l'hôtel Isabel, où elle loge depuis deux jours à peine.

8

Le pyjama d'Einstein

Je suis enfin arrivé au fameux hôtel Isabel. Il était temps, bordel ! Le réceptionniste ne me regarde pas d'un bon œil. Juger un homme sur sa mise, quelle sottise ! Comment Einstein était-il vêtu lorsqu'il a eu l'idée de la théorie de la relativité ? Il est probable qu'il se promenait en pyjama, en caleçon ou modestement vêtu ; le monde s'élabore secrètement dans le cerveau. J'admets que mon esprit est médiocre et condamné à ne donner aucun fruit. Comment puis-je vivre de la sorte ? Je dois laisser l'apitoiement sur soi aux impotents ou aux vieillards, pas à moi, bête de somme. Ma mère est morte, Mariana Henestrosa, ma sœur, est partie en province pour prendre soin de son fils dans une crèche, ou dans un marécage, n'importe où sauf dans le District fédéral. Telle est sa décision. Elle ne veut pas contribuer à ce que la méchanceté continue d'engendrer des victimes, elle ne va pas coopérer avec ça. J'aime ma sœur plus que tout au monde, mais je renonce à penser à elle, dans mon esprit tout est empoisonné, même un rat du marché de La Merced ne survivrait pas dans ma tête. Pourquoi les frères et sœurs vivent-ils si longtemps ? C'est avec eux en réalité que l'on partage la plus grande partie de sa vie.

J'examine de nouveau mon visage dans le miroir de la réception et je n'ai pas honte, je porte une veste pour dissimuler mon aspect de vagabond, mes chaussures sont simples et dignes, mon pantalon noir, et j'ai cinq mille pesos en poche ! Einstein avait-il cinq mille pesos dans sa bourse quand lui est venue l'idée de sa théorie ? Personne ne pense à ça, à l'argent que les scientifiques ont en poche lorsqu'ils découvrent ce qui se passe dans une étoile à cent années-lumière de distance.

Avant d'entrer de plain-pied dans l'histoire, je raconte une anecdote un peu insipide, mais qui me plaît : il y a vingt-cinq ans de cela, j'ai travaillé comme marchand de biens au sud de la ville, à Villa Coapa, là où l'on avait démoli des étables pour construire des maisons et où l'odeur de la merde bovine n'en finissait pas de s'évaporer. Je n'ai pas été exactement un marchand de biens, j'étais plutôt un vulgaire vendeur de maisons qui aurait aussi bien pu vendre des pâtisseries ou des voitures d'occasion. En trois mois j'ai réussi à conclure deux ventes. Les clients venaient visiter la « maison témoin », ils arrivaient dans des voitures de sport, ou dans des carrosses flambant neufs, mais ils n'avaient pas assez d'argent, devaient demander un prêt à la banque, y réfléchir à deux fois, revoir leurs comptes, ils se faisaient des illusions et continuaient à vivre ; voilà à quoi ils consacraient leurs dimanches, à jeter un coup d'œil aux maisons qu'ils ne pourraient jamais acheter.

Mon collègue des ventes, un garçon aussi inexpérimenté que moi qui s'appelait Gerardo Balderas, misait tout sur son talent et se mettait en quatre pour convaincre les clients, comment n'aurait-il pas essayé alors que nous gagnions une commission d'un pour cent ? Un pour cent du prix absolu de la maison. Dix mille pesos pour chaque million. Une fortune ! Ce n'est pas mal pour un jeune qui sait qu'il ne va pas rester assis longtemps sur cette chaise ; avec une telle somme, à cette époque, il était possible de vivre jusqu'à six mois ! C'était le bon vieux temps ! Vendre des maisons, ça revenait à vendre des histoires qui ne font que commencer. Personne ne sait si dans la maison vendue il y aura des femmes satisfaites ou des gémissements, des hurlements de jouissance, des orgasmes ou des cliquetis de couteaux qui entrent et sortent de la chair.

L'après-midi d'un lundi de canicule, un vieux s'est approché du parasol à l'abri duquel, nous ennuyant ferme, nous nous protégions d'un soleil de fils de pute, et il nous a suppliés, le vieux, de lui permettre de jeter un coup d'œil à la « maison témoin ». Jeter un coup d'œil ? Non, monsieur, car notre obligation est de vous faire faire un tour rapide du séjour, des trois chambres, des quatre salles de bains, de l'office, de la citerne, de la cuisine intégrée, de vous montrer le catalogue des papiers peints, de vous faire écouter le puissant jet d'eau qui sort des robinets comme la pisse d'un veau. « Pas question, Gerardo, c'est ton tour de t'en occuper », ai-je rappelé à mon collègue, vendeur étoile, vaniteux et entreprenant, mais le connard étalé sur son fauteuil à bascule a examiné le vieux client, son débraillé, ses vêtements ordinaires, qui, par-dessus le marché, était venu vers nous à pied, il n'avait pas de voiture !, une affaire perdue d'avance. Comment ce vieux misérable veut-il acheter une maison alors qu'il n'a même pas de voiture ? Aussi Gerardo a-t-il continué à somnoler comme un nègre du Sud dans son fauteuil, sous son porche, après sa dure journée de travail. « Je t'en fais cadeau, m'a-t-il dit dans un murmure. Frank, m'embête pas, ça va, qu'il voie la maison, mais surveille qu'il pique pas les ampoules. » Piquer les ampoules ? Mais le vieux faisait à peine plus d'un mètre soixante ! Il n'y avait pas de chaises dans la maison. Les plafonds s'élevaient à plus de deux mètres cinquante, piquer les ampoules ? Pour qui se prenait ce crétin ? Je me suis levé et j'ai fait mon boulot, parce que quand *l'Artiste* Henestrosa dit : « Au boulot ! », il n'existe personne au monde capable de l'arrêter. Et après ? Le vieux n'a pas acheté une maison, mais deux, pour ses deux fils, il m'a remis vingt mille pesos d'acompte devant le regard désolé, atterré, de Gerardo, ce grand connard, ce gringalet portant veste et cravate. Nous avons signé un reçu, le vieux a vu réalisé son rêve de protéger ses fils et moi je me suis retiré des affaires pendant un bon bout de temps. Cet acheteur était un Einstein, il gardait tout dans sa poche, pas question de s'acheter un costume Scappino ou de se laisser corrompre par les Blancs, les poches ne sont-elles pas les cerveaux de notre époque ?

Devant le vieux miroir mural qui reflète toute la réception de l'hôtel Isabel, j'observe ma triste figure. C'est comme un daguerréotype divisé en quatre à la surface duquel ne manque qu'une signature. Si je n'avais pas eu d'argent sur moi, j'aurais sans doute été déprimé à la seule vue de ma modeste chevelure disciplinée. Mais qui ne serait déprimé à mon âge ? Dans le futur proche, j'ai un endroit réservé et sûr pour les maladies, les courses de chevaux, les enterrements, le mépris des femmes jeunes, jamais tout à la fois, mais dans une scrupuleuse procession. Un détail : la couleur de mon visage a le même ton que les rampes de l'escalier et le comptoir baroque de la réception, un ocre graisseux, métis.

« Vous avez droit à un petit déjeuner continental tous les jours jusqu'à onze heures du matin, après cette heure-là tout le monde commence à penser au repas, me récite Pablo Paolo, le jeune réceptionniste qui a reçu de mes mains une avance pour trois jours d'hébergement.

— Ne vous inquiétez pas, je peux payer mon petit déjeuner et ce qui manquera.

— Il est de mon devoir de prévenir. Vous, vous décidez. Il est toujours bon d'avoir des options. »

Continental, quel nom stupide pour un petit déjeuner plutôt parcimonieux. Je suis vexé que le jeune homme pâle monté sur son squelette en plastique m'ait regardé avec méfiance lorsqu'il s'est aperçu que le nouveau client n'avait pas de bagages. Si j'étais un étranger il ne m'aurait rien demandé, mais mes cheveux ne lui plaisent pas, ils brillent, oui, mais comme du pétrole éclairé par la lune ; si j'étais étranger je pourrais arriver nu, avec les testicules enflés, le cul sale, sans éveiller l'ombre d'un soupçon. Je suis fâché, mais je saurai le dissimuler, j'observe les personnes comme l'entomologiste qui n'a pas plus d'affection pour les insectes qu'il n'est exigé par la science : je me mets donc à l'abri. Qualifier de *continental* un petit déjeuner aussi maigre qu'un grain de sable, quelle pédanterie, quel euphémisme de voleurs ! J'ai la clé de la chambre à la main, les formalités sont remplies. Je vais me reposer comme jamais ces derniers mois, mais avant de me jeter sur le lit je vais m'offrir un cuba glacé au petit bar de l'hôtel. En avant, Frank, prends les rênes, montre ton assurance, qui peut t'humilier ? Tu ne loges pas au *Four Seasons*, regarde autour de toi, tu es dans un hôtel modeste, le petit hôtel Isabel.

9

Peur du *Nairobi*

Ils roulent dans une voiture noire, trois hommes accablés par le soleil qui transperce le métal des véhicules ; l'air conditionné est insuffisant, les bières tiédissent, la circulation se fait plus dense dans l'avenue Héroe de Granaditas avant de déboucher sur le périphérique. Quel est le nom de ces brutes ? Peu importe, ils ne vivront pas longtemps, ils sont nés par erreur et malchance. Leur négoce se concentre dans une petite échoppe à l'angle des rues Peralvillo et Granada. Ils sont déjà condamnés mais n'en ont pas encore conscience car, étant unis, ils se prennent pour l'armée de Corée ; ils sont idiots, ça oui, trop jeunes, mais surtout idiots. Ils se reproduisent par milliers, des deux côtés du Rio Bravo, ce ne sont pas des hommes mais des gènes, ou des axolotls, leur nom importe peu. Ils célèbrent leur première séquestration décisive, on gagne plus d'argent à séquestrer des personnes qu'à vendre de la cocaïne, les nouvelles générations ne se contenteront pas de miettes, ou à quoi pensent les pères quand leur sperme glisse hors de leurs testicules ?

Tout le monde ploie le cou sous le soleil de deux heures de l'après-midi.

« *Le Nairobi* va nous attraper, ils m'ont pas laissé approcher quand j'ai voulu lui parler. Je voulais lui proposer la moitié du fric, dit l'un. C'est le plus prudent. » De la prudence chez ces grands dadais ?

« Ou on l'attrape en premier, qu'est-ce qu'il se croit, ce mec ? dit celui qui joue les chefs.

— Pour qui il se prend ? Fais pas le con, c'est *le Nairobi.*

— File-moi une autre bière.

— Elle est chaude. Tu vas la cracher. *Le Nairobi,* il aime pas les séquestrations, ils viennent de me le dire, ça le rend furieux, un vrai chien, voilà ce qu'ils m'ont cafté. Il faut relâcher le mioche avant que ça se sache.

— Il le sait déjà, c'est sûr, passe-moi le portable. Putain de pédé, qu'il aille se faire foutre, hé ?

— T'as vu la meuf, mec ? (le vaurien montre du menton un trottoir), il vaut mieux lever des meufs, si leurs patrons veulent pas lâcher le fric, au moins on les baise. On est vraiment cons.

— *Le Nairobi,* il va nous attraper.

— Ferme-la, putain. »

La circulation redevient fluide, la rue est un nez congestionné, mais il faut respirer, n'importe comment. La voiture noire se fraie un passage par un trottoir, c'est une hémorragie soudaine, du sang noir. Sur les murs, les poteaux, les fenêtres, les autocollants se reproduisent, les politiciens promettent de changer l'aspect de la ville du jour au lendemain, les eaux seront blanches, les promenades vertes et les morts se réjouiront d'avoir été l'engrais d'un nouveau paradis. Le visage des sauveurs se multiplie. Loués soient-ils.

« Retourne à Peralvillo, on va relâcher le gosse, puis on se prend une cuite pour faire baisser la pression, fais pas le fanfaron. J'ai un peu de cocaïne.

— Moi je descends pas, laissez-moi seul si vous voulez.

— Je te dis que *le Nairobi*, il a pas voulu me voir, ils ont déjà cafté, ils vont nous tomber dessus.

— Et alors ? Qu'ils nous tombent dessus, c'est comme ça qu'on apprend, putain. »

10

Miguel Llorente

Je commence à fureter aux alentours, comme la souris quand les propriétaires de la maison sont partis. Le petit bar de l'hôtel n'est pas mal du tout, l'endroit est un peu sombre et paraît peu fréquenté. En plus du patron, il y a en ce moment deux autres personnes : au comptoir, un homme qui dissimule sa calvitie sous un panama, marmotte quelque chose pour lui-même, il me semble entendre des chiffres, des dates, des noms : « Pepe, fils de pute ; María, j'en reviens pas que tu aies laissé ta culotte à cet endroit. » Son visage me dit quelque chose, de même que son dos à moitié voûté, il est appuyé au comptoir et fume un cigare fin dont il a laissé l'étiquette dans un cendrier, à côté des cendres. J'apprendrai plus tard que son nom est Miguel Llorente.

L'autre personne ne peut être plus différente : c'est *une autre personne* en vérité. À peine entré je l'ai reconnu, non seulement au premier regard, mais aussi à l'estomac en sentant un élancement au niveau du nombril : c'est *le Boomerang* Riaño, pas moins. Je prends un air distrait. Tout cela n'est sans doute qu'une stupide coïncidence, *le Boomerang* n'est sûrement pas un client de l'hôtel, mais il est là, avec sa mâchoire de lézard, ses phalanges tachées, sa façon de s'asseoir jambes écartées comme s'il était sur le point de pondre. Un raté depuis toujours, j'en sais quelque chose ! Il tient le journal étalé sur la table quadrillée et fait semblant de lire attentivement : un simulateur professionnel comme il y en a dans tous les bars. Qui paie ces hommes pour feindre de ne voir personne ? Je m'approche du comptoir poisseux, aux moulures d'aluminium rouillées, et je commande un cuba avec trois petits glaçons. « Trois, dis-je, s'il vous plaît, laissez-les fondre un peu avant de servir le rhum, jusqu'à ce qu'ils atteignent la taille idéale. » Trois, parce que les paires portent la guigne, elles sont comme tout dans la vie, pure banalité : Blancs et Noirs, la même chose ; le Soleil et la Lune, n'existe-t-il pas déjà un million d'astres ? Le Soleil, la Lune, quel sentimentalisme ! Il n'y aura jamais deux glaçons dans le verre de Frank Henestrosa, voilà ce que je me promets juste au moment où je remarque la proximité d'une haleine chargée de tabac. Je mets quelques secondes à comprendre que les paroles suivantes me sont adressées, qu'elles appartiennent à l'homme au cigare, Miguel Llorente, qui ne cache pas son soudain bien-être et entame sa longue tirade. Il va me gâcher la journée. Voyons de quoi il s'agit :

« Bonne décision que de venir dans ce bar, vraiment, on lui a construit un hôtel autour, un luxe sensationnel pour un bar aussi modeste, oui, l'hôtel est un ajout, il y vient des personnes d'autres pays, mais vous croyez qu'elles viendraient boire un verre au bar de l'hôtel ? Non, pensez-vous, elles préfèrent les tavernes, c'est connu, le mot *taverne* les excite ; après, elles retournent en Nouvelle-Zélande et disent : “J'ai été dans une taverne", ça doit avoir son importance, comment le savoir ? Elles ne vont pas venir dans ce bar délavé quand tous leurs compatriotes attendent leur arrivée pour les entendre raconter en détail *la taverne*. Je parie qu'ils sont déçus, partout dans le monde c'est la même chose, la taverne, le *pub*, des endroits où l'on voit des bouteilles et des gens. C'est pour ça que je ne voyage plus, les mêmes vices où qu'on se trouve, bon, l'oxygène, l'air est bien sûr meilleur dans d'autres endroits, mais en dehors de ça… »

Miguel Llorente parle entre ses dents, il doit avoir des fonctions importantes pour remuer les mains avec autant d'assurance. La vérité, c'est qu'il m'a impressionné. Je l'écoute en observant ses petites dents, des dents blanches, bien rangées : un dentiste a passé la moitié de sa vie à soigner ces brebis.

« S'ils ouvraient une porte sur la rue les gens sauraient qu'il existe un bar aussi *ad hoc* que celui-ci, oui, pour quoi faire ? C'est ce que j'appelle un anonymat accidentel, ce qui est bien, c'est que seuls quelques privilégiés comme vous et moi venons ici pour ruminer nos peines, hein, l'ami ?

— Ce n'est pas exactement mon cas, je loge ici, mais je ne viens pas de Nouvelle-Zélande. »

C'est ce que je lui réponds, et bien que j'essaie de mettre dans mes paroles un ton mystérieux, je ne suscite pas la moindre réaction chez l'homme au cigare. S'il s'est décidé à bavarder avec moi, c'est juste parce que je me trouve à côté de lui, pas parce qu'il pense que je suis un homme intéressant. Si quelqu'un se place à côté de vous à un comptoir, c'est qu'il veut entendre vos histoires. La mort et les lieux communs arrivent toujours à l'heure dite.

« Bon, c'est évident, chacun de nous est un cas particulier, me dit-il, l'histoire de la vie, en effet. Moi aussi je suis un cas particulier, voyez-vous, mon père m'a légué un commerce de massepain et de touron dans la rue República de Uruguay, mais dès ma naissance, il s'est mis à péricliter. Mes parents ne m'en ont pas rendu responsable, s'ils l'avaient fait, qu'est-ce que ça aurait changé ? De toute façon, personne ne pourrait cacher la réalité. Les Espagnols et la bourgeoisie achetaient du touron dans notre magasin, mais ça, c'était avant. Que se passe-t-il maintenant ? Eh bien les gens préfèrent les saveurs artificielles, la pâte à modeler parfumée, les rues sont pleines de commerçants qui vendent des saletés, vous pouvez acheter n'importe quoi, personne ne paie d'impôts, les estomacs supportent et les bonnes habitudes se perdent. Ils appellent ça l'économie informelle, mais je préfère le nom d'économie immorale, qu'en pensez-vous ? Économie immorale. Selon moi, l'économie la plus sage appartient à ceux qui ne sont pas nés, ils nous épargnent leur existence, je les aime vraiment, ce sont les citoyens les plus notables de ce pays (comment pouvait-il rire sans que le cigare soit expulsé de sa denture bien rangée ?). De temps en temps un connaisseur ou un vieux client apparaît, sans lui nous ferions faillite, savez-vous ? Dans cette marée humaine que vous voyez circuler dans les rues vous pouvez même rencontrer un Éthiopien, mais sûrement pas un acheteur de massepain ou de bon touron. Même un Éthiopien ! Vous m'avez entendu ? Le mieux à faire, c'est d'arrêter de dire des bêtises et d'aller à l'hippodrome, au moins, dans ce genre d'endroits, les jeunes ne gagnent jamais. Ou quand ils gagnent, ils se soûlent comme des Russes et se retrouvent morts dans un bordel quelconque. Enfin un peu de justice. Les gens vont à l'hippodrome pour être sociables, mais quelques-uns d'entre nous se concentrent sur les courses : c'est seulement de cette façon que j'ai gardé le commerce à flot et, bien sûr, avec l'aide de mes saints patrons.

— Moi, j'irais plus souvent à l'hippodrome si on ne l'avait pas mis en dehors de la ville. J'aurais aimé vivre à l'époque où les chevaux couraient à la Condesa », lui dis-je, m'étonnant de ma propre aisance, depuis quand suis-je aussi sociable ? Et alors ? Je peux parler, j'ai de l'argent en poche, je suis un monsieur, ne serait-ce que pour quelques jours.

« La Condesa ? Il n'y reste que des juifs et des clowns qui cuisinent, les Argentins aussi ont tiré profit de cette zone. Vous avez raison, cher ami, moi aussi je regrette les chevaux de la Condesa ou ceux de Peralvillo, que je n'ai pas connus, mais je les regrette quand même. »

Mon cuba se termine, les glaçons sont sur le point de disparaître ; ce qui m'intéresse le moins, c'est d'écouter des sermons sur les jeunes ou des théories sur les courses de chevaux : dans ces courses, c'est toujours la même chose, quelques malins, des salauds d'escrocs, prennent leur argent aux idiots. Mais que m'importe la justice dans les hippodromes ? Je vous en prie, car ce que cherche un bon joueur, c'est de tout perdre. J'aurais dû remettre ce Llorente à sa place, mais je l'ai trouvé sympathique avec son hochement de tête, ses yeux tournés vers l'intérieur, comme s'il n'arrivait pas à comprendre. Le monsieur des massepains est drôle, pourquoi doit-il passer son temps à vendre des sucreries ? Les sucreries sont pour les enfants, pour les vieilles dames qui les gardent dans un sac sous leur oreiller, les mâchonnent au milieu de la nuit, mais les hommes sérieux ne peuvent s'occuper des amandes ou de l'épaisseur du miel.

Le Boomerang Riaño m'a reconnu, aussi évite-t-il de s'asseoir comme une grenouille aux cuisses endormies et dissimule-t-il encore plus sa présence derrière les feuilles de son journal. Il approche la tasse de café de son torse comme s'il allait l'incruster dans son sternum et introduit un doigt dans son oreille gauche, pensant à coup sûr : « Merde, que fait Henestrosa dans ce bar ? » Les circonstances nous rapprocheront plus tard, mais en attendant le moment est venu de connaître ma chambre. J'ai terriblement envie de la connaître – à moins que le réceptionniste m'ait envoyé à la terrasse ? Le rez-de-chaussée est sûrement plein de Françaises, mais moi je dois monter au sommet de la pyramide.

11

Roberto Davison

Ma nouvelle demeure est semblable à un beau pot de fleurs discret à l'intérieur duquel il n'y a ni terre ni fleurs, peut-être un ver de terre qui se délecte dans son vaste espace ; je m'allonge et j'essaie d'imaginer le vol d'un goéland d'Olog, et ce que sera ma prochaine vie quand je me réincarnerai en un illustre acteur de cinéma.

Tandis que je fais cela, d'autres vies tombent du ciel comme des météorites sans feu. L'une d'elles est celle de Roberto Davison qui, comme moi, comme Laura Gibellini ou Stefan Wimer, va également prendre pension à l'hôtel Isabel. Lui est un acteur de publicités, une personne affable dont les viscères sont en bonne santé, et avec qui je crois n'avoir rien en commun, sauf que si l'on ajoute le poids spécifique et symbolique de nos deux personnes la somme sera sans doute inférieure à zéro.

« Je le connais, j'en suis sûre, maman, c'est un acteur de cinéma, un acteur célèbre, tu veux parier ? »

La jeune fille ne laissera pas échapper l'occasion de raconter à ses amies qu'elle fréquente les endroits où se réunissent les artistes. Il faut chercher la gloire dans les basses-cours, dans les pierres, parmi les humbles acteurs qui se battent aussi pour avoir une chance de briller.

« Son visage ne m'est pas familier, ma fille. Et celui de sa compagne non plus. Je vais mettre mes lunettes… Non, vraiment pas », dit la mère, dubitative.

Roberto se trouve en compagnie de sa femme au restaurant *Sanborn's*, entre les rues Isabel la Católica et Uruguay. Par un signe que seules comprennent les serveuses, le gérant a ordonné de baisser les stores, car les rares rayons de soleil qui parviennent à filtrer chauffent les tables, les transformant en plaques de cuisson. « Que d'énergie gaspillée ! » pense le jeune gérant. Le costume que l'entreprise lui a prêté lui donne l'autorité et le désir de conserver l'énergie à tout prix.

« Si je lui demandais qui il est ? » insiste la jeune fille. Elle se trouve à quelques pas de la table de l'acteur.

« Si tu fais ça, je m'en vais », s'inquiète la mère. Elle ne permettra pas à sa fille de se ridiculiser.

Pendant ce temps, étranger à cette conversation, Roberto Davison projette d'entrer aux toilettes en tenant sa femme par la main, car une brusque envie de forniquer avec elle l'a saisi à l'improviste, le désir qui est un signal de son être le plus vulnérable, un fourmillement qui ne se situe pas précisément dans ses testicules velus ou dans une région physique de son corps, mais dans un ruisseau imaginaire et caché de son cerveau. Il pose sa main sur la jambe nue de Gloria Manson, nom d'artiste de María Gloria Manríquez, lui demande de se lever, de traverser la salle et de l'attendre dans les toilettes des dames.

« Il est onze heures, dit Davison, être dans toi me portera chance, c'est un jour ensoleillé, tu ne vas pas refuser, n'est-ce pas, Gloria ? »

(« Idiot, quelle improvisation ! Tu lui as dit exactement la même chose la première fois. Ne suis-je pas censé improviser comme le fait tout bon acteur ? »)

« Que crois-tu, homme de fer ? Personne ne va te refuser quoi que ce soit, ne te laisse pas abattre, car le monde est plus stupide que rond », lui répond-elle, et elle absorbe lentement sa troisième tasse de café tout en flairant les tables voisines ; les clients sont rares à cette heure : deux femmes qui l'observent de façon insistante et, dans le coin au fond, un vieux jaunâtre qui lit le journal.

« Il me rappelle quelqu'un. La mémoire me reviendra en arrivant à la maison. Je te le parie, insiste la jeune fille sans pouvoir écarter le sujet.

— La télévision est pleine de gens, ma fille, le monde entier y passe. Tu dois accepter que ce genre de personnes n'a aucune importance, calme-toi. » La mère ne semble pas disposée à reconnaître que le visage rouge de Davison commence à lui être familier.

Je sais, par expérience, que les hommes mûrs ne doivent pas reculer d'un seul pas dans leur guerre contre les jeunes, et Davison fait en sorte que nous soyons fiers de lui. Les armées se forment ainsi, non par idéaux ou autres bagatelles, mais parce que deux chauves ou deux grêlés par la variole reconnaissent dans l'autre leur propre souffrance et décident de prendre un drapeau, puis de se jeter ensemble dans l'aventure. Si bien que moi, Henestrosa, je reconnais chez Davison quelque chose qui se trouve aussi en moi, bien que cela germe d'une autre manière, et je partage son drapeau et sa guerre.

« Allons dans un hôtel, à deux rues j'en ai vu un joli qui ressemble à un musée, lui propose Gloria – ses pupilles couleur amande brillent d'émotion –, nous avons le temps jusqu'à quatre heures, à quelle heure est ton rendez-vous ?

— Après quatre heures. À cette heure-là, on reçoit les perdants.

— Nous avons le temps, tu enlèveras tes chaussures et tu te reposeras.

— D'accord, Gloria, allons dans cet hôtel, je remplis mes engagements cet après-midi puis demain nous rentrons à Cuernavaca, mais ne m'échappe pas, hein ? Attends-moi dans les toilettes, de dos et sans relever ta jupe, salope. Je vais te braquer un revolver sur la nuque, si tu remues trop l'arme partira seule, tu le sais, je deviens nerveux et toi tu meurs. Ne t'avise pas d'appeler au secours, encore moins de crier, tu m'as bien entendu ?

— Comme tu voudras, Roberto, mon amour, mais que se passera-t-il si on nous découvre ? Nous ne savons pas si les serveuses aussi vont aux toilettes des clients », ajoute Gloria par devoir : opposer une certaine résistance est le premier devoir d'une femme excitée. À quarante-deux ans, on a certaines obligations…

Roberto Davison fait preuve de caractère. Les serveuses ne fréquentent pas les mêmes toilettes que les clients, elles gardent leur intimité et respectent la séparation entre les classes sociales ; pour le bien de tous elles cacheront leur propre saleté dans un compartiment privé. Le public ne se rappelle pas du tout son visage, celui de Davison, car son travail à l'écran consiste précisément à impressionner un public à la mémoire quelque peu atrophiée. Les gens n'ont pas porté l'attention due aux publicités de sous-vêtements, de costumes sur mesure, de vêtements et toujours plus de vêtements que Roberto Davison a tournées depuis vingt ans qu'il se montre sur les écrans. Après une si valeureuse carrière, il tient des rôles dans des publicités encore plus secondaires. « Les rôles de médecin te vont super bien, surtout ceux de dentiste ! » Gloria l'encourage : si elle ne le fait pas, qui va réparer les poutres de la toiture ?

« Ça y est, maman, je sais qui c'est. Il passe dans des publicités, à la télé. Tu te souviens du médecin à califourchon sur une vache ?

— Comment pourrais-je me souvenir de telles bêtises ? Allons-y, il faut demander l'addition. »

À l'époque où Davison était adolescent, ses parents l'avaient emmené visiter le Cerro del Mercado, dans l'État de Durango où ils étaient nés. Ce Cerro del Mercado est une montagne de fer, les enfants qui s'ébattent sous ses flancs sont contaminés par une force minérale incroyable. Des enfants minéralisés, merde, mille fois merde. Gloria n'a jamais visité ce mont igné (en fait, elle voyage très peu) et elle attend son mari dans un compartiment des toilettes, en silence, agitée comme chaque fois que Roberto lui demande de forniquer dans des lieux publics. Gloria ne comprend pas pourquoi, dans sa jeunesse, il a refusé des rôles pornographiques. N'est-ce pas ce qui lui plaît ? Il y avait là une mine d'or. La raison : Roberto est craintif, timide, il ne s'imagine pas jouer nu devant d'autres hommes, eux habillés, le cameraman, le metteur en scène, et lui nu ! Davison à poil comme un chien tandis qu'autour de lui les caméras braquent leur objectif ! Pas question ! S'il acceptait de poser nu il serait mort et ne pourrait se défendre de lui-même. S'il avait été un acteur célèbre son contrat aurait stipulé qu'il ne tolérerait aucun homme sur le plateau, uniquement des femmes, nues si possible, des professionnelles, alors oui, les choses auraient été formidables et il aurait gagné des millions. Cela, Gloria Manson le comprend mal, elle qui a été mannequin sur l'avant-scène, pas célèbre non plus, mais certainement accomplie, les chairs fermes, mince, humide comme une nouille dans la casserole. Ensuite son corps s'est un peu épaissi : c'est-à-dire qu'il a cessé d'être contemporain.

« Qui a choisi ton nom d'artiste ? Il est beau, lui a demandé Roberto quand ils se sont rencontrés.

— Qui ? Un idiot, le directeur de la première agence qui m'a embauchée, il l'a trouvé intéressant, j'ai appris ensuite que c'était le nom d'un assassin qui avait fait des choses horribles.

— Tu aurais pu en changer, il était encore temps…

— Non, car après tout il m'a réussi. C'est vrai, je ne peux pas le nier, c'est un nom intéressant et supérieur à Manríquez. Mon nom me plaît, oui, il me plaît, mais Manson est mieux, un peu de sang attire l'attention des gens. C'est ce que je pensais à quinze ans, je voulais être vamp. J'étais folle. Ça ne me correspond pas. Bref, je m'y suis habituée.

— Gloria Manson, mmm, c'est excitant.

— Ça c'est moi, personne d'autre.

— Il est beau, Gloria.

— Merci, Roberto. Et Davison, d'où ça vient ?

— Je l'ai inventé, il n'a rien de drôle. Davison est un petit village du Michigan, mais ça je le sais à peine.

— Il n'est pas mal du tout, j'aimerais vivre dans ce village avec toi. »

Poussé par une main divine, Davison s'est absolument privé de tous les premiers rôles, personne ne lui a demandé d'apposer son autographe sur l'un des caleçons blancs qui ont inondé la ville pendant plus de dix ans : ça lui est égal, en échange de si petites bagatelles il possède une femme de la manière la plus désuète et effective possible, en travaillant sur son corps avec un casque, des gants, une pioche, taillant la pierre. Il est probable que le Cerro del Mercado a contenu, il y a plus de quarante ans, des minéraux libidineux capables d'affecter à jamais un enfant aussi sensible.

Le téléphone sonne, c'est son agent, Tomás Gómez. Roberto Davison répond, pressentant que sa demande sera une fois de plus rejetée : « Et maintenant, que va me dire ce salaud de rouquin ? » murmure-t-il. Le portable est envahi pendant plus d'une minute par la voix odieuse de Gómez, Davison l'accepte sans protester, feignant l'indifférence. Comme nous tous, les hommes qui respirons, il garde un espoir dans sa poche. Après avoir coupé, il quitte sa chaise pour se rendre dans l'un des compartiments des toilettes où Gloria l'attend depuis plusieurs minutes. Les pieds de Gloria sont chaussés de bottes à talon qui la rendent presque aussi grande que lui. Roberto entre sans être suivi par un seul regard : qui ferait attention à un homme qui ne brille que lorsqu'il s'exhibe en sous-vêtements ? Il baisse une targette en aluminium pour fermer la porte, embrasse Gloria dans le cou, ses mains dégagent le chemin afin que son pelvis pousse avec violence les fesses du mannequin à la retraite. « Je ne suis pas armé, Gloria, je ne vais pas te faire mal, le plan a changé, tu dois m'accepter tel que je suis », pleurniche-t-il à son oreille en essayant de la pénétrer. « Ils ne vont pas me recevoir avant trois jours, mon travail ne les intéresse pas, c'est fini », dit-il, et il pousse avec force ; et elle : « Non, Roberto, tu es merveilleux, c'est tous des imbéciles, ne me fais pas mal, ne tire pas sur moi. » Il se met à pleurer. « Je t'ai dit que je ne suis armé, ils ne vont pas me recevoir, les salauds. — On s'en fiche de ces brutes, allons à l'hôtel, mets-la-moi trois jours d'affilée, Davison, ne te repose pas, trois jours sans arrêt. »

12

L'ovule d'Uma Thurman

Je suis installé à l'hôtel et j'ai l'impression d'avoir résidé ici une semaine. Pourquoi est-ce que j'essaie de me raconter une histoire différente alors que je connais bien la raison de mon séjour en ce lieu ? Les cinq mille pesos que je dépenserai dans les prochains jours sont le dernier coup de feu d'un myope qui s'en est entièrement remis à la chance. Peut-être aurait-il valu la peine d'apporter un roman pour stimuler mon imagination, mais non, il m'est difficile de me concentrer, au bout de quelques pages le mystère se dissipe et je ne peux continuer. Le premier soir, à onze heures, le téléphone sonne, le volume de la sonnerie est faible, à peine un murmure. Je décroche et j'entends une voix féminine.

« Allô, monsieur Henestrosa, comment vous sentez-vous ce soir ?

— Qui êtes-vous ? Je ne vous connais pas.

— Pas de vous entre nous, chéri. Tu as entendu les spectres qui pleurent et les chiens qui aboient dans le monastère abandonné ? Ils t'empêchent de dormir, pas vrai ? Je m'appelle Vanessa, je suis pas un fantôme, je suis en chair et en os, j'habite à quelques rues de ton hôtel. Tu es seul ? Si tu t'ennuies, je te tiens compagnie, à moins que tu veuilles déjà dormir ? »

C'est une voix douce, maniérée. *Vanessa*, ce nom est si ridicule qu'il me met de bonne humeur. Mais je ne suis pas venu ici en quête d'une Vanessa, cela au moins est parfaitement clair pour moi.

« Comment as-tu appris que je suis Henestrosa ? Ne me confesse pas ce que nous savons tous… Le problème, ou plutôt l'obstacle, c'est que je fais partie des tiens, et comme tu peux l'imaginer je suis un raté, combien te dois-je pour cette brève conversation ?

— Ne le prends pas comme ça, je voulais juste un peu te réchauffer pour ta première nuit, je suis comme le cocktail de bienvenue, personne ne m'a rien raconté sur toi, je suis voyante et toi tu es journaliste. Écoute, détends-toi, réfléchis bien, je t'appelle demain.

— Non, Vanessa, demain j'aurai de la compagnie. Merci quand même.

— À bientôt, mon amour. »

La compagnie d'une Vanessa m'aurait coûté l'équivalent de deux nuits d'hôtel, et peut-être une agression ou une aventure imprévue. Je sais au moins vivre dans la solitude, cela revient presque à avoir une vertu. Il y a cinq ans, le rédacteur en chef du journal *La Crónica* m'a fait cadeau d'un chiot de rottweiler que j'ai accepté uniquement par politesse. Je déteste ce genre de chiens monstrueux avec une grosse tête. « Ce sont de magnifiques gardiens, m'a dit le rédacteur en chef, leur seul défaut, c'est que, malgré leur air féroce, leur race est la plus homosexuelle de toutes les races canines, ils n'ont pas bien compris cette histoire de mâles et de femelles, je crois que c'est génétique, mais tu ne vas pas coucher avec lui, baptise-le comme tu voudras, son père s'appelle Vicente. » Il ne s'est pas écoulé une semaine que j'avais vendu le petit Vicentito pour deux mille pesos et m'étais offert un dîner somptueux au restaurant *Sep's* de l'arrondissement de Condesa. C'était vraiment une bonne affaire.

Ma vie terminée ? C'est possible, je me suis mis moi-même la baïonnette dans le dos, je suis peut-être hypocrite, mais pas idiot : j'ai conscience de n'avoir jamais compris le mécanisme d'allumage de la mèche, de ne pas avoir été programmé pour avancer d'un pas ample et martial. Je suis sûr que je n'aurais pas été un patricien à l'époque romaine, ni un officier SS dans l'Allemagne nazie, ni rien de plus qu'un simple observateur de ce qui arrive aux autres. Observateur ? Un mot trop sérieux, trop ronflant, curieux oui, en tout cas cancanier. Ne te monte pas la tête, Henestrosa, toi un observateur sagace de la société ? C'est ridicule. Je ne suis bon qu'à une chose : écrire des articles de remplissage, colorier le vide, spéculer grâce à mon petit talent, vivre au jour le jour, sans plus de culpabilité que nécessaire.

Ce à quoi je m'attendais le moins, c'est que deux ou trois de mes articles suscitent les éloges de mes collègues de *La Crónica* et de l'*Unomásuno*. On le sait bien, l'éloge d'un collègue est comme le lit du bourreau, impossible d'y dormir sans éprouver un peu de crainte ainsi que du dégoût. « C'est assez profond, opinaient mes collègues à propos de mon article, tu as vu juste, tu devrais élargir ce concept, les articles raisonnés et sensés sont rares dans le journalisme, félicitations ! » Eh bien ? C'était comme d'avoir donné un coup de cloche solitaire, puis de garder le silence pour la vie. Je m'apercevais ensuite que les adulateurs avaient eux-mêmes approfondi le concept en reprenant mon idée, en remplissant des pages d'encre et en obtenant même une reconnaissance, mais que peut me faire à moi la reconnaissance ? Si elle existe, c'est parce qu'on a besoin qu'un monsieur spermatozoïde prenne la tête de la file, et moi je me trouve tapi à l'arrière-garde : je suis comme le dernier spermatozoïde, celui à qui il n'est même pas permis de jeter un coup d'œil à l'ovule parce que, avant lui, des millions d'autres ont couvert l'horizon et occupé tous les fauteuils. La masse des spermatozoïdes ne me laisse pas voir le visage d'Uma Thurman, l'ovule Thurman, même pas le sommet de ses cheveux dorés. Combien d'ovules dorés à Hollywood, combien de petites femmes, et moi qui ne possède même pas un strapontin dans l'allée du cinéma !

13

Prenzlauer Berg

Le lendemain de mon arrivée à l'hôtel je me tourne et me retourne dans mon lit. Je n'ai pas de montre, le temps est toujours dans les nuages. Dans quelques jours je penserai de nouveau à la manière de remettre cinq mille autres pesos dans ma poche. Entre-temps je me promènerai dans l'hôtel et ses environs, comme le duc dans les jardins de sa propriété. Du néant où je suis je me demande ce que peut bien faire l'Allemand qui m'a guidé jusqu'à ces marécages, est-il en train d'examiner des pierres au musée d'Anthropologie ?

Deux heures de l'après-midi, les tables de vieux bois bordées d'aluminium sont occupées, la taverne tient dans un rectangle, sur le mur le plus éloigné de la porte d'entrée un dessin attire l'attention de Stefan : c'est une Indienne aux cheveux noirs assise sur la berge d'un fleuve, qui regarde l'horizon d'un air empreint de malice et de perversité. Parmi la clientèle, Stefan découvre des visages rouges, des chemises blanches, deux femmes – deux ! – qui l'observent avec curiosité ; il n'y a pas de place pour lui, mais peu importe, il décide de rester, de s'accouder au comptoir et d'attendre, il n'est pas pressé. Quelques secondes plus tard, un homme lui touche le coude : « Assieds-toi avec moi, tu parles espagnol ? Je suis seul, comme un vieux », se plaint l'amphitryon inopiné ; ses joues violettes lui serrent les lèvres, ses cheveux noirs sont hirsutes, son cou dévoré par deux omoplates épaisses couvertes de graisse. Il s'agit du *Nairobi*, rien de moins, le fameux homme aux négoces troubles, au don d'ubiquité dont j'aurai bientôt toutes sortes de nouvelles. Quelles sortes de nouvelles ? De mauvaises nouvelles, comme on peut le lire dans les billes noires que sont devenues ses pupilles. Stefan accepte l'offre et après un moment passé à côté de son amphitryon inattendu les questions arrivent : « D'où sors-tu l'argent pour faire le voyage jusqu'ici ? Tu pourrais être à Miami ou à New York », demande *le Nairobi* au moment où la serveuse pose une autre bière à côté d'un bol rempli de bouillon de crevette et d'une assiette contenant du riz et du boudin, une serveuse qui traite *le Nairobi* avec un respect clérical, ce que l'étranger ne perçoit pas.

« … oui, avant je prenais de la bière, comme toi, mais je suis né avec une vessie détraquée qui a du mal à pisser. Stefan me fait penser à Esteban, c'est sûrement la même chose, écoute, la solution est de se mettre debout près d'une cascade ou d'une fontaine, alors je pisse sans effort, sans médecin ni rien, debout près d'une fontaine, le jet sort comme charmé par une flûte, je savais que tu rirais, sacré Esteban, mais c'est sérieux, tu me crois pas ? Mets-toi près d'un robinet et tu verras. »

Stefan imagine cette masse aux cheveux raides pissant dans les fontaines de la ville, mais la répugnance se change en un éclat de rire si éloquent qu'il se transmet aux autres tables, tous les clients célèbrent les éclats de rire du blond. En plus des éclats de rire, Stefan ajoute :

« Quand tu prendras l'avion, tu devras passer au-dessus des chutes du Niagara pour pouvoir pisser » – voilà ce que dit le crétin enveloppé dans son propre rire.

Ses mots sont compréhensibles pour toutes les oreilles, y compris celles de la serveuse, qui à ce moment se trouve de nouveau près d'eux et leur sert des piments farcis en sauce tomate ; « quel bon espagnol parle ce blondinet », intervient-elle, encore une Flora, une femme de chambre qui pour le moment est serveuse en attendant d'être secrétaire, une future secrétaire qui ne perd rien du comportement du client étranger. Au bout d'une heure, *le Nairobi* se sent entre amis :

« C'est un honneur de te connaître, Stefan. Si tu as besoin de quoi que ce soit, appelle-moi.

— *Nairobi*, c'est ton nom ou c'est un sobriquet ?

— Ici, c'est pareil. Tu trouveras pas un autre *Nairobi* au Mexique, décrète fièrement l'homme.

— Tu as été en Afrique ?

— Me charrie pas, blanc-bec, comment est-ce que je connaîtrais l'Afrique ? Ce surnom, c'est un fils de pute qui me l'a donné, il savait même pas si Nairobi était une ville ou une forêt ; Nairobi, pour ce salaud, ça signifiait trouillard de nègre qui a reçu un coup de pied au cul, rien d'autre, te fais pas d'illusions. Toi aussi tu as un sobriquet ? »

Stefan réfléchit quelques secondes à la question qui vient de lui être posée. Puis il répond, catégorique.

« Non, mais Stefan signifie trouillard de blanc-bec allemand qui a reçu un coup de pied au cul. »

Et les rires fusent à nouveau dans *La India*. Deux poivrots lèvent leur verre pour trinquer aux bons mots du blond.

« Sacré Stefan, tu es cinglé, tu me bottes. C'est moi qui offre les bières et tout ce que tu voudras.

— Tu m'as demandé d'où je tire l'argent de mon voyage ? De mon père, je suis un junior, dans ma famille c'est comme ça, une génération travaille, l'autre non, moi j'ai tiré le bon numéro. Pendant mes loisirs je fais des travaux de jardinage. »

Je ne sais pas grand-chose des Allemands, mais je ne crois pas qu'ils soient comme Stefan, ils doivent travailler dur pour détruire leurs idéaux, quelle autre explication ? C'est une manière profitable d'oublier, et la bière, c'est à peine si elle leur sert à ça, ils boivent sans se soûler, ils oublient encore moins le chronomètre et le marteau. Quand sa famille a quitté Augsbourg, Stefan a vécu auprès de ses parents à Schöneberg, à quelques pas de la station Bayerischer Platz, puis quand il s'est dégourdi et que son corps a commencé à prendre forme de fève il s'est installé à Prenzlauer Berg. Il n'y a pas trop réfléchi : on change d'endroit pour rester en mouvement, pour secouer ses muscles, on fait ça jusqu'à ce que l'énergie se dissipe et soit mise à profit par d'autres corps. Ses maigrichonnes études artistiques ne sont pas allées bien loin, son tempérament a trouvé de nouveaux stimulants à Berlin-Est (il a découvert ce qu'on appelle une *atmosphère propice*) et il a loué une chambre chauffée par une cheminée au charbon qui lui servait aussi de poêle. Il garde encore le vieux poêle, comme un souvenir de son indépendance, quand il est ivre il discute avec cet objet encombrant et inutile : « Ce qui te manque, ma grosse, c'est un corset. »

À Berlin, il s'est installé Dunckerstrasse, dans un immeuble de cinq étages, vieux d'un siècle. La construction tient debout par miracle : les portes sont tordues, l'escalier en bois pourri, l'eau des tuyauteries gelée, une couche de mousse couvre les murs rongés aux vers et les dalles à moitié défoncées. Les ruines exercent une attraction indéniable sur l'âme de Stefan : ce goût malsain l'a conduit à Prenzlauer Berg un 1er octobre des années 1990, une décennie plus tard il a élu le District fédéral sa ville préférée. Le District fédéral un paradis romantique, un champ de joyeux cadavres ? Putain ! La graine germe dans l'esprit désolé, c'est une graine âpre, qui ne s'incarne que dans les êtres les plus nobles, des personnes qui se savent tellement mortes qu'elles ne rencontrent aucun obstacle pour ressusciter, comme ça, du jour au lendemain.

Stefan donnait quelques marks à un collectif de squatters en échange du logement qui un jour ou l'autre serait démoli. Le reste de son argent, il le dépensait pour acheter du charbon, de la bière, pour nager et aller pique-niquer sur l'île de Wannsee, manger des légumes et nourrir un chien à la queue tordue, ce « saligaud de pédé », comme l'appelait Wimer. Il dialoguait avec les chiens, mais en réalité il s'entraînait et accumulait des expériences pour parler aux femmes. Sur le terrain féminin il avançait avec précaution, car il leur suffisait de le flairer pour remarquer dans ses yeux une lueur un peu obsédée et exempte d'avenir, une certaine myopie extravagante qu'on ne pouvait pardonner qu'à condition d'être de très bonne humeur. Il serait excessif de le qualifier d'anarchiste – aujourd'hui, on appelle anarchiste n'importe quel propre à rien –, encore moins communiste, ne parlons même pas de la social-démocratie, il ne comprend pas de quoi on parle. C'est un clochard. Du moins un clochard par décision propre, il préfère cela plutôt que de se considérer comme un représentant du bien-être européen, il ne défendra pas les biens historiques, l'honneur de ses racines ou les traditions : « Je sais pas ce que t'en penses, je crois qu'on devrait aller se promener au parc, je me prends une bière et toi tu renifles la matière organique, saligaud de pédé, vas-y avec la ferme intention de te faire des amies, présente-toi comme le chien-chien de Stefan Wimer, dis-leur que tu vis avec moi mais que ça t'empêche pas d'être quelqu'un de très indépendant, moche, maudite aisselle de rhinocéros, tu le sais, il est important qu'elles sachent que tu le sais, à ton âge, tu ne trompes même pas toi », ainsi s'entraînait Wimer, en bavardant avec son « saligaud de pédé ».

Stefan n'est pas parti pour Prenzlauer Berg mû par ses idéaux (son sang ne contenait pas cette sorte de vitamines), mais il préférait avoir pour voisins des anarchistes, des religieuses, des je-m'en-foutistes, des squatters ou des militaires à la retraite. Quelque chose à ajouter ? La soupe n'a jamais manqué, le bois était bon marché, et on ne lésinait pas sur la boisson dans les caves : chacun était condamné à survivre. Au bout de vingt ans, le quartier est devenu une pépinière d'enfants, la solidarité que manifestaient les désenchantés n'a plus été la même. Les couches sont devenues le nouveau drapeau, un labarum aussi impressionnant que l'étendard communiste ou social-démocrate. C'est pourquoi il a fait trois fois le voyage au District fédéral en quête de nouvelles ruines, ah, « les ruines sont pleines de vie », soupire-t-il maintenant qu'il a laissé Berlin derrière lui pour deux mois afin de prendre de mystérieuses vacances. La question est : d'où les Allemands tirent-ils l'argent qui leur permet de s'offrir un voyage au Mexique ? a-t-on demandé à Stefan à *La India*, une taverne au milieu de la rue Bolívar où il est arrivé grâce à son flair en ne parcourant qu'un pâté de maisons depuis la rue República de El Salvador. À quatorze heures tapantes, il a poussé la porte, impatient de boire une bière, pas précisément une Franziskaner, qu'il ne regrette pas du tout, de l'eau avec de la levure – « Quel drôle de nationalisme que le nôtre », se dit-il.

14

Gabriel Sandler

Tandis que Stefan se fait des amis qui le jour où il s'y attendra le moins mettront fin à sa bonne humeur en la truffant de balles, un nouveau client entre à l'hôtel Isabel. Son nom est Gabriel Sandler ; arriver à ce point, c'est-à-dire à la fuite, a été sa meilleure *performance*. S'il avait un peu plus de graisse sur le corps, sans doute aurait-il réfléchi, mais comme il est svelte, le doute n'a pas lieu d'être. Le doute, chez un homme mince, révèle une conduite ingrate, un véritable penchant pour l'imbécillité. Depuis sa résidence des Lomas de Chapultepec jusqu'à l'hôtel Isabel il y a des milliers de pas, physiques et symboliques. Les distances ne font pas peur à Gabriel, son jeune âge ne l'a pas empêché de voyager autour du monde avec la même feinte tranquillité qu'il le ferait dans les allées d'un supermarché. En revanche, il déteste les discussions familiales, aussi intelligents ou moralistes que soient les disputeurs, et quelle que soit la profondeur de leurs arguments. Il doit y avoir un moment où l'un des interlocuteurs interrompt la scène et s'exclame : « Ce que vous pouvez faire de mieux, selon moi, c'est d'aller vous faire foutre ! » Dans le cas contraire, la fatigue mentale, la lassitude métaphysique, la somnolence apparaîtront dans le dialogue et la haine se transformera en vide. On doit couper le dialogue avec des ciseaux avant qu'il enveloppe tout dans des mensonges. Sandler le sait, c'est pourquoi il a renoncé a être hébergé un jour de plus dans l'opulente résidence des Lomas.

C'est un penchant de l'habitude que d'opposer les parents et les enfants, les causes sont en réalité banales, ragot et littérature, mais le fait est que tôt ou tard les mâles foncent l'un sur l'autre, ne parviennent pas à contrôler leur goût pour la bagarre, fils et pères, bois destiné à un même bûcher. La mère ? Non, Gabriel considère qu'elle a le droit sacré de perdre la raison, de tuer si elle en a envie, ou même de donner des coups de pied à ses chiens lorsque les antidépresseurs ne la tranquillisent pas suffisamment. Sandler n'avait jamais vu auparavant une femme donner autant de coups de pied à un chien. Maltraiter des animaux, « quelle canaillerie », pense-t-il, ça lui fait mal et il se tait. Les somnifères sont la cause de la brusque colère de sa mère, la peur de vieillir, pauvre femme, non, finalement ce n'est pas elle la cause de sa fuite soudaine. Les femmes les plus sensibles ont le devoir de perdre la raison lorsqu'elles s'aperçoivent que de leur entrejambe a jailli la plus répugnante lie ; la complicité avec Dieu finira par les rendre folles. Il faut s'asseoir et attendre, pauvre mère de Gabriel Sandler !

Le jeune artiste visuel résout en général les dilemmes par un coup de théâtre inattendu, et cette fois n'a pas fait exception. Il a entendu parler d'un hôtel où personne n'aura l'idée de le chercher. Il y a logé une fois, un mois de mars, alors que l'occupation de l'Irak venait de commencer, que la vedette du zoo de Barcelone, Copito, était en meilleure santé qu'un taureau, que la vedette du zoo de Berlin, l'ours polaire Knut, n'avait pas encore ouvert les yeux sur le monde. Sofía, sa cousine, et Gabriel avaient passé une partie de la nuit à boire au *Pervert Lounge* puis, à deux heures du matin, ivres, ils avaient cherché un lit à proximité, quel qu'il soit, même un matelas abandonné dans une poubelle aurait fait l'affaire pour les jeunes toxicomanes. Ils désiraient ardemment se toucher certaines parties inconnues de leur corps : les talons, les aines, ronger leurs vertèbres. En somme, suivre les cours du doctorat d'anatomie. « Quelle belle nuit que celle-là ! », se glorifiait-il : LSD, cocaïne et un rasoir avec lequel il avait inutilement voulu raser le pubis de sa cousine : « Avec toi on ne peut rien faire, merde, tu viens de sortir du berceau ? se plaignait l'artiste Sandler, le rasoir à la main. — Je me suis rasée il y a à peine deux jours. — À ton âge ? Tu es une débauchée et une salope, Sofía. »

Sa mémoire a facilement reconstitué le chemin du *Pervert Lounge* à l'hôtel, de la rue Mesones à l'angle de República de El Salvador et Isabel la Católica, sans problèmes : car il n'est pas idiot. Dans deux ou trois jours, quand on s'apercevra de son absence, son père fera opposition sur ses cartes de crédit, la dorée, la rouge, la platinée, et sur ses deux comptes d'épargne, aussi Gabriel doit-il tirer tout de suite quelques milliers de pesos. La ville régurgite, grogne, répand son essence dans le vétuste Centre historique, les piétons se soucient peu de se bousculer les uns les autres, les foules entrent et sortent des boutiques comme des vers dans du roquefort. D'un avion, on devrait voir tout cela comme un événement extraordinaire, mais sous le soleil, sur l'étuve en ciment, même les chiens à pedigree paraissent ordinaires. Le Centre : un monde nouveau pour Gabriel qui, effrayé, contemple la manière dont cette ville étrange se révèle à lui à chaque pas : la maigrichonne avec sa frange raide sur le front qui porte un plateau avec des assiettes de nourriture en pleine rue, son tablier de cuisinière, le sourire de celle qui se sait porteuse des mets désirés, car à combien de pâtés de maisons se trouve la cuisine ? Et la salle à manger ?

L'homme qui porte une mallette foncée juste pour se donner de l'importance, se promener, distribuer quelques brochures aux piétons en leur disant : « Voici ma carte, vous aurez une réduction si vous dites que vous venez de ma part. » Les maudits trottoirs, aussi étroits que des boyaux, c'est à peine s'ils peuvent contenir une armée d'hommes s'entêtant à faire du commerce. Dans le Centre viennent les autochtones poussés par une force centripète, ils vont aussi bien dans une taverne qu'acheter un ordinateur en pièces détachées, impossible d'altérer cette tradition : dépecer pour vendre plus tard en pièces détachées, le commerce en pleine rue, voler, offrir, échanger, puis s'enfermer dans une tanière pour ronger sa proie, adapter le nouveau disque dur, essayer les réfections de deuxième main ; une ville qui n'est pas celle que Gabriel Sandler imaginait, mais une autre qui respire sous une carapace de tatou. Une sensation émouvante saisit le garçon, être un étranger sur sa terre, oui, se trouver en Orient en n'ayant fait que quelques pas, le brusque orphelinage qui nourrira sa prochaine grande œuvre : pas de doute, cet homme a de la chance.

15

Rencontre avec *le Boomerang* Riaño

Contre toute attente j'ai bien dormi. Une nuit étrangement calme, le client précédent devait être une femme, c'est sûr, une femme au corps chaud qui au petit matin rêve de son jeune fiancé sicilien, l'un de ces fiancés qu'on aime et désire encore plus lorsqu'ils sont au loin, oui, voilà pourquoi dans cette chambre on respire un air de promiscuité et de mélancolie ; une Italienne aux jolis pieds, au nombril transversal, une Italienne qui ne peut rester tranquille dans son lit sans penser à un homme, qui pourtant souffre à cause d'un amour. Me voilà d'humeur sentimentale, mais le lit est large, confortable bien qu'un peu dur, et la chambre spacieuse, simple, avec deux fenêtres qui donnent sur la rue, une armoire, un téléviseur.

Le matin, quand l'odeur du café rôde dans l'hôtel, Flora aussi rôde dans les couloirs. Habituée à ce que les clients se comportent comme des êtres anormaux, elle attend jusqu'à dix heures passées pour frapper aux portes et faire le ménage. Ses coups minuscules demeurent inaperçus, personne ne l'entend, alors elle utilise ses propres clés et... ce qu'a pu voir Flora depuis seulement deux ans qu'elle est femme de ménage !

Quand je sors de la chambre, je l'observe occupée à plier des draps plus grands qu'elle. Je descends l'escalier, étonné de l'effet que quelques heures de sommeil et un bain chaud peuvent avoir sur l'âme. Cette bonne humeur ne durera pas longtemps, elle disparaîtra avant trois heures de l'après-midi.

La salle de séjour et la réception paraissent désolées, où sont-ils tous partis ? Je cherche une place dans le restaurant pour exiger mon petit déjeuner continental, qu'est-ce que c'est que cette bêtise ? Un petit déjeuner continental ? Il me vient l'idée d'aller acheter le journal dans le petit kiosque au coin de la rue Mesones, mais je me ravise, que m'importe ce qui se passe dans le pays ? Trafic de drogue, séquestrations, crimes, les mêmes titres qu'il y a trente ans. « Trois jeunes hommes abattus lors d'un affrontement avec la police. » Voilà l'information imprimée dans les journaux qu'on aura oubliée dans quelques heures. Fini pour moi les journaux. Si je cède à la tentation, je tomberai sur un article que j'aurais pu écrire en deux heures pour gagner quelques pesos : encore de l'argent perdu, encore plus d'obscurité sous mon nom, plus de terrain occupé par les cafards. Les journaux ? Vous les ouvrez et leurs nouvelles vous transportent dans vos toilettes : le tartre qui prend la couleur de la merde, les cabinets à leur place, le lavabo intact, le rouleau de papier parfois blanc, parfois rose ou alors épuisé, mais en fait toujours au même endroit. Il se peut que je me trompe et qu'Internet remette les journaux en circulation. Demain, même les épitaphes se liront autrement et les petits-enfants riront aux éclats devant la tombe de leur grand-père : « Illustre, qu'est-ce que ça veut dire ? C'est pas quelque chose comme illusionniste ? »

J'observe cette femme qui, absorbée, feuillette un carnet. Son nom est Laura Gibellini, son aspect vulnérable et délicat me renvoie à un rêve adolescent. En moins d'une demi-heure toutes les tables ont été occupées. J'aperçois Stefan Wimer qui, assis à quelques mètres de moi, porte une cuillère à sa bouche. De l'avoine ? Des céréales en guise de petit déjeuner ? Merde, des tonnes de luzerne pour les Allemands. Je m'enhardis et demande au serveur : « Vous croyez qu'une personne normale peut se nourrir avec ça ? », et je montre le petit déjeuner continental : « S'il vous plaît, je voudrais commander des *chilaquiles*[1], une double portion, pas des *chilaquiles* continentaux, des doubles. » Je suis décidé à profiter de ma liberté passagère, de la première de ces quelques journées mémorables ; en aucun cas je ne m'abandonnerai aux lamentations ni ne me rappellerai mes dettes. Et détail crucial : oublier le calendrier. « Année 2010 ? Putain de merde, ça c'est de la science-fiction. » Mais tout à coup, sorti d'une bouche d'égout, alors que j'enfonce sans compassion la fourchette dans la montagne de *chilaquiles*, il est à côté de moi.

« Mister Henestrosa ? Désolé d'interrompre ton petit déjeuner. »

C'est ainsi que s'annonce *le Boomerang* en posant son index rugueux sur mon cou, comme à l'armée, quand le sergent désigne un homme pour nettoyer les

1. *Chilaquiles* : plat composé de *tortillas* de maïs en morceaux, frites, puis cuites dans une sauce tomate au piment.

chiottes ou fait un clin d'œil pour vous signifier que vos souhaits ne se sont pas réalisés et que vous êtes de corvée de patates. Je me doutais que je le rencontrerais un jour, mais pas si vite, pas justement ce matin alors que l'image de Laura Gibellini a arrêté la course des planètes, me renvoyant au sentimentalisme inné du spectateur qui rêve de princesses hémophiles inaccessibles. Il n'est pas mon ami, il ne peut pas poser son sale index sur mon cou, rien ne me lie à ce reporter de faits divers, apprécié dans les rédactions des journaux de province et des journaux à scandale du soir à cause de ses relations comme de son expérience dans le monde de la police. Je lève la tête, concentre mon attention sur ces mâchoires, longues, si affilées qu'elles pourraient impressionner un crocodile.

« J'attends quelqu'un, mais assieds-toi si tu veux », lui dis-je, dédaigneux. Je me refuse à extraire la fourchette de l'assiette tant que je n'aurai pas retrouvé mon calme.

« Je ne m'attarderai pas plus d'une seconde. C'est la télévision, pas vrai ? Elle nous prend le travail. Maintenant on a plus de temps pour fouiner, je ne m'en plains pas, le problème, c'est que le bon vieux temps est fini, putain, Henestrosa, où va servir notre expérience ? Je te le dis ? Dans les bordels. Seules les putains savent nous apprécier (bien sûr *le Boomerang* se met à rire). C'est comme ça. La concurrence n'est pas loyale, tu sais combien de crétins de vingt ans croient tout savoir ? Les jeunes, je leur chie dessus, Henestrosa. Bon, collègue, je ne m'attendais pas à te découvrir ici. Je sais très bien ce que tu fais là. C'est facile à deviner, non ?

— C'est sûr, rien de plus facile, j'essaie de prendre mon petit déjeuner. »

J'aimerais le pousser d'un coup de coude dans les côtes, mais une fois de plus l'expérience me protège et je regarde *le Boomerang* Riaño avec attention, ses mâchoires paléolithiques, sa vieillesse prématurée, quelle tribu d'Amazonie le reconnaîtrait comme membre permanent ?

« C'est bon, mon cher *Artiste* Henestrosa, je m'en vais, mais je ne parlais pas du petit déjeuner, qu'est-ce que tu crois ? J'attends le retour du boomerang, hein mon frère ? Tu ne logerais pas dans cet hôtel si tu ne savais pas ce qui s'y passe dernièrement. Tu vas avoir ta part du gâteau, non ? Pour un chasseur de ta taille, c'est facile, un rhinocéros ne peut pas échapper à ton regard. J'avais parié que tu t'étais retiré pour écrire des romans et fuir la vraie vie, mais je m'en aperçois maintenant, tu n'as pas perdu ton odorat, salaud. Rends-le-moi, dis-moi que oui.

— Te rendre quoi, *Boomerang* ? Je ne sais pas de quoi tu parles.

— Du boomerang, mon frère, fais pas semblant.

— Bien sûr, t'en fais pas, dès que je le trouve je te le rends », lui dis-je, feignant de le croire. Je renonce à spéculer sur les raisons ou les ruses cachées derrière le discours de Riaño. Mon petit déjeuner refroidit, toute la matinée se précipite par la bouche de Riaño, ces latrines malodorantes.

« J'espère que lorsque tu seras de bonne humeur tu accepteras de prendre un verre : il n'en reste pas beaucoup comme nous », dit Riaño. Puis il s'en va.

« Il n'en reste pas beaucoup comme nous », aucune autre allusion n'aurait pu m'insulter à ce point :

« nous ». Comment ce salaud d'analphabète, ce mouchard, ce Raspoutine de pacotille, cet indicateur de merde ose-t-il dire « nous » ? Boomerang ? Je t'en prie, affreux cancer, gonorrhée. Au bout de quelques minutes le calme revient et je prie en silence : « Ne laisse pas le désordre s'installer dans ta tête, tu as plusieurs milliers de pesos dans ta poche, il y a cette belle femme à deux pas de toi, le café n'est pas si mauvais, on peut réchauffer ton assiette. »

Dans le salon, le *hall*, le vestibule ou quel que soit le nom que l'on donne à cette sorte de limbe avec des fauteuils, le mur le plus vaste porte une vieille peinture à l'huile, poussiéreuse et fendillée, qui représente la reine Isabelle la Catholique. Le tableau n'est pas signé, à moins que ce gribouillage noir presque caché par le cadre ne soit la signature du peintre. Un expert n'accorderait aucune valeur à ce tableau, mais les clients, le réceptionniste et les travailleurs l'examinent respectueusement, comme s'ils passaient dans les couloirs d'un musée et avaient l'obligation de s'arrêter pour faire une révérence à la très sainte reine. Depuis mon siège à la table de la salle à manger, devant une assiette vide, j'observe à travers les larges fenêtres ceux qui entrent dans l'hôtel ou s'en vont. La reine est avide de nouveaux vassaux et, telles que je vois les choses, personne ne la décevra.

16

Commandant Gaxiola

Le commandant Gaxiola est fort, d'un coup de poing il peut briser les branches de l'arbre qui pousse dans son jardin ; il préfère l'uniforme ajusté pour mettre ses muscles en valeur et imposer un plus grand respect à ses subordonnés. Pourquoi parader alors que son nom provoque la terreur dans le secteur de la police qu'il commande ? À quarante-cinq ans, personne ne l'a encore tué. Ses aspirations ne vont pas plus loin. Il a mis sur pied de gros négoces avec *le Nairobi*, et la maison où dorment sa femme et ses enfants est un magnifique petit palais en marbre. Lui, qui le séquestrerait ? Personne, bien sûr, le commandant Gaxiola est aussi arrogant que Dieu le Père. Sa femme est sa seule calamité : une maison si belle habitée par cet être horrible. Il ne divorcera pas, les principes de Gaxiola sont simples et l'un d'eux est celui-ci : la famille t'enterrera, ses larmes effaceront tes crimes. Ses subordonnés, eux, ne le pleureront pas, ou s'ils le font c'est parce qu'ils ne se rempliront plus les poches avec l'argent que *le Nairobi* met dans les mains de Gaxiola, le commandant en chef, « diamant rouge », son surnom, le code qui permet de prendre directement contact avec lui.

« Diamant rouge, on a attrapé des salauds en train de cambrioler une maison rue Perú, le problème c'est qu'ils sont de la famille de notre ami, qu'est-ce qu'on fait ?

— Décide toi-même.

— Ils se croient intouchables et ils sont drogués. On les relâche ?

— Oui, mais avant colle-leur une bonne frayeur. Moi j'appelle notre ami, il comprendra, on est des policiers, on protège pas les voleurs, condamne le commandant dans un téléphone portable qui entre ses mains paraît minuscule.

— À propos de notre ami, je sais qu'il va beaucoup dans un petit hôtel du Centre, l'Isabel. Vous voulez que j'aille voir ce qu'ils foutent ? Si ça se trouve ils y gardent quelqu'un.

— Non, te mêle pas de ça, et je vais te dire autre chose, celui qui t'a rancardé sur ce coup est foutu. S'il recommence à faire chier avec ça, je lui tire une balle, tu as entendu, crétin ? Dis-le-lui.

— À vos ordres. Le cancanier n'a plus de langue. On la lui coupe aujourd'hui même. »

Le commandant rentre chez lui dans sa camionnette blindée, à Las Águilas. Il est près de minuit, les voitures continuent à rouler par milliers sur le périphérique. Le marché ne comprend que la drogue, pas le vol. « Salaud de *Nairobi*, je vais t'augmenter le tarif, moi », maugrée Gaxiola. Chez lui le dîner est servi. « Pourquoi elle se coiffe pas, cette putain de vieille ? se demande le commandant en observant sa femme. Même les servantes sont plus agréables à regarder. » L'épouse, en peignoir jaune et en pantoufles, gémit :

« On va voir la tête que tu feras quand tu sauras la dernière, Gaxiola.

— J'ai une seule tête, celle que tu vois tous les jours. Et alors, qu'est-ce que c'est ?

— Ton fils veut être Michael Jackson. Il danse comme lui et il veut pas manger (elle parle du petit Gaxiola, qui vient d'avoir douze ans).

— Michael Jackson, putain…

— Ton fils a la tête pleine de merde, il dit qu'il veut être blanc. Tu as vu comment a fini ce nègre ? Ni blanc, ni noir, ni rien. Ils l'ont enterré dans un cercueil en or, à quoi ça lui sert maintenant ?

— Que ce gamin aille se faire foutre, nous on est noirs de peau et on a les lèvres épaisses. Et il restera comme ça. Demain j'y mets bon ordre.

— Tu l'as vu avant sa mort, ce Jackson ? On aurait dit une bite molle.

— Parle pas comme ça à la maison, tu travailles pas dans un bordel, tu es une dame. Un jour je vais te faire une belle peur.

— Quoi ? Tu vas me tuer ? Grande gueule, on va voir qui est qui. »

Gaxiola ferme les portes de son bureau derrière lui ; pas de livres dans ce bureau, mais des sculptures en bronze (une Diane chasseresse et un faune), des natures mortes, des bouteilles de cognac, de brandy, de *rompope*[1] Santa Clara. Il va sniffer de la cocaïne mais il y renonce, enlève ses bottes, sa chemise, s'allonge sur un divan, le sommeil lui coupe la tête. « Foutu *Nairobi* et ses inventions, *la Señora*, qui est

1. *Rompope* : boisson alcoolisée à base de rhum mélangé avec du jaune d'œuf, du sucre, du lait et de la vanille.

la Señora ? C'est sûrement sa putain de mère malade, ou une grand-mère aveugle, il veut me tromper, moi, le commandant Gaxiola ? Que les voleurs aillent se faire foutre, même s'ils ont cinq ans, *la Señora*, Michael Jackson ? Maintenant oui qu'ils m'ont baisé, Michael Jackson », et on entend bientôt ses ronflements de l'autre côté des murs.

17

Gavrilo

Tout le monde l'appelle Gabriel, mais son nom officiel est Gavrilo Sandler, même qu'il lui a été imposé par son grand-père en l'honneur de Gavrilo Princip, le Serbe qui a tiré sur l'héritier de l'Empire austro-hongrois. Le grand-père paternel, un partisan du PRI[1] qui dans sa vieillesse a découvert des vertus inconnues dans l'anarchisme et refusé de dénommer reines y compris les plus belles femmes ; il n'appelait même pas reines les abeilles. « Ce sont toutes des ouvrières, mais elles remplissent des fonctions différentes. » Il s'était retiré de la politique et n'avait plus aucun pouvoir, sauf sur ses enfants : un alcoolique spécialiste en cognac, un anarchiste sénile, affaibli. L'hommage d'un alcoolique à un panslaviste, chose étrange aux Lomas de Chapultepec, où les classes sociales se perpétuent dans leur fonction : les servantes, les chiens pomponnés, les vastes jardins dont les propriétaires ne changeront pas de nom jusqu'à ce que, dans des milliards d'années, le soleil rende impossible la vie sous les tropiques. Déjà vieux, le grand-père de Gabriel s'est mis à déblatérer contre les

1. PRI : Parti révolutionnaire institutionnel du Mexique.

héros. « C'est une tâche épuisante, mais il faut les expulser de l'histoire à coups de pied, plus nous aurons de héros plus nous serons foutus, si nous nous mettons à compter les assassinats d'Obregón[1] ou de Carranza[2], nous n'aurons pas fini en décembre. » Sa posture était-elle une obsession ou la conséquence d'une pensée radicale macérée au long des années ? Personne ne le sait, mais tout le monde s'en fiche.

L'hôtel Isabel paraît vraiment modeste à ses yeux. Probablement la cocaïne, les pâtes, le pubis glabre de Sofía l'ont-ils influencé pour qu'il garde en mémoire la silhouette d'un palais viennois, la fastueuse résidence de l'archiduc François Ferdinand, mais ça ? « C'est bien mieux que ce à quoi je m'attendais ! » Il a été précipité dans le monde réel – le seul fait de le penser lui semble très pédant –, si la chance est de son côté, la chambre sera aussi sale que des latrines et il entendra à travers le mur un ivrogne forniquer avec deux prostituées pour le prix d'une. Il entre, se dirige vers le comptoir derrière lequel un autre jeune homme, à peine plus âgé que lui, le reçoit sans plus d'attentions que la musique d'une bouche fermée. Gabriel n'a pas de bagages, sa veste n'est pas celle qu'il convient de porter à cette heure de la journée. Il demande une chambre : « Je ne sais pas combien de jours je resterai », dit-il sèchement, écartant l'aimable rhétorique, car il ne veut pas qu'on le prenne pour

1. Alvaro Obregón (1880-1928) : général et homme politique mexicain, très anticlérical, président du Mexique de 1920 à 1924, puis réélu en 1928 avant d'être assassiné par un étudiant catholique.

2. Venustiano Carranza (1859-1920) : président du Mexique à partir de 1915, assassiné en 1920.

un idiot. Pablo Paolo lui remet une fiche d'enregistrement et ses mains pâles attirent aussitôt l'attention de Gabriel : « C'est la main de Marilyn Manson, ce salaud est Marilyn Manson sans maquillage », pense-t-il.

« Et si je refuse de m'enregistrer, je peux louer la chambre ? » Il n'y a pas lieu de faire tant de mystère, mais il ne veut pas donner l'impression d'être un bourgeois bien attifé.

« Je crains que ce ne soit pas possible, si ça ne tenait qu'à moi il n'y aurait pas de problème, mais je ne suis pas le propriétaire et il y a des règles, tout le monde les connaît.

— Nous savons tous combien elles sont stupides.

— Nous sommes bien d'accord là-dessus, mais qu'y faire ? »

Gabriel renifle la fiche comme si elle lui donnait envie de vomir. Pablo Paolo est le témoin muet des manières despotiques du nouveau client. Il pourrait le jeter dehors, lui dire : « Toutes les chambres sont occupées, nous sommes vraiment désolés, pourquoi n'essayez-vous pas l'hôtel Principal, rue Bolívar, à une rue d'ici ? Je suis sûr qu'on s'y occupera de vous comme vous le méritez. » Cependant il opte pour la solution contraire et décide d'être plus prudent, Gabriel correspond bien à l'image de ce que les autres clients s'attendent à trouver à l'hôtel Isabel. S'il a envie de vomir sur la fiche d'enregistrement, pas de problème, Pablo Paolo n'élèvera aucune objection. Il le lui fait savoir :

« Vous pouvez écrire un faux nom si vous voulez. On ne m'oblige pas à demander une pièce d'identité, sauf si vous avez l'intention de rester longtemps ici. Si votre nom est Pedro López, vous pouvez écrire

Pedro López, de toute façon personne ne croira que c'est votre nom. Savez-vous combien de Pedro López dorment dans des hôtels ? Un tas. Le fait est que nulle part au monde une personne ne peut entrer dans un hôtel sans laisser ne serait-ce qu'un gribouillage à la réception.

— Vous avez fini votre sermon ?

— Les règles sont idiotes, je suis d'accord avec vous, mais elles simplifient les choses. Si vous ne voulez pas écrire la date de départ, ne le faites pas, j'ai l'habitude, les clients de notre hôtel savent quand ils arrivent mais pas quand ils s'en vont. Ils se sentent chez eux.

— J'ai changé d'avis, dit Gabriel, j'écrirai mon nom, mais les autres données seront fausses. C'est tout. C'est possible ?

— Bien sûr que c'est possible. Dites-moi seulement, s'il vous arrive un accident, qui faut-il prévenir ?

— Je paie cinq jours d'avance, en liquide. Je n'ai pas besoin de facture.

— Je vais vous installer dans la partie la plus agréable de l'hôtel, avec vue sur la rue. Vous avez droit à un petit déjeuner continental.

— Vous le montez dans la chambre ? Ou vous avez la flemme ? » La voix de Sandler, juvénile et grave, éveille la sympathie de Pablo Paolo. Mais il ne sait pas pourquoi.

« En principe non, mais j'ai vu les serveurs monter des assiettes dans les chambres, ici ils font ce qui leur plaît. Finalement, c'est moi qu'ils embêtent, car je dois veiller à un certain ordre dans l'hôtel, les propriétaires ne s'aperçoivent de rien, ils ne vivent pas au Mexique ; les assiettes se perdent, ou se cassent, alors je dis : “Écoutez, je ne suis pas responsable”, les bonnes m’appellent à la réception pour se plaindre : “Ils ont renversé du café sur les draps.” Et moi je leur réponds : “Ils renversent des liquides bien pires.” »

Gabriel observe les dents de Pablo Paolo. « Il a une denture de requin », pense-t-il, et aussi : « J’ai pris l’une des meilleures décisions de ma vie. Beau travail, grand-père. »

18

Un Christ à la peau brune

Je refuse de considérer la soudaine apparition du *Boomerang* sur mon chemin comme un mauvais présage. Merde, pas moyen d'épargner du pathétisme à mes jours de repos, mais de quoi est-ce que je veux me reposer ? Ne suis-je pas un fainéant anachronique, un monument à l'indolence ? J'aspire à vivre une aventure amoureuse et je ne tombe que sur des faiseurs d'embrouilles : rien de moins que sur ce salaud de *Boomerang* Riaño. « Tu ne logerais pas dans cet hôtel si tu ne savais pas ce qui s'y passe ces derniers temps », c'est ça qu'il m'a dit ? Quelle énigme ridicule et prétentieuse le cerveau fangeux de Riaño a-t-il imaginée ? Dès que j'entreprends de grimper les escaliers de marbre qui mènent à ma chambre, mon esprit se met lui aussi en marche. Riaño a-t-il dit « dans l'hôtel ces derniers temps », ou « par ici ces derniers temps » ? L'odorat du *Boomerang* ne peut se passer de charogne, ses paroles me dérangent comme si je venais de voir un bouton sur ma figure. Je suis sûr que l'hôtel a été infecté par des criminels. Et alors ? Quelle importance ? Je ferai celui qui ne s'est aperçu de rien, j'irai me promener, voilà ce qu'il me faut, déambuler distraitement dans le Centre comme si j'étais moi aussi un étranger.

À l'extérieur de Bellas Artes, attendant l'ordre de leurs bergers et leur tour d'entrer dans le palais, une longue file d'enfants vient de descendre d'un autocar scolaire. Je les examine un à un, qu'est-ce que je cherche ? Je ne sais pas, mon propre visage peut-être, un petit *Artiste* Henestrosa qui dans un avenir proche avouera à son père : « J'ai fait tout mon possible, je suis allé à l'école, j'ai mangé des légumes, j'ai passé des nuits à apprendre mes leçons pour l'unique raison que je ne voulais pas être comme toi. » La calamité me poursuit, je ne peux lui échapper, si j'avais passé la nuit à l'hôtel Balmer ou dans l'une des pensions de la rue Belisario Domínguez, je serais aussi tombé sur un type aussi crasseux que *le Boomerang*, sur un homme de main prêt à tout m'avouer. Et je me demande : que peut-il se passer à l'hôtel Isabel qui ne soit pas évident ? Vente de drogues, séquestration ? Une maison de tolérance clandestine ? Ils meurent d'envie de crier leurs secrets, tous les imbéciles croient garder un secret qui les rendra importants. Affaire classée.

Finalement, je choisis de faire ce que j'aurais fait enfant : je m'assieds sur les marches extérieures du palais, attendant que quelqu'un fasse tomber un portefeuille ou que passe une adolescente avec la jupe relevée, ou qu'un policier palpe affectueusement les seins d'une vieille dame. Devant mes yeux s'impose la Tour latino-américaine, cette vieille seringue qui a servi à piquer le cul de Dieu. Autour de la seringue, les mastodontes de la Révolution dorment sur des flancs de granit : la Nacional, la Guardiola, à quel moment les noms de ces édifices se sont-ils engorgés dans mon esprit ? Ma mère les aurait changés de place tous les deux ou trois mois, comme elle le faisait avec les meubles de la maison pour ne pas s'ennuyer, ce qui selon elle signifiait « un changement », mettre le fauteuil à l'endroit où devait être la table basse du téléphone. S'il existe des fauteuils dans la mort, de l'un d'eux, honteuse, ma mère doit contempler son fils de quarante-cinq ans assis sur le perron de Bellas Artes : « Tu es resté le même enfant inadapté dans cette ville de merde, je t'en prie mon fils, tu es grand ! Tu aurais pu être plus ambitieux. »

Je suis ici, dégingandé, dans l'ovule du vrai Centre, à l'endroit où tant d'hommes si différents de moi ont rêvé ces modestes gratte-ciel. Près de moi, deux individus s'installent aussi sur le perron, suivant mon exemple (je peux au moins donner un exemple), et me sourient comme si le seul fait d'être touristes les obligeait à être polis. Ce sont des Cubains, à en juger par leur accent.

« On n'est pas sur le môle, mais on peut boire un coup », opine l'un d'eux, qui serre le corps d'une fiole argentée. L'odeur du rhum vole, légère et provocatrice, jusqu'à mon nez.

« Non, on voit de ces choses, je te jure », commente le plus vieux, les poils blancs de ses avant-bras trahissent son âge. L'autre le regarde, méfiant, attendant une plaisanterie, quelle qu'elle soit. Il a visiblement envie de lâcher un éclat de rire.

« Un documentaire sur une chaîne câblée, sur CNN, à propos de Cuba, mec, quand passent-ils quelque chose sur l'île ? Jamais. C'était un reportage, tu sais, sur des prostituées que le gouvernement a rééduquées, qui font de la musique classique maintenant, tu imagines, mec, de la musique classique !

Elles interprètent Chopin avec toute sa tribu. Et là, sur l'écran, trois négresses en train de jouer de la musique classique, c'est quoi cette plaisanterie, mec ! Le hautbois ressemble à une verge de nègre. »

L'homme jeune est précipité sur le dos par le rire. L'autre en profite pour continuer :

« Mais elles n'ont pas changé de métier, mec, elles gardent le hautbois de nègre dans la bouche. J'appelle ça un engagement social, le triomphe de la Révolution, mon frère. »

C'en est assez. Avant de me lever, je jette de nouveau un coup d'œil à la file d'écoliers qui avance au milieu des cris d'émotion et d'incertitude. Une armée de petits Henestrosa, courageux, prêts à passer leurs pupilles innocentes sur les fresques murales de Tamayo et à apprendre que leur arrivée au monde doit être célébrée par tous les adultes. Non, ce n'est pas le Centre véritable, car ces ridicules monticules de pierre et d'histoire accumulée ne signifient pas grand-chose pour les citadins ; le nouveau, le vrai Centre se situe maintenant à l'ancienne périphérie, dans les banlieues de Santa Fe et Cuajimalpa. C'est ma mère qui, malgré son courage, sa bonté, m'a poussé à me comparer aux pauvres au lieu de me comparer aux puissants, suis-je donc un Christ, un salaud de Christ basané ? Ce n'est pas si tragique après tout, mère, sauf que tu as fait de moi un perdant, oui, je le sais, un million de paysans ignorent les plaisirs de la fainéantise, et les ouvriers n'imaginent pas la fraîcheur des langoustines servies sur le Danube. Mais moi, qu'est-ce que ça peut me faire ? Tu as semé la même graine chez ma sœur : sans ambition, nous comparant aux rats, remerciant Dieu pour notre santé, du fait d'être en vie bien que pauvres, quelle merde as-tu fait de nous ? La bonté, ta bonté, n'a servi qu'à nous écraser.

Autre possibilité : l'Isabel est un tripot clandestin, à minuit les joueurs se réunissent pour boire et parier, sous la vigilance de tueurs à gages commandés par *le Boomerang* Riaño. Voilà pourquoi il a recours à des devinettes ou à des métaphores : pour m'inviter à me joindre aux voyous et aux parieurs ; ils veulent me faire perdre mes cinq mille pesos en une seule nuit ! Je ne le permettrai pas. Sur le chemin en face de l'édifice La Nacional, le bourdonnement des Cubains diminue, les enfants se tripotent entre eux pendant que l'instituteur, distrait, explique le procédé plastique et créatif des fresques murales. « Le seul endroit où ont triomphé les Indiens, c'est sur ces fresques », est-ce cela que le professeur dit à ses élèves ? Sûrement pas.

Au cours de ma déambulation, je reconnais la silhouette de Laura Gibellini à une trentaine de mètres de distance. Elle sort d'une librairie, son expression est celle d'une personne qui a commis une bonne action. Son cœur s'automutile. À l'angle des rues Juárez et Lázaro Cárdenas, dans la foule qui attend le signal du sémaphore pour avancer, j'ai l'impression qu'elle est un lévrier égaré au milieu d'un troupeau de chèvres. J'accélère le pas et j'essaie de me placer à côté d'elle, mais une file de voitures m'en empêche. Mû par une volonté idiote, j'arrête un taxi, monte à bord pour traverser la rue un peu plus vite que les piétons et aller retrouver Laura. Que m'arrive-t-il ? À peine la voiture a-t-elle avancé de vingt mètres que je demande au chauffeur de s'arrêter et lui offre une pièce de dix pesos. « Que la vierge m'envoie d'autres clients comme vous, monsieur », crie le chauffeur de taxi tout sourire, heureux d'avoir vécu une véritable aventure, la course la plus courte de sa carrière, vingt mètres bénis. Je m'aperçois alors que Laura est accompagnée d'un jeune homme qui agite les mains de façon dramatique, comme s'il essayait de lui faire comprendre une chose en soi incompréhensible. Mes plans partent en fumée, la phrase que j'avais préparée pour l'aborder s'évanouit : « Mademoiselle, mon nom est Frank, nous sommes clients du même hôtel, je vais justement dans cette direction, permettez-moi de vous aider à porter vos livres. » De nouveau quelqu'un de plus jeune et de plus téméraire que moi me pousse dans le fossé au bord du chemin. Je suis devenu un poursuivant, maudite soit-elle. Pire que tout, un poursuivant raté ! La somme éternelle d'échecs qui porte mon nom tourne à gauche dans la rue Lázaro Cárdenas et avance jusqu'à la rue Uruguay, où m'attend une assiette de langoustines roses, couchées sur une nappe blanche qui arrive de la blanchisserie.

19

Sofía Sandler

Pour le dire avec des mots qui n'ont rien d'harmonieux, les choses, telles qu'elles sont sur terre, sont mal faites. Les cerfs procréent à quelques kilomètres de l'endroit où une bande de félins commence à sentir un creux à l'estomac, les requins s'approchent tout près des phoques qui jouent dans la mer et déchirent leur peau si dure et si lisse, les voitures passent sur le corps d'un chien déchiqueté sur une voie du périphérique. Chiens et périphériques au même endroit, quelle misère, vraiment !

Dans un restaurant de la pompeuse avenue Presidente Mazaryk, dans Polanco, Sofía Sandler prend son petit déjeuner en compagnie de sa mère, en apparence aussi jeune qu'elle ; dix-neuf ans de différence se cachent entre la poudre de riz et le sang. Sofía termine sa première tasse de café, écarte l'assiette de fruits, puis regarde à travers la large baie vitrée qui donne sur l'avenue. Elle se demande : « Qui peut bien nettoyer ces vitres ? À quelle heure ? » Elle imagine aussitôt un détachement de laveurs de vitres s'adonnant de bon matin à cette tâche. C'est un travail simple, qui donne tout de suite satisfaction : vous nettoyez la vitre, elle disparaît, vous unissez le dehors et le dedans, vous tendez la main et vous touchez presque les pantalons Moschino exposés dans la vitrine du trottoir d'en face.

« Le café finira par te faire mal, mange un peu de melon, il est délicieux », dit la mère. Ses cheveux blond cendré se balancent sur ses épaules ondulantes. Lorsqu'elle étale de la marmelade sur une brioche, elle prend garde de ne pas tacher sa robe blanche, ni le bout de ses doigts parfumés.

« J'aime boire du café parce que ça me coupe la faim. J'ai la flemme de mâcher. En plus ça me salit les dents...

— Je te soupçonne, ma chère fille, de souffrir de fatigue chronique, c'est la maladie à la mode chez les adolescents. Mais toi, tu n'as pas l'intention de rester à la traîne, je me trompe ? Penses-y, une jeune fille malade est une chose très triste. Moi, personnellement, je déteste la mélancolie. Non, la mélancolie et les soupirs ne sont pas faits pour moi. Tu entends ? À vingt ans, personne n'est capable de vivre une déception profonde ...

— Allons ensemble chez le médecin, il te dira que je n'ai jamais été adolescente », réplique Sofía.

À son âge on lui permet de boire dans les bars des États-Unis, à Berlin on ne lui demanderait même pas si elle a déjà eu sa première menstruation : on considérerait cela comme un fait psychologique.

« Peu importe, moi il me convient que tu le sois. Nous partons demain à midi. Je t'en prie, viens à l'aéroport nous dire au revoir. Ton père en sera très touché, il a besoin de nous, mademoiselle fatigue chronique. Il s'inspire de nous. Prends-le comme s'il s'agissait d'un travail.

— C'est Gabriel, personne ne sait où il est, j'ai appelé ses amis, ils disent tous la même chose : "Il doit être à Acapulco avec une fille." Leur première réaction c'est l'envie.

— L'envie ? Je n'éprouve aucune envie, pourtant je crois aussi que ce maître chanteur prend le soleil à Acapulco. Je vis entourée d'artistes depuis de nombreuses années, le premier étant ton père ; pour eux, la vie est une suite d'insolences, personne n'y échappe. Les plus timides souffrent aussi d'accès de fureur imprévisibles ; Gabriel reviendra dans quelques jours, on l'a bien élevé, dommage qu'il soit un porc.

— Ce n'est pas un porc. Qu'est-ce que tu racontes ? Tu ne le connais pas comme je le connais.

— Mange un fruit, ma vie. Et oublie cette bête qu'est ton cousin. »

La matinée se serre comme un poing, on est mardi, le vrai premier jour de la semaine, personne ne bâille. Les voitures roulent dans les deux sens de l'avenue, les seuls vieux véhicules sont les minibus, ils s'arrêtent tous les cinquante mètres, comme si les chauffeurs avaient la consigne de se faire remarquer et de paraître déprimants au regard des plus riches. Tous partagent le même désir de se faire remarquer. Le père de Sofía entre dans le restaurant qui, le matin, est une cafétéria aux longues nappes blanches. Il voit ses femmes et jette un coup d'œil autour de lui pour s'assurer que les étrangers l'ont reconnu. Il a soixante-dix ans, la moustache soigneusement taillée, comme les sentiers d'un jardin japonais. Ses cheveux blancs ondulés et son élégant costume en lin blanc sont assortis. Mazaryk est pour lui une extension de la côte française. Sofía devine : « Ma mère va devenir une autre. » Lorsqu'il n'est pas là, sa femme est prodigue en frivolités, elle est moins rigide et ne pose pas la main sur son front de façon étudiée, comme si elle allait prononcer le mot juste.

« Mes deux femmes réunies, voilà le bonheur. Que vous êtes belles, vous avez choisi cette place pour qu'on vous admire, n'est-ce pas ? Un peu d'exhibitionnisme le matin est une gymnastique tonifiante.

— Sofía souffre depuis que Gabriel est parti…

— Vous le trouverez à Acapulco, dit l'architecte. Ne vous inquiétez pas, quand je me fâchais avec mon père je montais à bord d'un avion et m'envolais pour n'importe quelle partie du monde. Je tirais de l'argent de son coffre-fort et je fichais le camp. Je ne qualifierais pas cela de vol, car même les bonnes connaissaient la combinaison du coffre. Je voudrais rester plus longtemps avec vous, mais le bateau s'en va. Tiens, voici les cartons d'invitation de l'ambassade, je n'ai pas préparé ma conférence, je suis juste venu dire adieu à Sofía. Ces fruits ont l'air délicieux, mange des fruits, ma fille, quand tu seras vieille tu pourras manger autant de pierres que tu voudras… On fomente un coup d'État au Honduras, le président m'a appelé ce matin, je devrai en parler demain à Paris.

— Il n'est pas à Acapulco, j'ai appelé six fois hier, personne ne l'a vu », insiste Sofía. Elle est dans son problème et n'a pas l'intention d'écouter d'histoires qui ne fassent pas référence à l'exil de Gabriel Sandler. « Il expose à New York et en Arabie. Il y a des galeries en Arabie ? Je ne sais pas s'ils vont comprendre l'œuvre de Gabriel là-bas. Il a le projet de mettre des réfrigérateurs remplis de Coca-Cola au milieu du désert, comme si c'étaient des oasis.

— C'est aux Émirats arabes, à Dubaï. J'y suis allé deux fois. Gabriel ne perd pas grand-chose. Ils ont bâti une ville entière en quelques jours, c'est le Disneyland musulman ; ils ont engagé les meilleurs architectes du monde, c'est pas mal, vraiment, mais sur le plan des droits de l'homme, ce sont des idiots, des primitifs. J'ai conseillé à Gabriel de ne pas accepter l'invitation et de signer une pétition contre le fondamentalisme, mais il ne m'a pas écouté. » L'architecte frappe légèrement ses lèvres avec une jointure. Son épouse ajoute :

« Tout ce qui intéresse ce garçon, c'est d'effrayer la bourgeoisie et de faire des cochonneries, les dadaïstes ont tout fait il y a un siècle. Encore Duchamp ? Non, ce serait un supplice. Pourquoi ne pas signer une pétition qui aide à respecter les droits des personnes ?

— Gabriel dit qu'il veut aller en Arabie parce que, là-bas, les femmes se taisent, ajoute Sofía, qui n'invente rien, elle ne fait que répéter ce qu'elle a entendu de la bouche de son cousin.

— Tu vois ? Et malgré sa misogynie les femmes doivent s'inquiéter pour monsieur quand il pique ses colères.

— C'est l'heure de partir, n'oublie pas les bouteilles de vin mexicain, prends du Monte Xanic et une Casa de Piedra, pour qu'ils sachent qu'au Mexique aussi on a de la qualité. Sofía, tu as décidé de rester, ça me contrarie beaucoup, j'aurais aimé que mes amis t'admirent. Tant pis, je te demande seulement de ne pas nous donner de mauvaises nouvelles, et de ne pas te faire de souci ; avant que nous revenions, Gabriel sera au travail sur ses réfrigérateurs pour Dubaï. »

De sa place, à laquelle elle est restée tel un fou sur l'échiquier, à travers une vitre invisible, Sofía regarde son père entrer dans une longue voiture noire portant des plaques d'immatriculation du service diplomatique. Le chauffeur lui remet plusieurs documents et allume le moteur. Le véhicule avance, puis une fourgonnette blindée qui transporte de l'argent passe à grande vitesse, frôlant de ses pneus le tertre qui sépare les deux sens de l'avenue Mazaryk. Les gens ont peur de ces tanks débridés, aussi bien les pauvres que les propriétaires de l'argent transporté dans le véhicule. Bref, les choses telles qu'elles existent sur terre sont mal faites.

20

Le Nairobi guide Stefan Wimer

« Trois corps pensent mieux qu'un seul », la phrase résume la philosophie d'un homme à qui la philosophie ne fait sûrement pas défaut. La philosophie ? Elle ne mène qu'à de nouvelles complications. Lui, la poussée du nouveau-né lui suffit amplement. Corps compact et yeux de rongeur, *le Nairobi* marche avec un port altier aux côtés de Stefan Wimer. C'est justement à lui qu'est adressée cette phrase : « Trois corps pensent mieux qu'un seul, mon cher Allemand, t'as pas l'impression d'avancer dans un monde nouveau ? Les serveuses du *Dos Naciones* partent avec toi seulement par deux, elles couchent avec personne si elles sont en infériorité numérique ; un vrai gang, ces salopes. Mais elles ont raison, mon cher Allemand, te voilà averti si tu veux dormir accompagné. Venir de si loin pour dormir seul, quelle bêtise ! »

Dos Naciones est le nom d'un hangar à deux étages, un bar et une salle de danse, assiégé par les policiers et les putes, au milieu de la rue Bolívar, la rue la plus moche du Centre historique, abrupte, complètement défoncée. À quel moment *le Nairobi* est-il devenu le guide de Stefan ? Comme le soupçonne Stefan lui-même, *le Nairobi* est un démon local qui ne porte pas de masque, un vrai *Führer*.

« Il est bon de connaître les choses en profondeur, blondin. Si tu as fait le voyage jusqu'ici, je suppose que c'est pour te distraire. Ou alors tu vas me dire que tu viens pour affaires ? Tu les ferais foirer, les hommes qui voyagent pour affaires sont des crétins, les affaires on les fait dans son pays et on garde le reste du monde pour s'amuser, c'est pas vrai ? Les affaires, on les fait assis, pas en déplaçant son cul d'un pays à l'autre, en portant des porte-documents et des valises, tu penses pas ? Pas de discussion, blondin, à qui tu crois parler ? » expose *le Nairobi*, un homme qui n'a jamais mis les pieds hors de son pays.

Les rues sont plus sales qu'un rat, les structures métalliques des commerces de rue dépassent du pavement comme une rangée de clous rouillés.

« Tout dépend de ce que tu veux dire par connaître en profondeur, répond Stefan, ivre et prudent. J'aime pas me fourrer dans les problèmes. J'ai pas envie d'apparaître mort, demain, dans les journaux : "Mort parce qu'il voulait connaître les choses en profondeur." Sérieusement, *Nairobi*, tu crois que si j'étais un homme d'affaires je viendrais me promener à une heure du matin dans ces rues comme si de rien n'était ? *Nein*, *amigo*, je serais dans un hôtel de luxe en train de boire du genièvre et j'engagerais une pute au téléphone.

— Demain tu vas visiter des monuments, mais dans ce quartier tu peux avoir ce que tu veux, au cas où tu me trouverais pas un jour. Tu me comprends ? Accompagne-moi, tu dis rien, tu souris pas comme un idiot de touriste, je vais te ravitailler, mais en plus je vais te présenter *la Señora*, oui monsieur, il s'appelle *la Señora*, mais c'est un homme, un dur, *you know*, le plus dur de tous, c'est ton jour de chance. *La Señora !* Je l'avais dit à personne, mais j'ai une super cuite, Allemand, t'es mon *brother* parce que tu vas retourner dans ton pays, c'est la seule raison. Rappelle-toi, salaud, on est amis et tu vas connaître *la Señora*. Tu vas lui plaire, on va voir s'il nous tue pas tous les deux parce qu'on est bourrés. »

C'est comme ça qu'avait commencé la soirée de la veille pour Stefan Wimer. Douze heures plus tard, il laisse tomber son corps de colosse sur le lit de sa chambre. Les draps sont trempés, il se palpe les côtes, soupire en rentrant le ventre ; si c'était un gorille il ne se gratterait pas aussi rudement qu'il le fait à présent au-dessous des pectoraux. Il fait confiance à sa chance et à son peu de crainte des obscurités de l'âme. Il n'a pas peur de la méchanceté, il la recherche comme un remède. Son esprit romantique lui dicte que la vraie vie fait son nid dans la maladie, dans le visage misérable de la vie humaine, dans ses lois sombres qui opèrent de façon implacable. Ça lui fait du bien d'avoir conscience de sa finitude, un trésor inestimable, il appelle ça *être en bonne santé*. C'est pour ça qu'il rit toujours, comme il l'aurait fait au centre d'un bûcher. « Trois corps pensent mieux qu'un seul », telle est la phrase par laquelle son *Führer* personnel, *le Nairobi*, a inauguré leur promenade nocturne, d'abord dans les rues Jesús Carranza et Tenochtitlán, dans le quartier de Tepito, puis aux *Dos Naciones*, à seulement quelques pâtés de maisons de l'hôtel Isabel. Il s'est retrouvé dans une ruelle sombre où il a serré la main de *la Señora*.

La Señora : dès l'instant où il serre sa main osseuse et rugueuse, le malfrat devient pour Wimer une obsession trouble. La rencontre avec ce vieillard squelettique aux doigts raides et à l'intense parfum de miasmes a-t-elle été réelle ? « *Le Nairobi* a ses contacts dans ces parages, si tu veux on te protège. Maintenant il est complètement soûl, le salaud va le regretter, mais s'il t'a amené avec lui, c'est qu'il t'estime, tu as entendu ? » Telles ont été les paroles distantes qu'a prononcées ce vieillard de plus de soixante ans, *la Señora.*

Après, au *Dos Naciones*, Wimer danse avec les femmes, ces femmes qui ne sortent avec un homme que par deux.

La cocaïne le met aussitôt hors de combat, il danse, plaisante en agitant les bras, boit de la bière et fait alors l'expérience d'un enracinement minimal dans les catacombes où il est tombé par choix : les femmes souriantes, leurs jupes rouges, leurs griffes acérées. « Ce sont les élèves d'une école communiste, boulottes, brunettes », célèbre Wimer et il n'en supporte pas davantage : le rythme que *le Nairobi* impose à ses pas a l'énergie des guerres sanglantes. Sa condition physique laisse beaucoup à désirer, où est passée la race supérieure ? Où est le défilé des armées victorieuses et arrogantes qui défilaient sur Unter den Linden ? « La cocaïne sert à boire plus de vin et à se soûler jusqu'à tomber par terre », prêche-t-il au *Nairobi* qui, à cinq heures du matin, l'escorte jusqu'à son hôtel.

L'alcool est idéal pour se faire des amis dans cette solitude qui semble remonter aux commencements du monde. Stefan ressent cette solitude immuable, mais il renonce à l'expliquer. Il préfère avancer vers une frontière, la traverser, prendre l'ennemi et lui faire grâce de la vie. Son guide est *le Nairobi*, un homme qui est dans le monde avant que les savants s'attellent à la tâche d'expliquer le pourquoi de sa naissance. « C'est sûrement un criminel ou un profiteur », soupçonne Wimer, mais les principes moraux qui gouvernent les actes du *Nairobi* ne peuvent être énoncés, ils ne peuvent qu'être respectés, des principes terrifiants mais innocents à la fois… « Tu es attiré par la mauvaise vie, cher Allemand, c'est pour ça que tu es avec moi », Wimer n'est pas sûr que ce soit la phrase que *le Nairobi*, un cuba à la main, a murmuré à son oreille, peut-être n'était-ce qu'une grimace que lui-même a traduite par ces mots.

Une table pour six personnes, quatre femmes, *le Nairobi* et son ami « l'Allemand ». La musique qui ne s'arrête pas un seul instant, semblable au hurlement d'une humanité adolescente et furibonde. Il n'est même pas effrayé lorsqu'il découvre que *le Nairobi* est armé, au contraire, la vision d'une arme cachée, seulement découverte à la faveur du mouvement désinvolte d'un pas de salsa, a suscité en lui un réconfort historique ; des armes fabriquées avec amour, avec astuce mathématique et dévouement depuis les premiers temps. Son père, celui de Wimer, aimait un fusil qu'il avait hérité de son propre père, les anarchistes pacifiques de Prenzlauer faisaient confiance aux dents des chiens qui cohabitaient avec eux dans les rues, Stefan lui-même ne renoncerait pas à avoir un canon dans sa chambre pour tirer sur la Cathédrale métropolitaine après avoir aspiré tout un gramme de sa brunette, comme il appelle la poudre blanche.

Le rideau tombe :

Flora frappe à la porte pour la quatrième fois en cette fin de matinée ; le problème, c'est que Stefan n'a pas assez d'énergie pour se lever, sauter du lit pour la renvoyer aimablement : il a besoin d'un Pernod. Flora, avec son tablier de paysanne et ses bras maigres, est angoissée par le comportement des clients, si elle pouvait les éduquer elle ferait de l'hôtel une école, elle montrerait à cette tripotée d'étrangers comment se comporter dans un pays où le jour se lève si tôt. Stefan se couvre le visage avec un drap et se dit : « Je vais dormir jusqu'à ce que le silence devienne insupportable. »

21

Laura Gibellini

Comme si le fait même qu'une femme existe était une preuve de plus de mon inutilité. C'est une impression que je garde depuis mon enfance quand, à l'école, je regardais les femmes, épuisé à la pensée qu'il était de mon devoir de leur courir après. Pourquoi devais-je me montrer sympathique à leurs yeux ou réaliser des tâches ingrates, désagréables, dans le seul but d'obtenir leur approbation et leur sourire ? Je ne comprenais pas pourquoi leurs corps, qui n'étaient pas encore tout à fait des corps, devaient m'attirer avec la force d'un puissant tracteur. Si cela m'apparaît aujourd'hui comme une situation ridicule, à l'époque la sensation était différente : ni aboulie ni paresse, mais une anxiété qui s'exprimait d'abord par une peur incontrôlable – mes jambes tremblaient comme de la gélatine – et plus tard par de la fatigue mêlée de désespoir. Or j'ai ressenti aujourd'hui la même émotion qu'alors, sauf que j'ai cessé de trembler ; mon immense solitude a suffi pour aller à contre-courant de mes craintes d'autrefois et me lancer à la recherche d'une femme que je ne connais même pas. Stupide romantisme que le mien, qui jamais ne se transformera en art. Et si je m'étais trompé ? Il est probable qu'en réalité l'homme qui marchait à côté de Laura ne l'accompagnait pas, peut-être était-ce un vendeur, l'un de ces conquérants professionnels d'étrangères, qui en plus ne paient pas d'impôts.

Pendant deux heures, Laura Gibellini a fureté, songeuse, dans les étagères de la librairie, elle est tombée sur les mêmes livres que ceux qu'elle aurait trouvés à la *Casa del Libro* ou à la FNAC de Madrid. Même ainsi, elle a acheté deux livres d'écrivains mexicains qu'elle ne connaissait pas, *Historias de caza* (« Histoires de chasse ») de Javier García Galiano, et un recueil de nouvelles, outre un ouvrage de Stephen Hawking. L'imminence de l'ennui la tenait en alerte, elle s'y préparait. C'était une habitude personnelle de prendre des décisions au dernier moment et de ne pas prévoir ses itinéraires. C'est ainsi qu'elle était arrivée au Mexique. « À quoi est-ce que je désire échapper ? Je n'ai tué personne, mes amants se souviennent de moi une heure ou deux en été pour se faire une branlette, presque tous les membres de ma famille sont morts. » En sortant de la librairie elle a traversé l'avenue Lázaro Cárdenas, puis a pris la rue Madero en direction de Gante, laissé derrière elle la Tour latino-américaine et les restes du couvent de San Francisco. C'est là justement que je suis descendu du taxi, et qu'en m'apercevant qu'elle n'était pas seule je me suis précipité dans le sens opposé, comme un rat. « Vous marchez vite, vous venez d'attaquer une librairie ? » C'était un homme basané, jeune et maigre, un autre rat, mais à ma différence celui-ci avançait dans le bon sens. Il portait un pantalon en coton et une chemise blanche boutonnée de pierres d'obsidienne. Les touristes d'âge mûr étaient la cible de ses journées de travail, mais il faisait parfois des exceptions et tirait au hasard, comme cette fois.

« Désolée, je ne parle pas à des inconnus », l'interrompit Laura. Un type comme lui, il fallait le fuir et se mettre en lieu sûr : le don Juan d'opérette, quelqu'un qui sans la connaître la considérait, à première vue, comme l'être le plus ordinaire qui soit.

—« Je ne suis pas un étranger, je vis dans cette ville. En toute honnêteté, c'est vous l'inconnue. »

L'homme insistait et il ne serait pas facile d'éviter sa présence, oui, il était comme le nuage qui gâche les journées à la campagne ou comme l'animal domestique qui meurt à Noël : personne, alors, n'arrive à calmer les pleurs des enfants. Laura pouvait engager la bataille sur les terrains les plus scabreux ; s'il le fallait, elle n'hésiterait pas à donner un coup de pied. Pendant un moment elle renonça à opposer toute résistance. À quoi bon ? Elle ne courait aucun danger au milieu de la foule et l'hôtel se trouvait à quelques mètres.

« Pour moi vous êtes un étranger, et ça me suffit. »

(« Je te casserai les couilles en trois, enfoiré, impertinent. »)

« Je ne veux pas vous embêter, juste quelques mots, vous permettez ? Il y a des années j'ai travaillé comme guide dans cette ville et j'ai fréquenté beaucoup d'Espagnols. Vous marchez vraiment très vite.

— Disons que j'essaie de m'éloigner de vous. Je ne suis pas une personne ordinaire, je ne suis pas espagnole et vous n'avez pas l'air d'un guide, mais d'un corniaud qui fait la conquête d'étrangères stupides.

— Tu es bien jeune pour être aussi méfiante et sauvage. Tu crois que je veux te voler ? Ma chemise vaut plus de mille pesos, touche-la si tu veux (cet homme s'est mis à la tutoyer). Ne t'inquiète pas, je m'en vais dès que tu me l'ordonnes, je me demandais si tu voulais connaître un peu l'histoire de cette ville. On pourrait prendre une bière…

— Ça ne m'intéresse pas, si je veux apprendre quelque chose d'une ville je m'installe devant un ordinateur et ça suffit. Quand quelqu'un t'aborde dans la rue sans te connaître tu peux être sûre qu'il s'agit d'une personne sans intérêt. Les gens intéressants se cachent sous les pierres.

— D'accord, pas besoin d'insultes, rappelle-toi seulement que ce n'est pas nous, les Mexicains, qui avons conquis l'Espagne, justement. »

(« Sale arrogante, je devrais lui donner un coup de pied au cul, ou au moins la mordre. »)

« Une chance pour nous, ç'aurait été beaucoup plus sanglant », répliqua Laura et elle accéléra encore le pas.

Débarrassée du harcèlement du séducteur improvisé, elle tourna à droite dans la rue Bolívar. Elle s'était promis d'être aimable avec les autres, elle venait pourtant de faire le contraire, elle s'était comportée comme une fille revêche et amère. Son cœur battait avec force, son estomac s'agitait comme si elle avait avalé deux grenouilles vivantes qui refusaient de mourir. La sensation qui s'emparait d'elle chaque fois qu'elle se montrait coupante ou agressive était une potion aphrodisiaque, une manière idéale d'être au monde, de s'exalter, de tendre des ponts érotiques qui débouchaient en général sur le néant ou sur une masturbation routinière. Le fait de n'être intimidée par personne, d'être indépendante et non une victime des rêves d'autrui la réconfortait.

Une fois devant la réception de l'hôtel, les questions continuèrent :

« Excusez ma curiosité, cet Hawking, c'est bien ce scientifique paralysé, n'est-ce pas ? dit Pablo Paolo en montrant le sac transparent qui contenait les livres qu'elle venait d'acheter.

— Oui, il est physicien, mais je ne connais pas bien sa biographie.

— Tous les paralytiques le détestent parce qu'ils se sentent plus idiots que lui. Les gens voient quelqu'un dans un fauteuil roulant et ils pensent : "Celui-ci doit être très intelligent", comme s'il suffisait de ne pas marcher pour être mathématicien ou physicien, vous ne croyez pas ? »

Laura se dirige vers sa chambre. Les portes possèdent un pouvoir symbolique inégalable, dès qu'elle s'est enfermée et assise au bord du lit, sa peau reprend des couleurs, ses mains tombent paisiblement sur ses genoux, elle aspire une bouffée d'air puis s'exclame : « Qu'ils aillent tous se faire foutre ! »

22

La Señora

La Señora n'a jamais été un homme superstitieux ; s'il l'était, le ciel violacé des derniers soirs lui serait apparu comme un signe impossible à interpréter, si menaçant que la peur aurait montré son nez, peut-être pour la première fois dans sa longue vie. La ville de son expérience est entourée de limites précises et il observe ses frontières, impassible et lointain, à la manière du capitaine qui savoure son cigare appuyé au garde-corps d'une embarcation au milieu de la mer. Debout à cette proue rouillée, il aperçoit l'horizon et imagine le paysage ouvert au-delà de la courbure des eaux : rien, vide et noir comme un cul d'animal mort… « Que peut-il y avoir de plus dans l'au-delà ? — Les mêmes saloperies. » *La Señora* voyage dans une embarcation en béton à laquelle, tout autour, plusieurs pâtés de maisons servent de coque, une barque échouée au centre de Tepito, dirigée par des lois si précises qu'elles soulèveraient l'orgueil des scientifiques les plus pédants : un pollen hasardeux a placé un astrolabe rudimentaire dans l'intuition de cet homme aux yeux presque fermés, outre des oreilles de chauve-souris pour écouter à travers les murs, et la faiblesse suffisante dans ses os comme dans ses muscles : de la sorte, on pense au mal sans autre entrave sur soi que la peau et les os.

La Señora habite une porcherie dans la rue Jesús Carranza, une caverne aux murs lézardés comme la patine de son visage, dans le ventre d'un immeuble sans numéro ni histoire romancée, dont la tuyauterie dispense parfois deux ou trois gouttes d'eau. Bien sûr qu'on peut vivre sans eau. À soixante ans, le ciseau a réalisé un travail soigné sur ses pommettes plates, sur son front cicatrisé, sur la bouche au-dessus de laquelle se promène un ver noir à moitié endormi. Dans son appartement dépouillé dont les pièces sont plongées dans la pénombre, on remarque trois luxes en apparence inutiles, mais en réalité indispensables pour laisser croire que les chambres sont habitées par un être humain : la dame-jeanne en porcelaine blanche, la harpe de presque un mètre de haut et la cage dorée, vide, qui lui rappelle les canaris qu'il a touchés de ses mains une fois, dans son enfance. Comment ce criminel peut-il avoir un passé ? Des canaris ? De sales petits oiseaux pépiant dans sa mémoire ? En arrière de ces élégants détails : un lit au ras du sol, deux fauteuils qui exhalent un préhistorique encens d'urine, une table ronde aux pieds arqués, le réfrigérateur nain et un téléviseur à écran plat, son seul excès, mérité, forment le mobilier de la demeure enfouie. *La Señora* ne court pas trop de danger, car les rares personnes à qui il est permis de connaître son identité le considèrent comme un sage ou un dieu caché. En réalité c'est une belette qui, abritée par l'épaisseur du plus ancien Tepito, murmure des ordres à deux ou trois lieutenants, qui à leur tour commandent à une armée d'hommes plus forts et plus mauvais que des scarabées. *La Señora* possède une sagesse étrange et succincte, une sagesse que comprennent même les plus idiots. Sur cette question il est généreux. Les idiots sous son commandement reconnaissent dans ses ordres la plus pure logique, ils savent également lire sur le visage minéral de leur patron lorsqu'y apparaît une ombre capable de leur rappeler la mort, la Sainte Mort. Autour de sa minuscule tanière près de la rue Jesús Carranza, un tas de couloirs interminables relient les blocs d'habitations familiales. Chaque porte contient un secret, chaque fenêtre est un œil. Les logements restent debout, chancelants, ivres et vaincus, mais unis par des tunnels en étoile dont seules les personnes proches de *la Señora* connaissent la géographie de mémoire.

La Señora aime son embarcation et on le voit rarement se promener à l'extérieur de la cabine où il ne reçoit que les visites de ses subordonnés. L'ostentation ne s'accorde pas avec sa personne. Les sales affaires sont réglées une fois pour toutes et pour toujours, mais au compte-gouttes. Il engage des tueurs à gages à distance, vend des armes sans être jamais présent, distribue de la cocaïne sans en avoir un seul gramme sur lui, et dans des occasions spéciales reçoit des chefs de régions lointaines avec lesquels il passe des marchés au bénéfice de sa communauté. Il aurait été profitable que quelques-uns de ses salariés passent deux ou trois ans au lycée ou au moins qu'ils étudient un métier technique, mais les rufians qui rôdent autour de lui n'ont pas de diplômes et *la Señora* doit, en plus, se charger de leur éducation, conduire les jeunes sur le sentier des bonnes affaires, leur montrer la différence entre les astuces pourries et les compétences réelles, leur faire comprendre que dans ce négoce la limite de vie dépasse difficilement trente ans. Pourtant, malgré la courte vie qui les attend, les jeunes apprentis ont l'obligation de se juger heureux d'être un peu plus qu'un déchet métis et de la chair douée de parole. *La Señora* n'a pas le souvenir d'avoir procréé des fils, mais il a plusieurs neveux qui sous les ordres du *Nairobi* occupent des fonctions administratives, diplomatiques, sociales : une véritable cour autrichienne perdue en un temps reculé. Les neveux ont survécu à un nombre respectable de morts certaines et leur renommée est discrète : un seul d'entre eux exerce l'autorité maximale après *la Señora*. Nous savons déjà qui c'est : *le Nairobi*. En revanche, ceux qui distribuent dans les rues, c'est-à-dire les vieilles femmes, les placeurs de voiture, les porteurs, les serveurs, les chauffeurs de taxi, les étudiants et d'autres aux ordres du *Nairobi*, ils n'ont pas entendu parler de l'existence d'un homme surnommé *la Señora*, bien qu'ils dépendent de sa bénédiction pour vendre au détail ou continuer à traîner dans les rues.

Les rats vont rester ici pour toujours.

L'odeur de farine de maïs grillé.

Et les saints travailleurs, Marx, as-tu consacré un chapitre à cette tribu maudite ?

La Sainte Mort a pris son temps.

L'histoire de ce quartier ? Mince alors : des dieux et des cafards.

Et ce qu'il y a de plus moderne, le dernier cri de la technologie.

Ici la cocaïne est plus mauvaise qu'à Londres. Mais cent fois moins chère.

Le suprême *Nairobi* montre le flegme idéal pour rôder dans les rues et mettre de l'ordre, mais il exerce aussi une fonction rhétorique : utiliser les mots pour éviter les guerres. Il le fait si bien qu'un jour prochain il devra faire ses adieux, rapetisser : il n'est pas du tout approprié d'être un visage dans le bateau de *la Señora*, un visage moulé avec des mots, des gestes, et surtout avec des vices. Un Allemand ? Dans quel esprit peut naître l'idée de se présenter accompagné d'un Allemand ? Le vice le plus vénéneux est « ce putain d'amour pour les blonds », pense *la Señora*, un vice absurde qui n'a même pas de direction. Et il fait des reproches à son lieutenant :

« *Nairobi*, tu te crois important parce que tu te promènes dans Tepito avec un Européen ? L'Allemagne ? Où ça peut bien se trouver ? Par ici, personne ne sait si c'est une île, une boulangerie ou le nom d'une truie sans culotte. » *La Señora* a des raisons de se plaindre : « Ce fou est venu me rendre visite à minuit, soûl, pour me rappeler que tu l'avais désigné comme son ami. Tu sais ce qu'il venait chercher, encore un salaud de vicieux. Si on l'a pas tué c'est qu'à minuit, ici, tout le monde est de bonne humeur. Il a retenu le chemin et a poussé jusqu'à ma chambre, si j'avais un revolver je lui aurais fichu une bonne frayeur, il a de la chance que je sois vieux. Il se vante partout d'être l'ami du *Nairobi* et dans les couloirs on allume les lampes pour le laisser passer. Alors comme ça, maintenant, toi, tu éclaires les blonds ? Va te faire foutre *Nairobi.* »

« Vous êtes *la Señora*, hein ? Vous vous souvenez de moi ? *Le Nairobi* nous a présentés il y a quelques jours. » Stefan avait l'air si sûr de lui. Où croyait-il se trouver ?

« Fais attention, mon garçon, la cour est pleine de pisse et de merde. Les manières, qui va se charger d'apprendre les manières à ces porcs ? J'ai perdu l'odorat quand j'étais petit.

— Ça va, moi aussi, la nuit, mon nez me fait mal. »

Stefan aime les Mexicains. Contrairement aux Espagnols et aux Colombiens qu'il arrive à peine à comprendre, les Mexicains lui entrent sans problème dans l'oreille. L'avalanche de nouvelles découvertes satisfait l'avide curiosité allemande du baron Stefan Wimer : bêtes nuisibles, plantes, espèces nouvelles renforceraient les soupçons de Friedrich Wilhelm Heinrich Alexander Freiherr von Humboldt sur la possibilité que l'Afrique et l'Amérique aient été unies dans la préhistoire. Si la théorie n'était pas probable, pourquoi donc ce visage de pierre éthiopien surnommé *la Señora* se montre-t-il d'humeur si égale, comme si la terre était une seule masse compacte, indivisible ?

« Même ma famille ne me rend pas visite à cette heure. Il y a quelques mois un cousin est venu me demander du travail, à moi, tu imagines. Le crétin. J'ai dit à cet idiot qu'une personne qui vit comme moi ne peut donner de travail à personne. Vois seulement la cage à oiseaux que j'ai trouvée au rebut, ne crois pas que je l'aie achetée, elle paraît chère, non ? Le mieux, c'est qu'elle n'a pas de locataires : ils sont tous morts.

— À Berlin, j'ai vécu plusieurs années dans un appartement comme le vôtre, je n'aimais pas non plus avoir trop de meubles chez moi, juste un poêle, et je l'ai aussi trouvé jeté dans la rue (à qui Stefan Wimer racontait-il des histoires ?).

— Je ne sais pas où se trouve Berlin, et s'ils jettent des poêles dans la rue, c'est sûrement qu'ils ont de l'argent, non ? Il y a un moment, j'ai entendu des coups de feu, mais je crois que ce n'était rien, pas de sirènes ni rien, sans doute un ivrogne. Personne ne t'a rien demandé avant que tu entres ici ?

— Si, mais je leur ai dit que je suis un ami du *Nairobi.* Par ici, tout le monde connaît *le Nairobi*, pas vrai ?

— Je ne sais pas, moi je passe du bon temps sans bouger, j'espère qu'on m'enterrera dans la cour. Quand les hommes commencent à marcher ils deviennent des fourmis. Et ils ne veulent plus s'arrêter.

— C'est vrai, *Señora*, je suis une fourmi nocturne qui cherche sa nourriture », dit Stefan, et ses cornées se font plus transparentes que jamais. Il se croit expert dans ces questions qui en soi n'ont rien de mystérieux : il a tant de fois acheté du haschich chez les Turcs à Kottbusser Tor, et ses propres amis vendent de la cocaïne dans les bars de Schliermannstrasse et Lychenerstrasse, où il les retrouve après minuit, confus, silencieux, en train de boire une bière.

« Et que diable mangent les fourmis ? De la terre ?

— De la poudre blanche.

— Humm, ces affaires, règle-les avec *le Nairobi.* Il revient demain, ne te désespère pas. Tout ce qui concerne le vice se traite uniquement entre vous. Si je faisais commerce du vice, je ne vivrais pas dans ce dépotoir. Le mieux est de chercher ces choses-là dans d'autres quartiers. Ou trouves-tu que j'ai une tête de drogué ?

— Pardonnez-moi si je me suis trompé, j'ai pensé que vous pouviez me conseiller. » Stefan recule d'un pas, annonçant sa retraite. Sa prudence le sauvera.

« Bon, qu'on ne vienne pas me dire que je suis un trouillard avec les gringos. Parle avec la femme du 7, c'est une dame respectable, une vieille dame, elle s'appelle Amanda, Amandita, respectable, oui, même si parfois elle pisse dans la cour. Si les grand-mères pissent dans la cour, qu'est-ce qu'on peut attendre des petits-enfants ? Rien. Le pire c'est que les démons passent leur temps à mettre des enfants au monde, ils ne prennent pas de vacances. Tant que c'est moins de cinq grammes, elle les a. Et prends garde à toi, parce que ce salaud de *Nairobi* n'est pas un dieu, il a des ennemis partout. Imagine-toi venir de si loin pour te voir obligé, toi, de régler ses comptes. Aujourd'hui tu as frappé à des portes d'amis. Demain, qui sait ? Regarde ce vase, il n'est pas joli ? Dès que je l'ai vu, j'ai eu mal à l'estomac et j'ai su qu'il serait chez moi toute ma foutue vie. Tu vas me dire que ce sont des histoires de putes, mais tu dois t'y connaître en art. Si tu veux je te le vends.

— Il est joli, mais on ne me laisserait pas monter dans l'avion et je n'ai pas assez d'argent pour lui acheter un billet de première classe.

— Dommage, quand je mourrai les hyènes viendront et l'une d'elles l'emportera. Il devrait être au musée. »

La Señora n'a jamais reçu un étranger dans son embarcation solitaire. Il considère cela comme de mauvais augure, mais l'âge commence à le rendre tolérant. Reconnaître que cet homme blond lui a été sympathique ? Sûrement pas. Si quelqu'un vivait à la cime des arbres, même les taupes lui paraîtraient sympathiques, mais pas s'il habite une prison souterraine dans Tepito. Quand Stefan Wimer s'en va, *la Señora* retourne s'allonger sur son lit confortable : « Des poêles jetés dans les rues ? J'aimerais bien voir ça, sale menteur de gringo. »

23

Les années de Díaz Mirón

J'ai connu *le Boomerang* Riaño il y a bien des années, mais je ne sais pas qui il est. Dans ma ville, le verbe le plus usité après *voler* c'est *oublier*. Je pratique l'oubli avec une certaine fréquence, m'évitant ainsi peines et remords. *Le Boomerang*, lui, préfère s'épargner les mythes, il laisse au temps le soin de s'occuper de sa survie. Je ne sais pas pourquoi il s'est fait cette idée que nous sommes amis. Il l'invente parce que cela lui convient. *Le Boomerang* est né à Córdoba, dans l'État de Veracruz, et il a étudié jusqu'au bac. Puis il est venu au District fédéral tenter sa chance dans les journaux. La pauvreté ne l'abandonne pas, chaque matin il est encore obligé de compter les pièces dans sa poche. Tout n'est pas oubli, dans sa mémoire il se voit partageant la même chambre avec trois de ses frères. Pour ne pas réveiller ses parents et le nouveau-né qui dormaient dans l'autre pièce, il urinait dans une marmite Presto que sa mère plaçait au pied de son lit. La marmite Presto, l'invention la plus applaudie par les maîtresses de maison à cette époque. N'importe quel mouvement, uriner au petit matin, tousser, se caresser les testicules, tout était immédiatement enregistré dans les murs, dans les oreilles paternelles, dans la mémoire de ses frères. « Je ne veux pas me rappeler ces saloperies, à quoi ça sert ? » Et le diplôme accordé à la fin de ses années de lycée pour le récompenser de son essai détaillé, appliqué, dithyrambique sur Salvador Díaz Mirón ? C'était le bon vieux temps, quand ses maîtres pensaient que de là aux nues il n'y avait qu'un pas. « Je ne me souviens de rien du tout, et je me fiche comme de l'an quarante de ce salaud de Díaz Mirón. Qu'il aille se faire foutre. »

Riaño a finalement été dépassé par le temps, renversé par le train dans lequel il montait et descendait tout à son aise, on l'a dépouillé de ses rares biens en le jetant dans une décharge. *Le Boomerang*, il ne s'est jamais approché d'un ordinateur, or c'est un suicide à notre époque : et savoir des sonnets par cœur est aussi ridicule que parler d'autres langues. « Je m'en fous, tant que j'ai une marmite Presto à portée de la main, que m'importent les iPods, les langues, les agendas électroniques ; pour baiser aussi j'ai besoin de suivre des cours ? » Le seul soupir que l'humanité pouvait obtenir de Riaño venait quand il était soûl et, mélancolique, pleurait entre les seins d'une prostituée qu'il suppliait de faire semblant d'être une danseuse ou une infirmière de nuit. S'il avait connu le sort que lui réservait l'essai sur Díaz Mirón il ne l'aurait jamais écrit. « Payer une pute trois cents pesos pour qu'elle fasse semblant d'être une danseuse ? Tu es foutu, *Boomerang*. »

Pendant deux décennies, comme un rat discipliné, il a apporté aux journaux du soir les nouvelles les plus noires ; ses relations au ministère de l'Intérieur, dans la police judiciaire, dans les ambulances urbaines, avaient assez de valeur pour qu'il les échange contre le gîte et le couvert ; tout le monde le savait : *le Boomerang*, il suffisait de lui jeter un peu de viande pour qu'il continue à faire des rondes, puis revienne : sa mandibule de saurien ornait les murs des rotatives et faisait bel effet sur les bureaux fendus des délégations. Et Díaz Mirón ? Il ne veut pas entendre un mot de plus sur ces idioties tandis qu'il déambule pieds nus dans sa chambre et, d'une fenêtre au troisième étage, observe la rue Isabel la Católica, qui à trois heures du matin est un vrai cimetière ; il n'est pas dans l'hôtel Isabel, mais dans un autre édifice à quelques mètres de là. Son appartement ne lui appartient pas, il est de passage, le journaliste qui ne connaît pas le web – « La toile ? Je l'ai jamais vue dans ma putain de vie. » Ne se souvient-il pas non plus qu'à l'école on se moquait de lui parce qu'il apportait des sandwichs aux vermicelles ? « Au diable tout ça », dit Riaño pour secouer l'insomnie qui le pousse irrémédiablement à écouter la voix d'un étranger lui parlant d'un passé tout aussi étranger, submergé dans les miasmes d'un pavement si noir qu'il vire au blanc. « Putain de ville, elle avale tout, elle change tout en merde, si j'étais resté à Córdoba, je serais président de la municipalité. »

Il n'a jamais pu supporter l'insomnie et les voix que le silence de la rue transforme en lamentations, en ruminations qui prennent d'assaut la fenêtre depuis laquelle *le Boomerang* veille. À huit heures du matin il descend l'escalier qui donne sur la rue, faisant des tours d'équilibriste pour ne pas trébucher sur les chats qui s'esquivent entre ses pieds. Il a dû marcher jusqu'à Mesones où, à un coin de rue, travaille le seul vendeur de journaux qui fasse correctement son travail. Ensuite, le journal à la main, il revient sur ses pas et s'assoit pour prendre un café au restaurant de l'hôtel Isabel. Il y a vingt ans, le journal était sur la table avant le pain. Maintenant, « c'est une race de foutus connards », marmonne *le Boomerang* derrière sa denture faite de tumulus entassés. Il passe cinq minutes à feuilleter le journal sur une table à l'écart, ne s'arrêtant que sur les titres à scandale : il déteste la rubrique financière, « elle sert aux voleurs à se justifier en faisant des comptes », c'est ce que pense Riaño. Cinq minutes passent avant qu'un homme au visage éveillé, aux mèches dures, lui demande la page des sports. « Pardon, prêtez-moi votre journal, j'ai fait un pari, cher monsieur, je vous le rends tout de suite », dit-il, et il lui arrache une partie du journal. « Je vous le loue », répond *le Boomerang*. L'intrus se penche sur la page sportive et chuchote : « Il paraît que les Allemands sont des tanks, mais ils sont à court d'essence à la moitié de la guerre, putain, c'est ce qu'a ordonné Dieu, de veiller sur les blonds. Ce qu'il te faut, *Boomerang*, tu le sais, hein ? Surveille les morveux, il y en a un nouveau, un garçon à moitié crétin, c'est Camila qui l'a amené, on l'appelle *l'Internet*, cet idiot. Quel pédant, non ? Toi, personne te donne de conseil, tu es notre intellectuel, salaud », débite *le Nairobi*, il remet la page sportive sur la table et s'en va aussitôt, telle une rafale épaisse, confuse.

La mendicité de rue n'a pas encore commencé, la matinée reste couchée sur les derniers décombres d'une nuit de veille silencieuse. L'insomnie est l'éternité, *le Boomerang* le sait et il doute de la sagesse de son corps, lequel ne donne aucun signe d'épuisement :

trois heures, quatre s'il a de la chance. Il lui est impossible de dormir plus longtemps. Tu dormiras dans le catafalque sur du velours rouge, qu'est-ce que tu veux de plus ? Depuis sa place dans le restaurant de l'hôtel Isabel, à travers les rideaux qui couvrent une vitre immense, il écoute le bruit que font les talons d'une femme qui marche sur le trottoir. Elle est pressée, s'il était de meilleure humeur il se serait souvenu de sa mère quand, le matin, elle courait ouvrir les rideaux du café *Danzet* dans le centre de Córdoba, État de Veracruz. Et peut-être aurait-il même eu envie de verser deux ou trois larmes, mais il ne le fera pas car il n'est pas dans ses habitudes de mêler les souvenirs aux obligations. S'il le faisait, sa fin viendrait dès le jour suivant.

24

À la recherche de Damian Hirst

Je me regarde de profil dans le miroir accroché au mur, en caleçon, pieds nus, je me vois comme un Indien pacifique au bord d'une rivière et m'aperçois que la courbe de mon ventre est de plus en plus cynique, impossible à cacher. À cet âge, c'est normal. Je ne mérite pas un seul gramme en moins. Là sont les *tacos* et les bières, les tripes, la soupe, les boissons gazeuses, les galettes de maïs. Le corps est la justice incarnée, un point c'est tout. J'essaie de rentrer mon ventre en aspirant plusieurs bouffées d'air et l'expérience est efficace : tant que je peux rentrer cette putain de bedaine, les choses ne vont pas si mal. J'aurai honte quand il me sera impossible de dégonfler ma panse ou, au contraire, j'éclaterai d'un grand rire et ce sera comme le rire d'un démon qui se brûle les fesses. Soudain, deux coups font vibrer la porte de ma chambre. J'ouvre et je me trouve devant un garçon d'aspect ordinaire, apporte-t-il un message ? Apporter un message, comme les personnes qui portent des messages me paraissent extravagantes !

« Excusez-moi, monsieur, je ne veux pas vous déranger, je suis désolé, ce n'est pas bien d'être ici, en fait c'est interdit, mais je me demandais si vous ne désiriez pas un service de nuit, une compagnie, vous savez, une petite dame très discrète à un bon prix.

— Non, en fait je suis venu me reposer, vous m'avez réveillé. » J'ai planté un pied derrière la porte et je dois donner l'image de quelqu'un de plutôt craintif. La vérité, c'est que je n'ai pas peur.

« Pardonnez-moi, ce n'était pas mon intention, je vais vous donner une carte. Quand vous voudrez, vous n'aurez qu'à m'appeler. Nous sommes de confiance, nous travaillons dans les hôtels du quartier (qui ce type croit-il tromper ?).

— Ne me donnez aucune carte. Je n'appellerai pas.

— On ne sait jamais. Comme vous voulez, je la laisse ici, près de la porte, avec votre permission et encore une fois, excusez-moi. » Le messager termine ainsi sa myope litanie et il s'enfuit dans le couloir.

D'où est sorti ce cafard ? Je me le demande et j'obtiens un nom comme réponse : Riaño, quelqu'un du *Boomerang*. Je me trompe.

Trois jours de plus et je retournerai dans mon petit appartement du quartier Álamos, à un pâté de maisons de la Calzada de Tlalpan, derrière la station de métro Viaducto et le cinéma qui autrefois, quand j'étais petit, s'appelait Álamos. Que les gens sont grossiers ! Changer des peupliers pour des viaducs ! D'où me vient cet esprit écologique véhément et inattendu ?

Loin de là, une jeune fille est sur le point d'entreprendre sa pérégrination vers le centre de la ville. Sa destination est ce même hôtel et son nom est Sofía Sandler. Les hauts murs de sa maison la protègent des regards oisifs et criminels. Les bibliothèques pleines de livres impeccables, les peintures que son père a collectionnées au long de sa vie, Felguérez, José Luis Cueva, Rodolfo Nieto[1], font des murs un cimetière d'objets de choix, les armoires modernes sont remplies de vêtements et les domestiques obéissent sans dire un mot. Est-ce que Gabriel est mort ? se demande Sofía, mais ne lui répond ; ses parents voyagent en Europe, les servantes sont plongées dans leurs problèmes personnels, le chauffeur somnolent, qui s'est juré de ne pas trop prêter attention au corps de sa jeune patronne, cuve son vin.

« Tu sais comment te rendre au Centre ? » demande-t-elle au lieu d'ordonner. Sofía Sandler est si délicate avec ses bras chétifs et son cou suave, ses vêtements légers, comment peut-elle se mouvoir sans en être empêchée par la gravité ?

« Quel centre, mademoiselle ? » dit l'homme en s'étirant.

(« Pourquoi diable toute la famille ne s'en va-t-elle pas pendant trois mois pour me ficher la paix ? »)

« Au Centre tout court, où se trouvent le Zócalo et la cathédrale.

— Oui, bien sûr, c'est mon travail de savoir ces choses-là, voulez-vous que je vous y emmène ? » demande le chauffeur ; d'un moment à l'autre son visage ne pourra pas cacher que c'est celui d'un vieux. Une fois, il lui est passé par la tête de séquestrer Sofía. Ce serait si simple, mais il ne veut pas finir en

1. Artistes mexicains : Manuel Felguérez (1928), peintre et sculpteur ; José Luis Cuevas (1934), peintre, muraliste, graveur, sculpteur, illustrateur ; Rodolfo Nieto Labastida (1936-1985), peintre.

prison, ou mort. Dans sa famille, il n'y a pas de repris de justice. Il serait le premier.

« Pas maintenant, combien de temps faut-il d'ici, en voiture ?

— Quarante minutes, et s'il y a de la circulation, jusqu'à une heure. Vous avez un problème ? » se renseigne le chauffeur. À cet instant il a envie de deux œufs brouillés sous une couche de sauce rouge.

Sofía se tient loin des aliments, tout à coup elle met une poignée de flocons de maïs dans sa bouche ou mâche du chewing-gum à la menthe. Sniffer de la cocaïne est pour elle une action insipide si son cousin n'est pas auprès d'elle. La présence de celui-ci a pour elle une énorme importance : quand elle le voit, même sa faim se réveille, comme si la seule présence de Gabriel exigeait un effort physique extraordinaire. Elle ne va pas attendre l'arrivée de la maturité pour prendre des décisions, les femmes ne sont jamais jeunes, elles naissent et meurent vieilles, comment seraient-elles jeunes si d'elles vient la vie ? Chez Sofía cette loi animale s'accomplit au pied de la lettre. Gabriel est sa chair, sa nourriture, sa mort. Elle est allée à toutes les expositions de Gabriel et, dans le seul but de le flatter, de montrer son intérêt pour son œuvre, elle passe des heures devant l'ordinateur pour apprendre les biographies d'artistes dont les noms ne lui disent rien : Barceló, Koons, Damian Hirst, Gabriel Orozco, Miguel Calderón. Elle s'obstine à simuler le savoir, à feindre qu'elle est à la hauteur. Et le plus important : elle sait écouter les paroles de Sandler, ses oreilles sont idéales pour recevoir ses sentences, l'oracle impitoyable qui unit la vie et l'art pour toute la mort : « Les artistes n'existent plus, ma pauvre Sofía, n'en fais pas une obsession, il ne reste que quelques clowns et nous allons nous amuser à leurs dépens. Ne crois rien de ce que tu vois, ce sont des grimaces, comme les parties mutilées d'un corps. Des artistes ? Ils mangent des carottes et font du bruit comme tous les animaux qui ont des dents, cousine, tu entends ? Si tu ne me crois pas, choisis-en un et baisse son pantalon, il fera ce que font les chiens et on te dira à l'oreille que c'est de l'art, que son écœurant pénis est de l'art. Tu n'as aucune raison de les flatter, pourquoi masturber des crapauds ? Moi ? S'ils me détestent c'est que j'ai bien fait mon travail, que je ne suis pas puissant, et s'ils te détestent bien que tu n'aies aucun pouvoir, c'est que tu es vraiment odieux, et ça oui c'est super. »

Sofía rêve aux paroles de son cousin lorsqu'elle dort dans les draps nacrés que les servantes changent tous les deux jours. Et la voix de Gabriel : « Je suis atomique, Sofía, c'est tout, je suis atomique. » Elle se réveille quand la prémonition devient vérité. Elle n'avale pas de petit déjeuner, les fruits que sa mère l'oblige à manger pourriront dans la coupe italienne, elle boira seulement un Coca-Cola glacé. « C'est l'heure de partir à la recherche de Gabriel », se dit-elle devant un miroir sans image, à moins que ce trait abstrait, subtil, qu'est devenu son corps ne soit une image ? Elle touche ses coudes lisses, pince ses épaules et prend la situation en main. La matinée est plutôt fraîche, mais dans quelques heures reviendra la chaleur du tropique ajoutée à celle de l'asphalte.

« Conduis-moi au Centre, dit-elle au chauffeur de la famille (pauvre homme, ses vacances ne commencent jamais), et laisse-moi au Zócalo. C'est décidé. Allons directement au Zócalo.

— Oui, Sofía, où vous voudrez (la curiosité empoisonne le chauffeur qui a l'air soucieux), mais à la cathédrale ?

— À partir de maintenant je suis catholique et je vais me confesser, ne me pose pas de questions. Je veux me confesser avec l'évêque lui-même, j'ai déjà pris rendez-vous et tout. Pourquoi me regardes-tu ainsi ? Je me mêle de tes affaires, moi ?

— Je disais juste, voulez-vous que je fasse venir une protection ?

— Pour quoi faire ? Tu ne te souviens pas qu'à dix ans j'ai pris des cours de karaté ? On ferait mieux de ne pas venir m'embêter. » La pérégrination commence quand, dans la voiture, Sofía prend son pouls et qu'il est imperceptible ; le sang est comme un étang d'eau immobile, le découvrir réveille sa confiance, elle est une femme mûre, elle palpe ses chevilles et les sent froides, la chance est avec elle, les symboles ouvrent le chemin, puis le mieux dans tout ça : l'avenue Reforma est dégagée.

Deuxième partie

1

L'hôtel

Les hôtels ont à leur service des personnes chargées de la sécurité des clients. Pas l'hôtel Isabel. Un vieil édenté monte et descend les étages en transportant une caisse à outils. C'est le préposé aux réparations mineures. Il ne porte pas d'uniforme et évite de vous regarder en face. Il fait son travail. Il monte et descend comme s'il vivait dans un grenier abandonné. Les femmes de chambre le trouvent souvent endormi sur un lit, il dit qu'il va réparer les cabinets et dort un quart d'heure sur les couvertures. « Il exagère », a dit Flora. « Il est vieux, laissez-le se reposer », a ordonné Camila. Il semble si simple d'enfreindre l'ordre ici. Certes, cet hôtel n'est pas un monument colonial, comme le palais de Jaral de Berrio ou celui de San Mateo de Valparaíso, mais il n'y a pas de raison de le considérer comme une ruine ou un édifice ordinaire. De temps en temps les deux réceptionnistes qui s'en occupent se disputent :

« Écoute, Samuel, j'obéis à tes ordres sans poser de questions, et ça va pas changer, t'inquiète pas. Je veux seulement être au courant. Ici il y a deux hôtels, un où seuls toi et Camila savez ce qui se passe, et l'autre dont moi je m'occupe. » Les plaintes de Pablo Paolo ne sont pas nouvelles.

« Si tu veux savoir, t'as qu'à demander, rétorque Samuel.

— Seulement demander ?

— C'est ce que j'ai dit. Te fatigue pas à imaginer des mystères, demande, c'est tout. Si je peux te répondre, je le ferai.

— Qu'est-ce qu'il y a dans les chambres fermées, et qui sont ces hommes qui entrent et sortent au deuxième étage ? Il est de mon devoir d'être au courant.

— Des hommes du patron, des assassins, je crois. Moi, je les ai vus tuer personne, mais c'est ce qu'on dit d'eux.

— Plaisante pas avec moi, des assassins ? C'est ce que tu dis ?

— Je crois que oui, des assassins ou quelque chose comme ça. Un hôtel sans assassins, c'est pas un hôtel. Il faut t'y faire, Pablo.

— Et ils vivent dans ces chambres ? Comment ont-ils fait pour s'introduire… ?

— Ils vivent pas ici, ils y travaillent seulement. Ils arrêtent pas de travailler, jour et nuit.

— Et qu'est-ce qu'ils font ?

— Je te l'ai dit, ils débitent des cadavres, ils font pas de bruit, ils ne réveillent ni n'embêtent personne, ils découpent la viande en morceaux, mais pas les os. On dit qu'ils ont étudié la médecine, c'est pour ça qu'on dirait des médecins, pas des assassins. C'est l'heure que tu y ailles, non ? Il est huit heures et demie. »

Pablo Paolo ne se fâche pas quand quelqu'un lui fait remarquer son prénom ridicule et il ne regrette pas d'avoir passé cinq années de sa vie à s'occuper d'un hôtel qui néglige les plus élémentaires stratégies de marketing. Pendant mon bref séjour en ce lieu j'ai découvert qu'on y agit par simple inertie, qu'on y pratique la mimique plutôt que les paroles. Personne ne veut perdre son travail. Un gérant, c'est-à-dire le fondé de pouvoir des propriétaires (que Samuel appelle *le patron*), fait son apparition une fois tous les quinze jours pour demander les comptes et il s'étonne du fonctionnement parfait de l'administration. « Comment font tous ces pauvres diables pour être aussi efficaces ? » s'étonne-t-il, mais en même temps il n'attend aucune espèce d'explications. Les clients, quand ils sont étrangers, ne font pas attention à l'odeur des vieilles moquettes, aux prises électriques branlantes ou aux rideaux raccommodés. Ils vivent leur aventure et, s'ils sont jeunes, la misère les attendrit, elle leur donne de quoi raconter.

Pablo Paolo n'a pas de considération pour moi, c'est à peine s'il lève les yeux quand je lui demande ma clé. C'est un jeune conformiste, il ignore quel est son véritable rôle dans l'hôtel. Moi, je ne le trouve pas désagréable, je me dis que si tout le monde se pliait aux circonstances à un âge aussi précoce que le sien, le monde ne serait pas aussi stupide ; on ne verrait pas autant de vieux se vanter devant nous de leurs succès et préparer de nouveaux délinquants qui hériteront de leurs vices et de leurs manies. Une grève mondiale de nouveau-nés serait utile. Impossible : les nouveau-nés ne sont pas une chose nouvelle, ils sont le vice de la création. Qu'est-ce que je dis ? Pablo Paolo croit être allé trop loin, il ne va pas tirer davantage sur la corde. Il se voit comme le leader ou le capitaine d'un village de Greenpeace. Et moi, un métis, un homme mûr, un perdant, je ne fais pas partie de ses plans.

La réalité se présente entre vingt heures et vingt et une heures : cela parce que la réalité doit arriver à un moment ou un autre. Son nom est Samuel et la femme de Samuel s'appelle Camila. Alors a lieu le changement de service et Pablo Paolo rentre chez lui dans l'arrondissement de Marte où sa mère l'attend avec la table mise pour le dîner. L'hôtel devient alors un endroit plus sombre et des personnes qui n'ont pas l'habitude de se montrer dans la journée sortent de leur propre ombre pour rôder alentour.

« Ils sont enregistrés, mais j'ai jamais vu leur tête : où sont-ils ? Ils sortent pas de la chambre. Ils paient des mois d'avance, Samuel, vingt mille pesos ! C'est beaucoup d'argent. Je fais pas confiance à ce genre de personnes (les plaintes de Pablo Paolo continuent). Et ce Riaño se promène ici comme s'il était le propriétaire.

— C'est des étudiants en médecine, tu veux aller voir ? Tu prends le risque qu'ils fassent ton autopsie, crétin. Je te conseille d'oublier cette affaire. Camila fait leur chambre, elle dit qu'ils sont propres et qu'ils font pas d'histoires.

— Elle le dit pour pas nettoyer comme il faut, d'après Camila dans ces chambres dorment seulement des chérubins et des méduses. Avec tout mon respect, Samuel, je suis pas né de la dernière pluie. À eux tous ils vont ruiner le prestige de l'hôtel.

— Cet hôtel n'a aucun prestige.

— Il en a. Pourquoi crois-tu que viennent autant d'étrangers ? »

Une grimace amicale adoucit le visage vigoureux de Samuel, le monsieur réalité.

« Vois-le de cette manière, Pablo, ces gens m'ont montré une carte, c'est des invités spéciaux, cherche pas les problèmes, ils paient normalement, c'est des amis des patrons, comme Riaño. Toi, t'es pas étranger, te monte pas la tête, on est mexicains et on sait qu'ici on est des larbins ; si le patron nous envoie des porcs, on a l'obligation de s'en occuper et même de les laver. On est des larbins, mets-toi ça dans la tête : des larbins. »

Pablo Paolo observe avec suspicion l'homme qui a le double de son âge et qui le remplace à son poste de chef du village, son épaisse tignasse paraît étrangère à son visage acariâtre.

« Comment peux-tu avoir autant de cheveux à cinquante ans, Samuel ?

— Je l'ai pas décidé, mon père était un Indien d'Oaxaca.

— Je sais, tu as de la chance. Moi, à cinquante ans, j'aurai même plus de poils aux aisselles.

— Je m'occupe pas de ces conneries, j'obéis, c'est tout... Mon père avait une épaisse tignasse et j'aurai une épaisse tignasse jusqu'à ma mort.

— Cet après-midi est arrivé un couple d'acteurs, lui, il me semble l'avoir vu dans des publicités célèbres », annonce Pablo Paolo.

Considérant que l'entretien est clos, Samuel retourne à ses affaires et se met à fouiller dans des papiers :

« Pour moi ils sont tous pareils, tant qu'ils paient et font pas de scandale, qu'est-ce que ça peut faire qu'ils soient martiens ? Je m'en fiche comme de l'an quarante. Je te dis qu'il est déjà huit heures et demie, tu comprends pas, crétin ? Fiche le camp. »

2

Le Nairobi

Il a un prénom, mais pas d'acte de naissance, et un seul nom de famille alors qu'il est normal d'en avoir deux. Il ne va pas faire trop de recherches sur sa généalogie, à quoi bon, les noms de famille pèsent lourd, il s'appelle Jesús Reyes et son sobriquet est *Nairobi*, *le Nairobi*, ce propre-à-rien de *Nairobi*. Sur le marché de Cartagena, à Tacubaya, sa mère avait un étal, elle vendait des légumes en s'égosillant, et son père tenait un salon de coiffure, dans le marché couvert également. Ils sont morts tous les deux empoisonnés parce que sa mère ne gaspillait rien et utilisait ce qu'elle n'avait pas vendu pour sa cuisine. La fleur de courge pourrit en une journée, les champignons noircissent, les figues de Barbarie virent au marron, les brocolis deviennent jaunâtres, les radis ramollissent. Avec laquelle de toutes ces merdes se sont-ils empoisonnés ? À l'hôpital ils n'ont pas approfondi la question, ce ne sont pas des détectives, ils ont juste dit : « Ils sont morts d'avoir mangé des cochonneries. » Et l'enfant Jesús Reyes est parti vivre chez une tante qui vendait des drogues à Tepito, dans une cour d'immeubles : son avenir était tout tracé. Quelle musique écoute-t-on dans ces cas-là ? Une ritournelle, trois ritournelles pour *le Nairobi* qui a échappé au balayage des cheveux morts sur le plancher du salon de coiffure de son père.

Il retourne à Tacubaya pour se souvenir et ne se souvient de rien, le délinquant sentimental veut se tisser un passé, mais le passé ne montre pas son nez. Il s'est acheté une vieille maison à restaurer, dans l'arrondissement d'Escandón, rue Salvador Alvarado, mais il aurait préféré en trouver une à Tacubaya, où il se trouve maintenant, au *Salón Ajusco*. Combien de bars comme celui-ci existe-t-il dans toute la ville ? Aucun. De sa chaise en plastique, *le Nairobi* observe les trois énormes barils en métal rangés dans un coin au bout du comptoir. Sur chacun d'eux l'inscription *Cerveza Kloster* révèle son ancienne fonction. *Le Nairobi* essaie d'imiter l'austérité de son patron, *la Señora*, c'est pourquoi il fréquente ces urinoirs. Il n'a pas de fils à qui servir d'exemple et des centaines d'employés ne compensent pas un fils, allons, ils ne valent même pas le prépuce d'un fils. Sa femme actuelle l'aide dans ses affaires, pas pour augmenter la tribu du *Nairobi*, exclusivement dans les affaires. C'est midi et il est accompagné de deux jeunes, armés, discrets, des garçons nés pour recevoir ses ordres. Eux ils s'ennuient, ils ne comprennent pas pourquoi *le Nairobi* les emmène dans ce bar miteux. « Qu'est-ce qu'on vient foutre ici ? » pensent-ils, mais ils gardent le silence. L'avenue Jalisco a été divisée en deux pour ouvrir une voie exclusivement réservée aux autobus. « On attend quelqu'un, dès qu'il arrive vous sortez et vous m'attendez à la porte », leur recommande *le Nairobi*. L'immeuble de l'Ermita ne s'effondrera pas. Si c'était le cas, ses décombres enseveliraient le *Salón*

Ajusco. On lui a dit que les locataires de cet immeuble sont des artistes et des toxicomanes, oui, personne ne le niera, un bon marché ; si c'était son territoire, *le Nairobi* s'en chargerait.

Le Boomerang Riaño passe la tête à l'intérieur du *Salón Ajusco,* la tête seulement parce qu'il n'est pas sûr que le rendez-vous soit dans cette brasserie. Aussitôt il reconnaît le corps de tortue et les grosses mains du *Nairobi* portant une bouteille de bière à sa bouche. Il entre et s'installe à côté de son patron. La tortue continue à boire à la bouteille. Les jeunes tueurs à gages se lèvent en silence, en signe de respect. Ils sortent dans l'avenue Jalisco en espérant que l'Ermita ne va pas leur tomber dessus. L'autobus est aussi rouge qu'une tomate, et cette couleur donne beaucoup à penser, il circule entre Tacubaya et Tepalcates, son parcours passe par l'université La Salle, l'arrondissement d'Obrera, le marché de La Viga, la rue Rojo Gómez, et le Collège Oriente. Pourtant, les chauffeurs ne s'amusent pas ; au contraire, ils sont fatigués et portent une cravate.

« Si t'étais pas arrivé j'aurais bu un de ces barils en entier, dit *le Nairobi* en montrant les barils Kloster, lesquels lui sont plutôt sympathiques.

— J'étais distrait, je suis entré à *Los Abetos.*

— Distrait ? Putain, et c'est toi qui t'occupes des petites ? On est foutus, Riaño.

— Tout est en ordre. J'ai rien à te raconter, inquiète-toi pour d'autres choses et savoure ta bière, dit Riaño.

— Prends-toi une bouteille, comme quand tu étais pauvre (*le Nairobi* tend la bouteille, obèse et brune).

— Je suis toujours pauvre, aussi pauvre qu'un rat.

— Pleure pas, *Boomerang*. Tu vas encore me demander de l'argent ?

— Je peux pas parler d'argent, il y a longtemps que j'en ai pas vu. »

Le Nairobi cherche dans sa veste et sort une enveloppe jaune. Il la donne à son invité. Vingt mille pesos d'indemnités. Il ne faut pas gaspiller les carottes au vinaigre posées sur la table dans une petite assiette. C'est justement à cause de ça que sa mère est morte. Morte d'avoir avalé des légumes pourris.

« C'est vrai qu'une femme de ménage est enceinte ? » demande *le Nairobi*. Il va entendre une autre version, en fait il désire entendre une autre version.

« Qui te l'a dit ?

— Camila.

— Oui, mais Samuel l'a renvoyée il y a une semaine, c'est rien, elle sera plus utile chez elle qu'à l'hôtel. Elle pourra s'y occuper comme il faut de son gosse. Samuel m'a dit qu'elle a même demandé de l'argent pour l'échographie.

— L'échographie ? Qu'est-ce que c'est que ce putain de truc ?

— C'est une photo du ventre qu'ils prennent pour savoir si le fœtus est une fille ou un garçon. C'est l'époque, *Nairobi*, il y a trente ans mes tantes devaient attendre que leurs enfants aient quinze ans pour savoir si c'était des filles ou des garçons. Maintenant on l'apprend à trois mois de grossesse. »

À l'extérieur du *Salón Ajusco*, les jeunes s'ennuient ferme. Ils sont maigres et on ne peut pas dire que les idées se bousculent dans leur tête. Ils n'ont pas l'habitude de bavarder parce qu'ils ne savent pas, ils épuisent les sujets en quelques secondes. À l'angle nord, ils observent une queue de huit personnes et cela leur donne enfin un prétexte pour bavarder :

« Ces gens, qu'est-ce qu'ils attendent ?

— C'est une échoppe de *tortillas*.

— T'es idiot ou quoi ? C'est un distributeur automatique.

— Eh ben, s'il est automatique, il est vachement lent.

— T'es crétin ou quoi ? »

Ils retombent dans le silence. L'autobus rouge passe et repasse.

3

Gloria Manson

Dans l'après-midi, un couple a fortement attiré l'attention de Pablo Paolo. Le couple a fait part de son intention de louer la chambre pour une nuit, mais ses plans étaient réservés, incertains ; deux nuits peut-être, si *leur affaire* ne se résolvait pas. De nouveau les mystérieuses *affaires* poussaient les personnes à se réunir à l'hôtel Isabel. Son visage à lui trahissait l'angoisse de l'acteur, malgré tout il restait aimable, fidèle à son désir tenace de s'adresser aux étrangers comme s'ils étaient ses admirateurs ; c'est elle, pourtant, qui attirait les regards et quand elle haussait un sourcil ou posait son index sur ses lèvres, alors plus personne ne prêtait attention à son mari.

« Quand nous sommes passés par ici il y a quelques heures, nous avons pris cet hôtel pour un musée, un musée d'histoire ou de cire, comme celui de Londres, celui de la rue de Londres, je veux dire. »

En voyant Gloria Manson et son sourire en apparence ingénu, l'humanité tout entière aurait imaginé un lit. Malgré la sympathie qu'il inspirait, au-dessus de ce couple flottait une ombre dramatique qui les tenait unis, une corde invisible qui liait leurs mouvements à une pierre jetée en chute libre dans le vide.

La corde autour de la pierre, la plus belle image de toutes celles qu'a créées l'univers.

« Jeune homme, vous m'avez l'air d'une bonne personne, écoutez, si vous nous attribuez une chambre qui nous préserve du bruit, nous vous élèverons un monument. Nous vivons dans une zone éloignée de Cuernavaca, nous n'avons pas l'habitude du scandale, nous n'avons pas d'enfants, ni de chiens. Vous devez me comprendre. » Roberto Davison, l'acteur de spots publicitaires, le prince des sous-vêtements, réclamait un peu de calme.

« Et pourquoi devrais-je vous comprendre ? Je ne suis que le réceptionniste.

— On voit de loin que vous comprenez tout le monde, votre travail, jeune homme, c'est un peu celui d'un psychanalyste. »

Ils avaient égayé l'après-midi de Pablo Paolo en l'élevant au rang de psychanalyste, rien de moins, ou était-ce une rétrogradation ? Qu'importe ! En l'air flottait la bonne humeur.

« Ne vous inquiétez pas, après vingt et une heures le Centre est un vrai cimetière ; en plus, les murs des chambres sont aussi épais que ceux d'un musée, si vous voulez savoir ce qui se passe dans la chambre d'à côté vous devrez taper à sa porte et le leur demander. C'est la seule manière de le savoir.

— C'est ce qu'il nous faut, la chambre forte d'une banque. Quand on est jeune le bruit est stimulant, mais maintenant, à mon âge *avancé*, j'apprécie le silence. Ma sœur peut confirmer mes paroles, n'est-ce pas Gloria ? Dis à ce jeune homme tout ce que le calme signifie pour nous. Oh, je sais que vous allez me dire : “Il est évident que vous n'êtes pas vieux et que cette femme n'est pas votre sœur", et vous savez quoi ? Vous aurez vu juste. À quarante ans on n'est pas si mal, on refuse de regarder en arrière, il y a un long chemin parcouru, on a mal au cœur, des virages et encore des virages, des ravins et des nids-de-poule de toutes les tailles. Je suis comédien depuis que je suis petit, qu'est-ce que je peux vous dire d'autre ? »

La peau élastique et grassouillette de Davison, ses sourcils épais, sa peau rougissante formaient le visage d'une marionnette de ventriloque. Et ses paroles aussi :

« Vous me connaissez, j'en suis sûr, vous avez dû me voir dans l'une des nombreuses publicités dans lesquelles j'ai tourné. Rien d'important, il n'est pas dans mes habitudes de me vanter, j'ai fait du théâtre aussi. Au théâtre, comme vous l'imaginez, on ne peut tromper personne. Sur scène on reconnaît un acteur même quand il est endormi, vous voyez ? Mais vous, vous n'allez pas au théâtre, je me trompe ?

— Je ne vais pas au théâtre, ni au cinéma, je souffre de claustrophobie et ça me rend nerveux (Pablo Paolo trouve le moyen de s'exprimer), surtout au théâtre. Les comédiens forcent la voix pour qu'on les entende à la dernière rangée. Quand ma mère m'y a emmené la première fois, j'ai été terrorisé, c'était pour *Le Chat botté*, oui, je m'en souviens, mais le chat botté parlait si fort que la moitié des enfants étaient morts de peur. Quelques-uns pleuraient.

— Je vois maintenant pourquoi les gens ne vont pas au théâtre, ils sont effrayés à cause des cris. Pourtant, l'acoustique s'est améliorée, enfin, j'ai fait de tout, même la publicité de sous-vêtements. Si la moitié du Mexique porte des caleçons Rinbros, c'est grâce à moi. Qu'est-ce que vous en pensez, hein ? Ce n'est pas vrai, je plaisante, ce n'est pas à ce point. Mais elle, cette belle femme, elle devrait présenter des collants, elle les remettrait à la mode. Je parie que vous êtes d'accord avec moi. Ne le dites pas, vous allez me rendre jaloux. »

La Manson déborde d'admiration pour son mari, dire que c'est à lui, cet homme sympathique, qu'un agent et imprésario de pacotille comme Tomás Gómez refuse de donner un rôle, pour résorber non plus ses dettes les plus urgentes, mais le sentiment accablant de chômage et d'oubli ! Davison espère que l'affaire, sa mystérieuse affaire, sera résolue, mais en attendant il va se reposer. Le couple, les doigts entrelacés, pierre et corde autour du cou, commence à monter l'escalier pour se rendre dans sa chambre, suivi par les pupilles enflammées d'un Pablo Paolo qui trouve que le nouveau locataire a un air de John Travolta.

4

Flora, la femme de chambre

Je n'ai plus revu Laura Gibellini depuis que j'ai perdu ma chance de l'aborder sur le trottoir. Elle est probablement partie. Et si elle logeait toujours ici ? Cela n'a aucune importance, je crois que si je la revois je serai incapable de reconnaître son visage. Cette banale incertitude occupe mon esprit toute la matinée. J'attends quelques minutes que la pomme de douche verse de l'eau chaude tandis que je lave mes chaussettes dans le petit lavabo du cabinet de toilette. C'est le luxe que me donne l'intimité. Si quelqu'un m'observait en train de frotter mes chaussettes dans le lavabo, je serais submergé par la honte. Parmi mes plus vieilles habitudes, il y a celle d'enfiler mes chaussettes et mon caleçon lorsqu'ils sont humides. Cela me donne une étrange sensation de liberté.

Je dois le reconnaître, mon flair pour détecter la méchanceté s'est mal exprimé dans le journalisme, et les arts m'ont été interdits. Si je dessinais un chien sur un bout de papier, personne ne reconnaîtrait que c'est un chien, et ce serait pareil si je jouais du tambourin, les ours eux-mêmes bâilleraient. C'est pourquoi j'ai honte qu'on m'appelle Frank, *l'Artiste*, j'en suis aussi honteux que de laver mes chaussettes dans le lavabo du cabinet de toilette d'un hôtel. La seule chose qui me console, c'est que mon flair soit resté intact et ne se soit pas évaporé en mots ou autres bêtises. La visite du proxénète m'a mis en alerte, c'est comme ça que s'annonce le cancer, en frappant un petit coup délicat à la porte. Les sous-vêtements humides me stimulent autant qu'un café serré ou les jambes fines d'une jolie blonde. Une chimie fantastique conduit l'eau jusqu'à mon esprit et les tuyauteries oxydées se mettent à fonctionner. Je laisse ouverte la porte qui donne sur le couloir tandis que je finis de m'habiller. Si la chance était avec moi, un furtif regard étranger, féminin, se glisserait dans ma chambre et améliorerait mon apparence. Être regardé par une femme, même par erreur, est excitant : la vision de mon corps la fera souffrir. Moi, au contraire, je serai heureux. Et si au lieu de ce stupide petit maquereau c'était Laura Gibellini qui avait frappé à ma porte ? Si une femme fait attention à moi et m'observe quelques instants, je peux découvrir dans ses pupilles un diagnostic sur ma personne, un diagnostic faisant de moi une silhouette royale, tangible : des clous pour fixer mes mains et mes pieds aux rochers, des poids, des rivets, des soudures, des vis capables de m'immobiliser sur le sol, évitant ainsi qu'une bourrasque ne m'exile à jamais des choses réelles. Voilà ce dont j'ai besoin.

Alors que je finis de mettre mes chaussures, Flora, la femme de chambre, me demande la permission d'entrer. Je note que la couleur de sa peau est différente et ses mains plus fines, mais c'est Flora, pas de doute.

« Si vous n'y voyez pas d'inconvénient, il vaut mieux commencer par nettoyer ceci. » Elle est brune, aussi menue que son balai, nerveuse, et près de trente années de vie ont un peu durci son visage innocent.

« Femme, cette chambre t'appartient, lui dis-je, entre quand tu veux. Imagine que je ne suis pas là. Fais absolument ce que tu veux. Traite-moi comme si j'étais un ballot. »

(« De quoi s'inquiète cette femme ? Le ménage ? Son visage est celui de Mariana, ou est-ce que je deviens fou ? »)

L'éloignement rend immobile l'image de Mariana Henestrosa, ma sœur, une distance nécessaire car il ne me convient pas d'être entouré de personnes dont je ne peux m'occuper comme il faut. Je n'ai pas assez de pouvoir et, surtout, de conviction pour le faire. C'est la faute de mon absurde déracinement, de mon médiocre ascétisme, je veux perdre de la graisse, des cheveux, ne pas acheter de chaussures aussi longtemps que les chiens, attirés par l'odeur, ne pisseront pas dessus. Je sors cinquante pesos de ma poche et les donne à Flora.

« Je t'aurais donné des dollars, mais je n'en ai plus. J'ai inondé le sol des toilettes et le nettoyer va te prendre un moment. Il te faudra plus d'un matelot pour écoper. »

Si je n'étais pas hypocrite je l'aiderais à faire le ménage. Mais si je le faisais elle ne me respecterait plus.

Flora écarte les cheveux de son front et elle riposte du tac au tac :

« J'ai pas besoin de dollars, tous mes comptes bancaires sont en pesos. »

Les femmes de chambre ont-elles aussi le sens de l'humour ? Flora a eu de la chance, c'est un Mexicain qui lui donne le plus gros pourboire, elle en est fière et voudrait le dire à chacun des clients étrangers – « Pour vous apprendre, pingres ! » Finalement elle se contente de sourire en serrant les lèvres, car elle ne veut pas demander l'impossible. Le souvenir de Mariana m'a troublé, il a fichu ma matinée en l'air. Je lève la tête et me trouve si prêt de Flora que je dois reculer de quelques centimètres pour observer le large sourire de la femme de ménage :

« C'est l'heure de changer vos draps, monsieur. Vous me devez encore cinquante pesos. »

Flora s'amuse, et moi, le client solitaire, j'ai envie de la prendre par la taille et de lui raconter mes malheurs, ou de lui dire que nous sommes un frère et une sœur imaginaires, qu'il ne lui arrivera rien tant que je serai auprès d'elle. Je ne le fais pas.

« Vous êtes avec eux, pas vrai ? Avec les gens de Samuel et de M. Riaño ? » demande Flora, mais je n'entends pas la voix douce de la femme de chambre, car je descends déjà l'escalier d'un pas pressé. Où vais-je ? Il est évident que je n'en ai aucune idée.

5

À la recherche des canards

J'ai fait incidemment la connaissance de Gabriel Sandler. Le restaurant de l'hôtel est plein et le jeune homme m'a invité à m'asseoir. Tout simplement. J'ignore qu'il a fui sa famille, mais aussi lui-même, que c'est un artiste et l'héritier d'une fortune. Sur un mur de la maison où il a vécu depuis tout petit, il a laissé cette phrase écrite à la craie obscure : « Salauds, putains, je fiche le camp pour vivre au Canada avec les canards. » L'écriture manuscrite impressionne davantage lorsqu'on vit à l'époque des ordinateurs et des satellites. Gabriel Sandler a pris soin que ses lettres soient lisibles, qu'on ne confonde pas les A avec les R comme on le lui a fait remarquer les rares fois où il s'est vu obligé d'écrire à la main. De tous les messages qui lui étaient venus à l'esprit, celui-ci était le plus simple, il ne voulait pas faire l'artiste aux dépens de ses parents. Ni non plus être ridicule. Il s'est trompé, car laisser un mot d'adieu comporte en soi le plus grand ridicule, d'autant que sa phrase est marquée au sceau de l'artiste véritable : le nouveau représentant de l'avant-garde plastique latino-américaine, recherché par les plus célèbres galeries de New York à Montevideo, le fébrile, l'imprévisible Gabriel Sandler.

Quand le gribouillage sur le mur a été interprété par la famille comme un signe d'adieu, Gabriel a réussi à obtenir du distributeur automatique près de vingt mille pesos, somme insignifiante pour lui, de la menue monnaie. Au contraire, s'il avait suivi son instinct et était parti sans prévenir, son père, craintif, aurait clos ses comptes dès le lendemain pour empêcher ses éventuels ravisseurs de le retenir plus longtemps que nécessaire. Toute la famille séquestrée, les enfants torturés, l'épouse mutilée, les chiens violés, telles sont les images qui font naître la peur chez son père.

La nouvelle, c'est que dans le drame des Sandler il n'y a ni ravisseurs ni canards, mais une pause prise par le fils pour essayer de répondre à une question qu'il n'a pas encore exprimée correctement. Gabriel nourrit de sérieux doutes au sujet de son talent artistique : sept millions de pesos ont été investis dans son éducation et il n'a que vingt-sept ans. L'art vaut-il sept millions ? Combien de petits déjeuners continentaux pourrait-on offrir avec ces sept millions ? Une telle somme permettrait d'inviter toute la population de Chypre à prendre le café avec du pain beurré, sans oublier les Turcs qui n'accepteraient pas un café de mauvaise qualité. Ou tous les habitants de Colima, qui dans leur État ne disposent pas d'une seule librairie respectable. Et que dire des populations les plus pauvres qui vivent dans le sud-est du Mexique ? Elles pourraient acheter des armes et des chiens de chasse. Ces communautés voudraient-elles du café et du pain beurré sur le compte de Sandler, l'unique, le véritable artiste ? Bien sûr que oui, se répond-il à lui-même. Celui qui méprise un artiste est un crétin, un animal qui défèque en rase campagne. « Sept millions dépensés pour faire de moi un artiste : c'est à vomir. »

Installé dans la salle à manger de l'hôtel Isabel, Gabriel note que le volume des voix qui chuchotent augmente par moments, car un groupe de douze personnes a justement choisi ce restaurant pour parler affaires pendant le petit déjeuner. Combien chacune de ces personnes a-t-elle déboursé pour son éducation ? se demande Sandler, intrigué. Pas plus de cent mille pesos en trente ans d'âge ; peut-être celui qui paraît être le chef a-t-il dépensé le double de cette somme en prenant des cours dans une académie de langues ou de relations publiques, une petite école d'anglais, quelle candeur !

Imaginer la façon dont chacune des personnes qui déjeune en sa présence prononcerait le mot *available* réveille chez Gabriel un mal secret. De la table qu'il occupe il peut observer les deux ailes du restaurant, pas une seule table inoccupée, et il découvre aussi cet homme basané, moi, qui cherche en vain une place pour commander son petit déjeuner.

« Ils nous ont envahis, mais tu peux t'asseoir ici. Je m'en vais dans quelques minutes », me dit Sandler, jovial.

En réalité, Sandler aurait préféré me demander : « Comment prononces-tu en anglais le mot *available* ? » S'il l'avait fait, je n'aurais pas sourcillé. Je sais prendre un visage de spectre. Ou je lui aurais avoué : « Je ne sais même pas dire correctement mon propre nom. Il est plus simple de prononcer Paco que Frank. » Les minutes se succèdent, pesantes pour moi, languissantes pour Gabriel, qui n'éprouve aucune gêne à se livrer ; n'importe quelle *vérité* est idéale pour nouer une conversation.

« Je ne suis venu dans cet hôtel qu'une seule fois, c'était il y a deux ans, mais je devais être somnolent ou ivre mort, car je m'en souvenais autrement. La nuit, mes yeux n'ont plus la même ardeur, ils regardent autrement.

— Comment était-il dans ton souvenir ? (Je lui pose la question les yeux fixés sur mon café couleur hypnotique, mais les oreilles toujours attentives.)

— Différent. J'étais venu avec une fille et je n'ai pas eu le temps de remarquer les détails », murmure Gabriel avec un sourire.

C'est un fait : parler de femmes marche à tous les coups, qu'on s'adresse à un prêtre ou à un éboueur.

« On sortait de la chambre à six heures du matin, il faisait encore sombre. Il se peut que je me sois trompé d'hôtel, mais je ne crois pas, ce matin j'ai trouvé la culotte de cette fille sous le lit. »

Je lève les yeux pour scruter le visage mal rasé de mon compagnon de table. Je ne connais pas beaucoup de gens disposés à arborer ce genre de favoris, des marques qui auraient pu être faites au cirage. Il est évident qu'il attend de moi une moue de complicité (les plaisanteries à propos des femmes dépassent les limites des classes sociales et exigent une prompte réponse de la part de la communauté masculine). Moi, le faux *Artiste* Henestrosa, je fais une moue compréhensive, le dandy, le monsieur narquois, le nouvel homme du monde, et je lâche en toute hâte un commentaire banal empreint de maladresse :

« La culotte doit appartenir à la femme de chambre, elle ne balaie jamais sous le lit. »

À ma grande surprise, Gabriel Sandler accueille très volontiers le commentaire et il rit de bon cœur. Gabriel n'en attendait pas moins d'un homme aux cheveux carbonisés et à l'aspect de pierre qui lui rappelle le garde du corps de son père. La plaisanterie continue :

« C'est bon à savoir. Si je ne veux pas que la femme de chambre me trouve, je me cache sous le lit.

— L'hôtel n'a pas changé, je le connais depuis trente ans, mais c'est aussi la première fois que je loge ici. Il est probable que tu confonds avec l'hôtel Gillow, mais je ne crois pas, car il est plus cher et sa façade est *art déco*. » Eh bien, voilà que je me vante de mes connaissances en architecture, qui sont anémiques, quelqu'un douterait-il de ma culture ? Je ne sais même pas à qui je m'adresse. À l'hôtel Isabel, personne ne sait rien de personne.

« Non, c'est bien cet hôtel, insiste Sandler, c'est juste que j'en ai un souvenir différent. Il y avait plus de meubles et des cendriers partout, mais à l'époque je n'étais pas dans mon assiette, mon grand-père venait de mourir, les obsèques, tout ça, ça met dans un état assez étrange. J'ai décidé de ne pas aller à l'enterrement, j'ai pris quelques tequilas dans la matinée, des cachets, et je me suis endormi. Quand je me suis réveillé, j'ai appelé ma cousine préférée, Sofía, et j'ai passé deux ou trois jours à faire la fête. Je suis une merde, non ? »

Je soupçonne ce jeune homme d'exagérer les faits, mais je ne doute pas de sa sincérité. Les menteurs portent autour d'eux une auréole de mouches invisibles, or pour le moment je n'entends aucun bourdonnement suspect. Gabriel Sandler est un chat angora qui montre les griffes, un riche qui fait semblant de connaître la vie. Et si c'était vraiment un artiste ? Cela me vient brusquement à l'esprit, son aspect n'est pas ordinaire, un artiste du monde flottant, pas comme moi, le faux *Artiste* Henestrosa, le mange-merde, le raté, le et timoré *Artiste* Henestrosa.

« Et ton grand-père, de quoi est-il mort ? » En lui posant la question j'étire le cou pour entendre le bruit subreptice de mes vertèbres. On peut considérer cela comme un tic.

« De vieillesse. À son âge on ne meurt pas d'autre chose, de vieillesse. Les médecins disent qu'on meurt d'une seule maladie, d'un cancer ou d'un infarctus, ils le disent pour qu'on se tienne tranquille et qu'on cesse de leur casser les pieds, mais on meurt de vingt ou trente maux à la fois. La vie n'est pas aussi simple. Les maladies sont semblables à une armée qui te passe dessus et te laisse à terre, couvert de boue, mais seul le général remporte tous les applaudissements.

— Bien, au moins ton grand-père a cessé de vivre », ai-je dit en prenant un air distrait. Dans mon esprit le nombre 50 clignote, allumant tous les feux rouges : cinquante ans à l'horizon, après le virage, sous l'assiette.

Comme s'il était au courant de mes soudaines tribulations, Gabriel ajoute :

« Mon grand-père, c'était un dur à cuire. Le jour de ses soixante ans, il a mis un revolver sous son oreiller, là non plus notre femme de chambre ne l'aurait pas trouvé. Ses enfants, parmi eux mon père, avaient peur, ils disaient que le grand-père était somnambule, qu'un jour il prendrait l'arme et tirerait sur eux tous dans son sommeil. “Au moins vous avez des raisons de vous inquiéter, bande d'entretenus", leur reprochait le vieux, je te le dis, c'était un salaud, si tu l'avais connu il t'aurait plu. Mon grand-père, bon sang, j'ai pas honte de dire que j'aimerais lui ressembler. Mon père au contraire… La seule bonne chose qu'il ait faite dans sa vie a été d'épouser ma mère, mais mon grand-père, bon sang, il a tout fait comme il fallait. »

J'écoute les confessions de l'artiste véritable. Il m'aurait fallu un mois pour narrer à un inconnu ce que Sandler me récite en quelques minutes, sans aucune pudeur. Un homme comme moi n'a pas le droit d'être désinhibé dans ce pays, on me prendrait tout de suite pour un cynique ou un mauvais sujet. Le jeune homme poursuit :

« Bref, il voulait cette arme pour ne pas oublier ce qu'on doit faire quand on a un cancer, c'est ce qu'il disait, mais il est mort à quatre-vingt-dix ans, dans son sommeil. Le revolver lui a plutôt servi à effrayer les maladies. Si au moins il me l'avait légué. Trente ans avec une arme qui n'a jamais servi. Une balle perdue n'aurait pas fait de mal à mon père, une balle qui l'aurait au moins paralysé. Enfin, je suis en train de te gâcher ton petit déjeuner, je suis désolé.

— Non, pas du tout. Merci de m'avoir invité à m'asseoir. »

Je suis prêt à lui pardonner ses innocentes anecdotes, il est tôt et les jeunes gens piaillent plus que nécessaire. Le grand-père, une arme, le cancer, que de bêtises rongent l'esprit des nouvelles générations ! En dernière instance, ce serait à moi de raconter ce genre de choses, mais je ne suis pas disposé à me laisser intimider par les mensonges d'un enfant. D'ailleurs, quelles histoires puis-je mettre sur la table qui se comparent aux récits de Sandler ? Je n'en ai pas la moindre idée, mon esprit, tel un mur, a été fait pour recevoir des coups de pierre, pas pour les rendre. Comme toujours quand je tombe sur un carrefour, j'ai recours à une saine conviction personnelle : rien n'est aussi agréable que de garder le silence. Je regrette d'avoir mentionné Flora dans la conversation et d'avoir fait une plaisanterie à ses dépens, de m'être moqué d'une femme qui a plus de choses en commun avec moi qu'avec ce garçon à la barbe négligée, ce créole aux traits slaves. Je me sens mieux que jamais.

6

Trois morts

Ils sont tous nés, complets et en bonne santé, à la fin des années 1980 ; le XXe siècle n'a été que la plate-forme de lancement vers une tombe dans le XXIe siècle ; ils ont en commun l'âge et la peur, ils ont grandi et ont été nourris dans les quartiers en ruine voisins de Tepito, leurs parents sont des commerçants depuis dix générations, mais eux vont modifier le cours de la tradition. C'est parfaitement leur droit ; ils vont bientôt mourir criblés de balles, ils le pressentent et ne savent pas comment réagir face à ce pressentiment.

Leur chef n'a pas plus de vingt-trois ans, mais au moins sait-il que sur ses épaules reposent la témérité et le mépris de la mort, qui dans son quartier est objet de vénération : les habitants de Tepito ont passé tant de décennies à jouer les machos ! Ses deux compagnons n'ont pas encore vingt ans et ils ont aussi le soupçon de s'être trompés, ils n'ont pas l'habitude de séquestrer ; eux, ils volent, ils frappent, ils vendent de la drogue, mais dans une séquestration l'intime proximité avec leur victime les fait hésiter. Ils ne savent pas comment s'entendre avec quelqu'un qui n'est pas comme eux. Ils ont séquestré un adolescent, ils l'ont cueilli aux portes d'un bar dans l'arrondissement de Condesa, attaché, scruté comme on observe un spécimen dans un flacon de verre. Ils soupèsent et discutent la possibilité de le libérer ou de le tuer, ou de lui donner un coup de couteau pour qu'il n'oublie pas que ses parents sont des fils de pute qui ne lui ont pas appris à rester sur ses gardes – « Tant d'argent et les salauds marchent dans la rue comme s'ils vendaient des fleurs, les fumiers. »

Le Nairobi a appris l'endroit exact où les insubordonnés cachent le paquet et il a transmis les renseignements à Gaxiola, « de toute façon ils ont mal tourné, ils vont nous rapporter plus de problèmes que d'argent ». Gaxiola et *le Nairobi* savent administrer la justice, pas de doute. Une erreur cependant : aucun des deux ne pensait que les criminels opposeraient autant de résistance, qu'ils tireraient et seraient tués, éparpillés sur le sol. Car les jeunes, même quand il s'agit de bandits, ça fait mal.

Les ravisseurs ont enlevé le bâillon à leur victime et ils bavardent avec elle, la curiosité animale, l'intérêt malsain, les riches sont-ils crétins à ce point, aussi trouillards quand on les attrape et qu'on leur donne une leçon ? La conversation se déroule dans le calme, le jeune attaché ne pleure pas, il doit avoir dans les vingt ans, il n'a pas l'air effrayé, c'est un aîné et ce courage de façade excite ses ravisseurs, il les irrite. Ils lui demandent s'il a des « filles », s'il va au lit avec elles, s'il a essayé la cocaïne ou la colle – « Combien te donne ton chef pour tes dépenses ? » « Tu aimes le foot ? — Je vais voir les Pumas. — Ils sont mous, c'est une équipe puante ! » Les murs métalliques de l'entrepôt sont aussi sensibles qu'une peau, au milieu de cette édifiante et sympathique conversation ils entendent les murmures qui proviennent de la rue. Les sifflements des voisins sont plus précis que l'alphabet morse. Leurs voisins les avertissent en sifflant, ils sont efficaces et pourraient décrire les détails d'une urgence à coups de sifflet. Les policiers arrivent pour eux, pas de doute. Le meneur reçoit en plus un appel, « ils vous tiennent, sortez par l'escabeau qui est dans la cour ».

« Je te l'avais dit, mec, et maintenant qu'est-ce qu'on fait ? braille l'un d'eux, le plus jeune.

— On va tuer quelques-uns de ces fils de pute, prends le revolver ; celui qui se dégonfle, je lui règle son compte.

— Et avec lui, on fait quoi ?

— Laisse-le, je le trouve sympa, ce mec. C'est pas sa faute si sa famille est pleine aux as…

— Passe-moi la bouteille, salaud. Et buvez un coup. »

La rue de Peralvillo a été fermée. L'un des trois jeunes chenapans, peureux, sonné, essaie de sortir par la cour arrière de l'entrepôt, mais c'est là justement que plusieurs policiers, en passe-montagne et mitraillette au poing, essaient de se glisser dans le local. Pendant cinq minutes, les tirs résonnent, personne ne sait quel est le bon scénario. Les armes tirent à tort et à travers, les balles sont des photons de lumière dispersés, elles ouvrent un trou dans la plaque, déchirent un mur, brisent un os. Dans l'entrepôt, l'odeur d'alcool, de poudre, de cocaïne et de cuir s'incruste tel un tatouage dans la mémoire des survivants. Le commandant Gaxiola donne des ordres depuis la rue, à couvert derrière une camionnette blindée ; déconcerté, il échange un regard avec son lieutenant – « Qu'est-ce qui se passe ? » Deux minutes s'écoulent avant que le silence s'abatte sur l'entrepôt. Quand les balles s'épuisent, un policier traverse la rue en courant jusqu'à la camionnette à l'intérieur de laquelle Gaxiola attend déjà les mauvaises nouvelles :

« Commandant, l'otage a été libéré, disent les lèvres sèches, violacées, qui dépassent du passe-montagne, il est comme neuf.

— Et les autres ?

— Les gars sont morts, commandant, ils se sont mis à tirer comme des fous. On a dû les abattre, sinon ils nous réglaient notre compte. Les crétins d'animaux. »

7

Tomás Gómez

Roberto Davison ne parvient pas à s'adapter au rythme du matin. Les klaxons des voitures, les moteurs qui viennent de démarrer sont en plein concert et se glissent sans obstacle par la fenêtre de sa chambre. C'est l'une de ces journées où la plupart des gens sont d'avis qu'il faut faire « quelque chose » pour avancer. Il a trop dormi, et comme toutes les fois que ça lui arrive il se réveille un peu groggy, se repentant d'une action commise dans le passé, mais dont il ne garde aucun souvenir. On peut supposer que les personnes mûres qui sont d'humeur égale regardent leur chair s'amollir sans en faire un drame ; au lieu de se plaindre, elles font de l'exercice, et sanglotent lorsqu'elles boivent trop de vin. Où Roberto Davison a-t-il laissé sa bonne humeur ? Peut-être une atmosphère sèche d'hommes mûrs s'infiltre-t-elle par les gonds des portes pour gâcher sa journée, une odeur dense et fétide : plasma plus qu'odeur.

Dès qu'il quitte le lit, Davison pressent que la journée n'offrira pas de nouveautés et l'ennui lui tombe dessus lorsqu'il imagine la conversation qu'il aura dans quelques heures avec Tomás Gómez, son agent. Dans la salle de bains, il préfère ne pas fixer les yeux sur le miroir, il aime mieux allumer une lampe et se peigner en regardant le contour que forme l'ombre de ses cheveux. Le prophète des sous-vêtements, parlons-en ! Son expérience lui dit que l'ombre de mauvais augure ne durera que quelques minutes, le juste prix à payer, puis qu'il pourra se comporter comme un acteur le reste de la journée. Il lui plaît d'être sympathique avec les gens : lui-même se trouve sympathique et cela le met encore de meilleure humeur, qu'y a-t-il de mal à ça ? Rien, Davison est sans doute une mauvaise blague dans un monde d'amertume. Exactement ce dont nous avons besoin à l'hôtel Isabel.

Une heure plus tard, assis devant son petit déjeuner fumant, il examine, curieux, un homme jeune qui pourrait être lui vingt ans plus tôt : Gabriel Sandler. Il est possible que seule la mélancolie le pousse à inventer ces ressemblances, mais où est le problème ? se demande-t-il. Quand l'envahit une sombre indolence, il se cherche dans des visages plus frais et se retrouve en eux : le démon génétique a acquis un masque en solde pour Davison. On peut se promener sur terre en faisant le sympathique : on trouvera toujours un homme sorti, comme lui, de la photocopieuse. Il est brusquement assailli par la sensation que toutes ces personnes qui parlent avec animation dans la salle à manger ne sont séparées les une des autres par aucune sorte d'espace : l'espace consiste en une respiration de la matière, unie par des atomes élastiques, sans creux ; dans cet espace sans fentes, l'homme jeune assis à la table voisine est Roberto lui-même qui prend forme à l'un des moments de cette respiration.

Et s'il sortait dans la rue et se dirigeait vers la Zona Rosa[1] il se retrouverait dans le passé, à vingt ans, jeune chien parlant sur le trottoir de la rue Hamburgo avec Tomás Gómez, le promoteur de talents sorti du néant qui lui offre sa carte de représentant.

Davison revit dans le présent, mot pour mot, la vieille conversation qui a eu lieu vingt ans plus tôt, pas moins.

« C'est ça, Roberto, depuis pas mal d'années je représente des artistes, et je ne me rappelle pas m'être trompé une seule fois. J'ai pourtant une excellente mémoire ! Je me souviens même du nom de mes voisins dans la couveuse de l'hôpital, du numéro du vaccin de mon premier chien et du nom de ses petits, ceux qui sont morts et ceux qui ne le sont pas. Ce que je ne me rappelle pas, c'est l'un de mes représentés devant lequel les portes sont restées fermées.

— Je n'ai pas encore décidé à quoi je vais me consacrer, je viens d'entrer à l'université… » Roberto ne mentait pas, mais l'avenir était arrivé de façon impromptue sous une touffe de poils roux, ceux de Tomás Gómez, son futur agent.

« N'hésite pas à m'appeler, nous pouvons commencer dès cette semaine si tu veux, on peut gagner pas mal d'argent, si en plus de ton physique tu as un peu d'esprit, les producteurs se laissent attendrir. Les miracles que produit l'enthousiasme dans cette époque pessimiste ! Il faut profiter de ce que nous vivons dans un pays libre ; foutu, mais libre.

1. Zona Rosa : quartier branché des années 1970 à Mexico, où se retrouvaient artistes et hippies.

— Je vous appelle dans la semaine, on verra bien. Au lycée j'ai été dans le groupe de théâtre, ça m'a plutôt réussi, je me suis mis à avoir de la chance avec les femmes.

— Tu vois ? Un régiment de lolitas t'attend. Regarde, voici des photographies d'acteurs aujourd'hui célèbres, ils se sont engagés avec moi au tout début, ils n'avaient pas idée d'être autre chose que des mannequins et les voilà aujourd'hui installés dans la célébrité. Ne m'oublie pas quand tu seras au sommet, hein, mon gars ? Ce serait impardonnable par des temps aussi durs que ceux que Dieu nous a mis sur le dos. Le début n'est pas facile, des publicités, des rôles secondaires, des photos pour une affiche sur le périphérique. Oui, personne ne va te raconter d'histoires, ne commençons pas par des mensonges et nous irons loin. L'important vient après, comme tout. »

Tomás Gómez le rouquin était convaincu d'avoir découvert un futur artiste. La vérité ? Tomás n'était pas du tout convaincu – Roberto lui donnait l'impression d'être un poisson mort –, mais la vie à cette époque était aussi dure qu'aujourd'hui et il fallait travailler au pied levé.

Gloria a retardé son apparition au restaurant, Roberto, son mari, l'imagine se promenant nue dans la chambre.

Quel malheur de ne pas avoir emporté une valise avec au moins deux tenues de rechange, se lamente la Manson, mais par bonheur elle a assez de talent pour devenir une autre, une intuition innée pour changer le centre de gravité de sa beauté et le déplacer vers des régions plutôt éloignées des lieux communs. Roberto supporte ses propres échecs professionnels pour une raison de poids : il a montré du courage pour défendre Gloria des prédateurs et la garder cachée dans une grotte symbolique. Gloria, une nourriture suffisante pour survivre à un hiver sans soleil. Défendre sa femme ne fait pas de lui n'importe qui ; le premier pas de la bataille quotidienne est l'exhibition, montrer le trésor, deviner la convoitise dans les yeux d'autrui, c'est cela reconnaître ses ennemis, il faut ensuite s'arrêter sur la réaction qu'éveille chez sa femme le fait d'être admirée, et c'est alors qu'on sait si l'on est sur le point de tout perdre. Enfin, si Davison occupait son talent à d'autres activités, la chance chanterait autrement. Le problème, ce sont les jeunes. Davison souhaite que Gloria vieillisse, pour ainsi se donner un répit, fermer les yeux, se rêver dans un asile pour mettre les passions invalides au repos. Gloria habite le corps de Davison, chaque vibration de ses genoux, chaque pas de son va-et-vient sanguin trouve une réponse immédiate dans le corps de l'autre. Quelle sorte de maladie est-ce là ?

8

Des chiens ou des singes ?

Ils se trouvent dans une gargote, un humble restaurant comme il s'en ouvre par milliers dans le District fédéral. L'arôme que répand la plaque en terre où cuisent les galettes de maïs envahit la rue. *La Señora* a suggéré que les affaires se fassent dans ce lieu, or personne ne peut prendre ses commentaires à la légère, ses suggestions doivent être respectées, y compris sur des cadavres. « On y mange bien et tu peux y entrer par la cour arrière. Personne te verra. Et le commandant, dis-lui juste qu'il a pas besoin d'amener tous ses gorilles. C'est que du bruit et ça sert à rien. Ainsi il aura sa conscience. Qu'il vienne avec sa secrétaire. Là on prendra soin de lui, même dans sa tombe il serait pas aussi bien soigné. Il sera mieux protégé que le pape de merde. » À son habitude, *le Nairobi* a reçu les instructions sans poser de questions, la seule qu'il se pose, il y répond lui-même en silence. C'est ce qu'aime *la Señora*, qu'on ne l'embête pas avec des idioties. « Le commandant ? Mais c'est un fainéant qui a de la chance. » *Le Nairobi* désapprouve les enlèvements, surtout quand on mutile le séquestré pour faire pression sur sa famille ou quand on le tue après avoir touché la rançon.

D'où lui vient cette soudaine éthique ? Personne ne le sait et il est plus sage de ne pas l'ennuyer à ce sujet, pas question de séquestrations dans la bande de *la Señora*. Et cet homme, le commandant Gaxiola, avec qui *le Nairobi* partage maintenant la table, est à la tête d'une bande de kidnappeurs, tous des policiers, des informateurs, un filet pour pêcher les dauphins. « Ça, c'est pas tes affaires, a reproché *la Señõra* au *Nairobi*, concentre-toi plutôt sur les nôtres, c'est pour ça que tu gagnes de l'argent. Les séquestrations sont aussi un négoce, pas le nôtre, mais le leur. On respecte les négoces des autres tant qu'ils nous dérangent pas. Combien ils en ont tué à Peralvillo ? — Trois, des ordures, leurs parents s'y attendaient », répond *le Nairobi*.

La rencontre entre Gaxiola et *le Nairobi* est brève ; c'est un repas, mais ils ne prennent qu'une soupe de vermicelles et du riz. À l'extérieur de la gargote deux policiers en uniforme bavardent, mais ils gardent les mains près de leurs armes : ils sont l'escorte du commandant Gaxiola. À leur tour, ces hommes se trouvent au centre d'un cercle formé par de jeunes guetteurs apparemment dispersés : l'un est assis sur le trottoir, un autre appuyé à la grille d'un kiosque à journaux, un de plus en train d'examiner des factures, jambes écartées sur une motocyclette ; ils accompagnent *le Nairobi* et ils ont l'ordre de surveiller ceux qui veillent sur Gaxiola. Pléonasmes de la délinquance, quoi d'autre ? *Le Nairobi* a parcouru deux grandes cours et une sorte de couloir malodorant pour entrer dans le restaurant par la porte de derrière. « C'est sûrement comme ça au théâtre, tu sors des loges et tu vas dire des stupidités », pense-t-il.

« Le sac est déjà dans votre camionnette, informe *le Nairobi* après avoir salué ses hôtes d'un geste, sans un mot.

— Dieu te le rende au centuple. Ils l'ont augmenté ? » Gaxiola est grand, robuste, recherché dans sa mise. Il suffit de le voir pour le trouver antipathique.

« Oui, il est plus gros, bientôt vous allez devoir venir avec un camion de déménagement.

— Sois pas arrogant, ce que tu me donnes est une misère. Ça sert à peine à calmer la meute. Moi, il me reste même pas de quoi aller au cinéma.

— Vous aimez pas aller au théâtre, commandant ?

— Au théâtre ? Moi, je vais seulement aux *table danse*, les plus raffinés. » L'uniforme ajusté du commandant Gaxiola lui permet de montrer son dos large, ses épaules puissantes.

« Et pour ça oui vous en avez assez ?

— Oui, avec ma solde, pas avec ce que vous me donnez.

— Vous allez me faire pleurer », dit *le Nairobi*. Il joue avec une salière sur la table, il n'est pas intimidé, il contrôle parfaitement son environnement. Un clin d'œil de sa part et quatre personnes mourraient en quelques secondes.

« Ils ont dû les abattre, *Nairobi*. Désolé. Quand il arrive quelque chose comme ça j'ai l'impression que les jeunes ont pas envie de vivre.

— Les gamins de Peralvillo ? Ils étaient à l'essai et ils l'ont cherché. Ils voulaient que je les aide, figurez-vous. Je les ai aidés, mais à mourir. »

La jeune secrétaire est en réalité une nièce de Gaxiola, brune du front jusqu'aux ongles. La cuisinière s'occupe d'eux comme elle le ferait avec n'importe qui : elle cuisine, sert à table et fait cuire des galettes de maïs sur une plaque en terre. Quand *le Nairobi* vient, elle préfère que ses filles adolescentes prennent leur journée. Il ne s'est encore rien passé, mais à Tepito le calme n'est pas chose habituelle. Les rumeurs sont des pierres, le bruit qu'elles font en tombant sur le trottoir parvient à toutes les oreilles : elle, c'est la cuisinière, la veuve qui s'en tire, la propriétaire d'une gargote qui prend plus cher qu'un *Sanborn's*, vend-elle de la cocaïne ? Ses filles ont même une voiture, et personne ne la leur vole. Elle est protégée par *la Señora*. Mieux vaut l'éviter, c'est plus prudent.

« Ici, tout est sous notre contrôle. De temps en temps apparaît un fou, mais il dure pas plus d'une journée. Nous le soignons tout de suite. » *Le Nairobi* n'aime pas ça, mais il doit rendre certains comptes.

« Vous en soignez trop, c'est quoi, Tepito, un hôpital ? se plaint Gaxiola (il le fait du ton qui est le sien, ordinaire et indifférent).

— Tepito est un hôpital, en effet, mon cher grand patron.

— Je vais pas t'apprendre comment diriger ton négoce, ce qui est sûr, c'est que vous devez choisir vos gens avec plus de soin. Bientôt, même les chiens vont m'offrir un rail.

— Les plus mauvais sont les plus jeunes, ils comprennent pas l'autorité, et ils créent des bandes, les sales singes.

— Finalement, c'est des chiens ou des singes ?

— De vrais gueux, mais je vous l'ai dit, commandant, ici nous faisons leur éducation. Auriez-vous des plaintes à formuler ?

— Non, au contraire. Et vous ?

— *La Señora* vous salue.

— Moi j'ai l'impression que cette *Señora*, c'est une invention à vous, vous me prenez pour un idiot ? » risque Gaxiola.

Le Nairobi se met à rire. Les affaires sont en bonne voie.

« Il est vieux, il préfère rester chez lui. Je savais pas que les hommes aussi ont des varices.

— On m'a raconté que tu t'occupes aussi de promener des touristes.

— Des amitiés qu'on a. »

Le Nairobi se souvient de Stefan Wimer, « ah, maudit cinglé d'Allemand », et pendant un instant il s'imagine en Europe, dans la neige, marchant dans une rue pleine de neige avec un cache-nez autour du cou. Un cache-nez ? De la neige ? Maintenant oui tu nous as baisés, *Nairobi*, toi avec un cache-nez autour du cou ? Et alors, tu es une pute ou quoi ? Sur la neige en plus. Sur la neige ! Tu aurais l'air d'une merde de chien sur la glace. Tout ça a lieu dans la tête du ministre plénipotentiaire de *la Señora*, des voix qui se contredisent, des fantasmes. Une semaine plus tôt, ivre mais lucide, il avait demandé à Stefan comment était l'hiver en Allemagne :

« L'hiver ? Rien, les femmes vont plus souvent aux toilettes, c'est ça l'hiver, tous les cabinets des femmes sont pleins.

— Maudit cinglé d'Allemand, tu dépasses les bornes. Va pas t'imaginer qu'ici on connaît pas le froid, va donc à la Marquesa un matin de bonne heure, en janvier, putain de bon sang, salaud de Stefan, il y fait plus froid que dans toute l'Allemagne. »

Le Nairobi n'a pas l'intention de rester à la traîne, il joue son propre mondial, il est plus fort que Klose et il soulèvera la coupe.

« Où est-ce que c'est ? demande Stefan, sérieux, qui voit une occasion d'élargir ses connaissances.

— Pas loin, sur la route qui va à Toculca. Les gens vont y manger des truites et faire du cheval.

— Il y a aussi des pingouins ?

— Te moque pas de moi, blanc-bec, exagère pas. »

La conversation entre *le Nairobi* et Gaxiola est terminée, c'est à peine s'ils ont touché au riz, ils ne prennent pas d'autre rendez-vous, ce n'est pas ainsi que ces hommes procèdent. La cuisinière se distrait en préparant des galettes de maïs et hausse un sourcil pour dire adieu au policier, les talons de la secrétaire sont les premiers à monter sur le trottoir, dans la rue tous se tiennent en alerte, les gardes du corps, les gens du *Nairobi*, il est deux heures de l'après-midi, le dernier des journaux du matin est sur le point d'être vendu, le chef entre dans la camionnette, sa nièce le fait toujours après lui, *le Nairobi* vient de retraverser le couloir qui conduit à la cour arrière de la gargote, *la Señora* ne pourra pas se plaindre, ils auront une protection deux mois de plus, *le Nairobi* traverse la cour d'un groupe d'habitations. « Comment ça des pingouins ? Tu me fais rire Stefan, tu vas me le payer, salaud. »

9

Gloria Manson : rencontre avec l'artiste véritable

Gloria compte une demi-heure avant de suivre son mari à la salle à manger. Avant, elle cire ses bottes en étalant dessus de la crème pour le corps, jusqu'à ce que la peau des talons prenne une couleur opaque respectable, elle plie ses bas et les range dans son sac à main. Elle n'aime pas qu'on se moque de Roberto, c'est une perfidie inutile, il suffit de lui dire qu'il n'y a pas de place pour lui dans l'esprit de Tomás Gómez au lieu de l'obliger à se mettre dans le rang comme un novice : l'esprit de Gómez ? « Un esprit boursouflé d'hémorroïdes », maudit Gloria. Le rendez-vous entre Roberto Davison et son agent a été décidé pour six heures ; quel qu'en soit le résultat, il sera trop tard pour prendre la route de Cuernavaca. Quelle terrible stupidité que ces rendez-vous, jure Manson, les personnes fixent des rendez-vous, pas les animaux, les oiseaux ne fixent pas de rendez-vous, pourtant leurs nids fonctionnent, ils copulent, ils ont des petits et les prédateurs ne savent pas comment monter jusqu'à l'endroit où piaillent les rejetons ; l'univers a débuté avec une explosion, quel rendez-vous y a-t-il eu alors ? On se voit à cinq heures trente pour créer l'univers ?

« Des idiots, tous des idiots, à commencer par Tomás Gómez. »

Lorsqu'elle entre dans le restaurant elle voit son homme secouer des miettes sur les cuisses de son pantalon : « Encore un enfant qui se fait vieux », pense-t-elle, mais tout de suite elle désire effacer cette pensée. Dans la salle à manger il y a des tables, comme on peut s'y attendre, mais pas suffisamment pour une aussi grande salle, et les serveurs se déplacent entre elles, sans obstacles, comme dans une allée de peupliers. Moi, j'ai fini mon petit déjeuner ainsi que ma conversation avec Gabriel Sandler, je passe près de Manson et ralentis le pas afin de retenir quelques secondes de plus ce parfum inespéré, puis je sors dans la rue où je découvre que je n'ai absolument rien à faire. Peut-on appeler cela la liberté ? Gloria, au contraire, sait parfaitement quoi faire. Au lieu de se diriger vers la table où se trouve Roberto, elle se rapproche de l'espace que je viens de quitter et demande à Gabriel Sandler la permission d'occuper un siège. Sandler, jambes écartées, tel un poulpe juché sur sa chaise, s'illumine à l'apparition d'une nouvelle compagnie.

« Si on me tirait les cartes, on m'annoncerait qu'aujourd'hui est mon jour de chance, commente-t-il.

— Tirer les cartes ? Tu y crois vraiment ? » dit-elle. Ses paroles simulent la désinvolture et l'intimité, comme chaque fois qu'elles s'adressent à un jeune homme.

« Si elles prédisent que mon avenir sera un échec, je les crois. Ou que je mourrai parce que je ne comprends rien à la biologie.

— Trop jeune pour être aussi amer, quand tu auras le double de ton âge on en reparlera, hein ? Je serai alors une vieille dame et je pourrai te conseiller.

— Eh bien, vous êtes plus fataliste que moi. Les conseils, on les donne à n'importe quel âge, ils ne servent pas à grand-chose. »

Sandler aime converser avec des femmes plus âgées. C'est une manière de comprendre sa mère et aussi la Sierra Madre occidentale : une manière d'additionner les expériences.

« Je suis touchée que tu me vouvoies, mais je le mérite.

— Pour moi c'est pareil, vous, nous, eux...

— C'est ce que je dis. »

La tête penchée sur l'assiette qu'il vient de terminer, Roberto observe sa femme du coin de l'œil. La matinée s'est brusquement réchauffée, un fragment de soleil roule entre les tables. La journée est sauvée, Gloria l'a sauvé du désastre qui approchait, à présent Roberto prend même au sérieux l'idée de n'aller à aucun rendez-vous de merde. Son coefficient intellectuel doit être assez élevé pour désirer autant la Manson ; les idiots, les ratés ne seraient pas capables de posséder une femme de la manière dont lui la possède, et cette possession, même si c'est un mirage, le met à la hauteur d'un Prométhée, d'un héros grec qui va faire une promenade dans les enfers et met le nez dans un ovule palpitant. Davison se lance dans cette direction, lui qui au collège a obtenu un coefficient intellectuel respectable : du moins n'a-t-il pas été l'un des pires. À notre époque il faut absolument, à la moindre occasion, sortir le mètre à ruban pour mesurer les cervelets, le tour de taille, tout ce qu'on peut nommer. Le mètre à ruban a-t-il été bienveillant avec Davison ? Ça, on ne le saura jamais.

« Vous ne commandez rien ? » demande Gabriel, intrigué par la présence inattendue de cette femme.

Une vie comme nous n'en avons pas imaginé débute avec l'événement le plus anodin, Gabriel Sandler se rend compte et se doute qu'une femme comme la Manson incarne l'extrême opposé de sa mère, nerveuse, impérieuse, tourmentée par les bouillons pourris et les viandes sans vie. Gabriel s'est éloigné quelques jours de sa maison et depuis, autour de lui, tout a changé d'aspect pour s'offrir à lui. Bientôt il rentrera chez lui, mais d'ici là il ne se comportera pas comme un diplômé des Beaux-arts de Californie. Son instinct lui dit que cette fois au moins, la seule, il devra être un observateur. Il lui paraît tout à coup insipide de démontrer qu'il est un artiste. À qui ? À quelle fin ? Une idée intruse passe à croupetons dans son esprit : s'il le désirait, il pourrait acheter l'hôtel entier, avec Gloria Manson, ce pédé de Pablo Paolo, moi-même et tous les clients à l'intérieur. Quelle pièce magnifique à exposer au Centre Georges-Pompidou ou à la Tate Modern !

« Non, en fait je ne vais rester que quelques minutes, pas plus, et parmi toutes ces personnes, tu m'as semblé être la plus aimable. Tu me rappelles un acteur célèbre, mais je ne peux pas prononcer son nom, c'est un nom avec des tas de consonnes.

— C'est une tactique pour se faire remarquer. Ce sont des pédants, rien d'autre », dit Sandler. Il ignore que cette femme a changé de nom justement pour se faire remarquer.

« J'ai une bonne mémoire des visages, pas des noms.

— Moi je suis un expert pour me souvenir des corps. » Qu'arrive-t-il à ce jeune homme ? Toutes ces années d'études pour faire des compliments banals, désuets ? Qu'il laisse cela aux faux artistes comme moi. Sept millions dépensés pour son éducation et on ne les voit nulle part.

« Tu es sculpteur, ou pervers, ou quoi d'autre ?

— Je suis très maigre, casser des pierres me fatiguerait. La sculpture est un travail pour les forçats, et moi je n'aime pas les fers. Regarde, mes chevilles sont très fragiles.

— C'est la mode d'être maigre comme toi. C'est une tactique pour se faire remarquer. » Gloria passe des mèches de cheveux derrière son oreille.

« Mon grand-père disait que si je n'étais pas son petit-fils il me prendrait pour un pédé. Il pouvait douter de tout, sauf de ses gènes.

— Gay, toi ? Non, quelle absurdité, je suis sûre que nous allons nous revoir, quand on fait la connaissance de quelqu'un, on sait tout de suite si on le reverra, il n'y a pas de remède à ça, quand j'étais petite je me souvenais des choses en sens contraire. Je me souvenais de ma vieillesse, mais personne ne voulait me croire.

— Moi il m'arrive un peu la même chose, je me souviens de mon avenir et j'ai envie de vomir. Le vomissement est une expression très sérieuse, comme la philosophie.

— L'avenir sera toujours meilleur que le passé, jeune homme, mets-toi ça dans la tête et ne dis pas de bêtises. Quand les jeunes pestent contre l'avenir ils offensent leurs aînés, tu ne t'en rends pas compte ? »

La mémoire de Gabriel n'a gardé le souvenir d'aucune femme de l'âge de Gloria qui ait suscité son désir, il les associe à un vieux jardin, à un diplôme périmé ou à une mère de plus dans le monde. Et peu importe que tout en elle soit provocation : Sandler situe l'âge d'or des femmes à l'adolescence, il se considère comme un chercheur de pépites d'or, un prospecteur. N'étant pas au fait des plaisirs de son nouvel ami, Gloria se lève toute joyeuse et se dirige vers sa chambre. Un vieux vendeur de billets de loterie l'intercepte à la réception et lui offre une série qui se termine par cinq : « C'est le bon numéro mais personne n'en veut, qu'est-ce qui se passe avec vous ? » Gloria aurait acheté au moins un billet, mais en cet instant elle n'a pas une minute à perdre.

Une fois dans sa chambre, Gloria n'a pas besoin de trop attendre : réduit à une référence comique, Roberto Davison marche sur le plancher craquant et grimpe sur sa femme. « Pute qui fait le trottoir, je vais te donner ce que tu cherches, la seule chose qui t'importe, une verge, quelle qu'elle soit, tu vas manger ta culotte jusqu'à ce que tu t'étouffes », menace-t-il, mais qui peut croire cet être plein de noblesse alors que tout dans son aspect exhale la bonté et l'imposture ? Peu importe, les choses marchent comme sur des roulettes, les acteurs entrent en scène ponctuellement, et l'homme qui mord à présent le cou de Gloria comme un blaireau, son homme, retrouve vie sur le lit. Le contraire aurait pu se produire, pourtant, ce matin, presque tous les oiseaux du monde pourront respirer tranquillement : aucun chat ne montera jusqu'à leurs nids. « Tu ne vas pas me frapper, hein ? Je bavardais seulement. C'est interdit ? Ta jalousie empoisonne l'air », ronchonne-t-elle, ses mots n'expriment pas un soupçon de passion. Roberto n'a pas l'intention de débiter des arguments et il se laisse emporter par la chaleur solide de son sang, il veut obliger sa femme à palper, baiser, manger, éteindre le noyau de feu qui s'est allumé dans la salle à manger tandis qu'il la regardait bavarder avec un inconnu. Et c'est ce qu'il fera jusqu'à se retrouver maigre comme un clou.

10

Susana Servín

Et voilà. J'ai bu trop de cognac et de café dans un bar de la rue Gante, un troquet qui à sa meilleure époque était fréquenté par des journalistes et des écrivains. Le cognac me transporte hors du monde des choses réelles, même si personne ne sait ce que cela signifie, « le monde », même s'il est probable qu'on abandonne le monde pour revenir au même endroit, non pas comme un éternel retour, mais à coup sûr comme un retour ennuyeux, un foutu retour profondément ennuyeux. Après une demi-bouteille je me suis mis en tête de rendre visite à une femme avec qui j'ai couché deux fois en cinq ans. L'idée s'est faite vérité et je rôde maintenant autour de la station de métro Salto del Agua en essayant de me rappeler dans quel immeuble exactement vit cette femme.

Il est quatre heures de l'après-midi et elle se trouve dans son appartement, ne se doutant pas qu'elle est sur le point de recevoir une visite insolite. L'expérience lui dit ce qui suit : les hommes boivent, alors ils se souviennent de toutes les femmes qu'ils ont aimées, ils les tirent de dessous les pierres, les inventent, peu importe, mais elles, elles doivent exister, car sinon les ivrognes se trouvent perdus et ce ne sont que des idiots menteurs, des idiots dépourvus d'objet de vénération. Elle se tient au courant et sait que les choses sont ainsi ; ce qu'elle ne devine pas, c'est quand viendra son tour d'entrer dans l'esprit de l'homme ivre. Elle soupçonne encore moins que l'esprit de cet homme flotte dans ma tête et que je m'approche de son appartement d'un pas court et paisible, curieux, que je suis sur le point de monter l'escalier. Beaucoup de temps a passé depuis que nous nous sommes retrouvés ensemble dans un lit ; à cette époque, même les chats baisaient les souris, personne ne comptait au-delà de huit. Il suffit que je me souvienne et souffre du passé pour que tout se produise à nouveau dans mes viscères ; les explosions solaires et les femmes, des événements survenus en des temps lointains, s'annoncent tout à coup dans ma mémoire, personne ne pourra m'arrêter. Un homme ivre brusquement amoureux ? Le déchet absolu. Si au moins le cerveau avait un majordome attentif pour ouvrir et fermer les portes, un domestique bien vêtu chargé d'empêcher les fantaisies de passer.

Que de gens avec des paquets dans les mains ! Je suis dans Lázaro Cárdenas, une chaussée autrefois connue sous le nom de San Juan de Letrán, mais qui peut bien s'appeler n'importe comment, vu que les personnes chargées de paquets passent leur vie dans la rue ; elles s'inclinent quand elles découvrent un aigle sur le figuier de Barbarie et étalent leurs provisions sur les trottoirs : petits peignes en plastique, disques, cacahuètes japonaises qu'elles vendent au poids, à vingt pesos, pantalons, téléphones portables, agendas électroniques, elles proposent la marchandise posée à terre, éparpillée sur une couverture, et moi je me fraie un chemin parce que j'ai bu, je me fraie un chemin sans accorder de valeur à ces mains en mouvement qui ne m'appartiennent pas, ces bras, ces cous cubiques, ces gros doigts courts semblables à des vers d'agave, ces torses d'êtres qui s'encouragent l'un l'autre. Pourquoi vendent-ils autant de saloperies ? Qui a besoin de tant de plastique ? De nouveau, sans remuer les lèvres, je m'exclame : « Misérables, bêtes, blennorragie de rue, votre souffrance n'a aucune grâce, malheureux, aucun de vous ne sait si l'appartement de ma maîtresse se trouve dans la rue López ou dans Vizcaínas. »

Mes blasphèmes me permettent de me souvenir du coin d'une rue et de l'odeur des poulets morts, ainsi que des plumes salies collées sur l'asphalte. Tout de suite l'immeuble en pierre se met à prendre forme. Le voici ! L'entrée ouverte, les baies vitrées opaques et moi qui monte l'escalier. Les boléros dans ma tête ; en plein XXIe siècle, les boléros existent toujours : « Telle l'écume indolente que transporte le fleuve opulent, fleur d'azalée, la vie t'a entraînée dans son avalanche, mais lorsque tu as été sauvée, tu as pu trouver protection et abri, où soigner ton cœur blessé par la douleur ; ton sourire reflète le passage des heures noires, ton regard, le plus amer désespoir[1]. » Les marches sont peu élevées, c'est un troisième étage, ce que confirme une vieille femme qui descend en s'accrochant à la rampe en granit.

1. « Flor de Azalea », chanson de Javier Solis (1931-1966), chanteur mexicain surnommé le « roi du boléro *ranchero* ».

« Oui, dit-elle, craignant de perdre l'équilibre, Susana ne sort pratiquement pas, après ce qui est arrivé, la rue nous coûte des efforts, trois étages, nous, on devrait vivre au rez-de-chaussée, mais Dieu dispose. » Je poursuis mon ascension et je reconnais le tapis au pied de la porte, le même tapis en latex coloré, usé par des pas inopinés ; je frappe à la porte bien que le bouton blanc d'une sonnette se trouve à la hauteur de mon nez : les portes existent pour être frappées et ensuite ouvertes, il en a toujours été ainsi.

Les années ont passé, et nous voilà maintenant face à face. Elle n'en revient pas et, maladroitement, m'invite à entrer, elle est toute petite, Susana Servín, semblable à une plante d'ombre, l'appartement est modeste, mais il ne sent pas mauvais et ma mémoire dessine à nouveau la chambre, le magnétophone dans le bureau, des affiches avec des photos de Robert Doisneau, de Cartier-Bresson, y avait-il un chat à l'époque ? Elle ne marche pas comme avant, elle traîne légèrement la patte, je remarque les béquilles appuyées à côté de la porte, le cognac est-il suffisant ? Elle a une prothèse, ou peut-être n'est-ce qu'une chaussette couleur peau, j'hésite à regarder franchement, je ne veux pas être indiscret et importuner mon hôtesse, c'est une hallucination, il ne faut absolument pas regarder lorsqu'elle m'offre du rhum *Flor de Caña*, la bouteille n'a pas dû être ouverte depuis des années ; elle n'est pas encore remise de sa surprise, mais reconnaissante de cette visite, plutôt aigrie, elle se confesse et ses yeux retrouvent la coquetterie d'autrefois, son père vient la voir tous les samedis matin. « Il prend le petit déjeuner avec moi, dit-elle, après nous allons faire des courses au marché de San Juan. Il est désolé de mon accident. » Dans Lázaro Cárdenas les trolleybus vont à contresens des autres véhicules, qui a pu avoir cette idée perverse ? Un trolleybus à contresens ? Les personnes ne s'habituent pas à ce qu'une voie n'avance pas dans le même sens que les autres, dit-elle que gémit son père. « Le trolleybus m'a poussée sur vingt mètres, puis il m'est passé dessus », ajoute Susana, mais en vérité elle ne veut pas en parler. Si elle le raconte, c'est parce qu'on doit accepter la réalité, qu'il faut s'y efforcer chaque jour, heure par heure.

C'est une divagation, les boléros, la fille de la rue Vizcaínas, je renonce à observer sa jambe avec attention, est-ce une prothèse ? Je ne vois pas les couleurs, je suis quelqu'un qui voit tout en gris, et même, le rhum n'est pas mauvais. « Tu veux de la musique ? me demande-t-elle. J'ai YouTube dans mon ordinateur, c'est comme les tourne-disques d'avant », dit-elle en riant ; moi je pense : le plus probable, c'est que ce soit une prothèse couverte d'un bas couleur peau, je pourrais l'embrasser mais je ne sais pas ce que je trouverai après, le rhum tiède, sans glaçons, « le congélateur ne marche pas, mon père a promis de trouver une solution », et je me souviens alors qu'au quatrième étage, juste au-dessus du fauteuil dans lequel je suis assis maintenant à côté de mon ancien amour, se trouvent les salons où répète le Ballet indépendant, fondé par Raúl Flores Canelo, et elle, tous les matins, tous les après-midi, elle doit entendre les pas de danse, l'*échappé*, le *pas de bourrée*, les *cabrioles* et autres sauts, maintenant que le trolleybus l'a laissée boiteuse. Enfin j'ose regarder et je m'aperçois qu'une chaussure est différente de l'autre, ce n'est pas exactement une chaussure, mais je n'ai pas le temps de continuer à fureter parce qu'à l'étage du dessus commencent les *échappés* et que je dois m'en aller, « je suis juste passé un moment te dire bonjour », dis-je, et je promets de venir un mercredi matin ; je ne sais pas si j'ai vraiment proposé une telle bêtise, si j'ai vraiment promis de revenir. Et non seulement ça, je promets de faire mon possible pour que le congélateur se remette en marche et produise des glaçons pour les invités, vivent les chevaliers ! « En ce moment je vis à l'hôtel Isabel. — Pourquoi ? demande-t-elle, intriguée. — Un peu d'émotion dans ma vie, pour changer, je suis fatigué de vivre dans mon appartement, ainsi nous sommes voisins et à un moment ou un autre je reviendrai te rendre visite, si tu as le temps, bien sûr. »

Je suis de nouveau dans la rue, avec quelques kilos d'angoisse en plus sur les épaules ; je marche dans la rue López jusqu'à Ayuntamiento, j'hésite entre prendre un autre cognac dans le quartier ou acheter une bouteille et rentrer à l'hôtel. Je choisis la seconde option bien que je considère ma décision du plus mauvais goût, je ne sortirai jamais de la misère psychologique, je me le reproche, comme d'habitude, et aussitôt j'achète une bouteille de Hennessy rue La Europa, ce qui me soustraira une journée de vie à l'Isabel, mais je veux boire pour oublier l'odeur des poulets morts et les plumes collées à l'asphalte, une odeur poisseuse installée dans mes poumons, oui, un Hennessy est capable d'atténuer ces sensations et plus encore. Je ressens une véritable envie de pleurer, mais aucun boléro ne me revient en tête, tout a disparu, l'imagination, le désir, la ville, il ne me reste qu'une chambre que Flora a sans doute laissée impeccable. Et c'est dans cette direction que je dirige mes pas.

11

Manger des sardines

Aux oreilles de *la Señora* parviennent le murmure hystérique des sirènes et le raffut de la foule en colère qui affronte les forces de police. Les pales des hélicoptères fendent l'air, laissant une myriade de sillons dans le silence du ciel. De cette altitude, les reporters observent le paysage bigarré et désordonné de Tepito, une immonde cartographie de terrasses gris souris et de caisses de sable sale. Les dieux médisants voient, mais ils ne voient pas, car l'évidence manque de substance ; en revanche, impossible de suivre depuis les hauteurs la piste des passages cachés, des dépôts de marchandise illégale, des fumeries et des tavernes pestilentielles. L'arôme de métal brûlé, de sueur de chien, de sang à l'odeur d'urine n'arrive pas jusqu'aux hélicoptères.

Un détachement de quatre-vingt-dix patrouilles et cinq cents policiers armés entrent par l'Axe 2 et se heurtent à la résistance d'une population enragée munie de bâtons, de chaînes de fer, de bouteilles cassées, de pierres, qui monte la garde pour défendre son mode de vie, la rapine, le commerce, les entrailles d'un quartier qu'elle seule a le droit de violer. *La Señora* n'a pas l'habitude de s'émouvoir, un vieillard en guenilles qui habite un égout a-t-il des raisons de le faire ? Quel théodolite sophistiqué pourrait localiser sa baraque ? Personne ne l'a encore inventé, aussi bâille-t-il tandis qu'il avance entre les armatures métalliques autrefois dressées pour abriter des négoces éphémères, aujourd'hui enracinées dans le ciment et la pierre. Ses pas le conduisent, non loin de son habitation, à un bazar où l'on vend clandestinement de la bière et de l'alcool. Le rare mobilier de l'établissement ferait pleurer le plus têtu des optimistes : quatre chaises en plastique à l'extérieur, un comptoir, des étagères édentées, un chien qui chasse les mouches en se tournant paresseusement d'un flanc sur l'autre. Les chiens errants ont été sacrifiés, éliminés par les autorités sanitaires, et les survivants se sont réfugiés à Tepito, comme ils le faisaient des siècles plus tôt, pendant les inondations, dans le temple de Santa Teresa. Nombre d'entre eux montrent les blessures des batailles urbaines, une convention, voilà ce que c'est, une convention de chiens dans le quartier de Tepito.

Le magasin se cache dans l'épais échafaudage, à l'ombre des bâches qui couvrent les étals : on ne vend la bière qu'aux commerçants connus. Et les mieux informés achètent de la cocaïne en pochettes de cinquante pesos. « Ils viennent encore nous emmerder », marmotte le commerçant en guise d'accueil, il fait allusion aux rafles que la police inflige à la zone deux fois par an. La justice doit faire connaître son existence. « Ils aiment passer à la télé, répond *la Señora* avant de s'asseoir sur une chaise en plastique, donne-moi une boîte de sardines et des galettes salées », commande-t-il comme s'il s'adressait à l'infirmière qui le soignera jusqu'à la fin de ses jours. Quelques minutes plus tard, trois hommes font leur apparition et s'installent sur les trois chaises restantes. Le plus jeune d'entre eux est un maigre d'humeur querelleuse ; son compagnon porte cinq décennies sur son dos à présent couvert de cuir noir ; le troisième est *le Nairobi*. À moins de cent mètres, le hurlement des loups humains devient insupportable, mais personne ne s'approchera de l'endroit où ces hommes bavardent. Ils sont invisibles à plus d'un sens.

« Si vous permettez, vieux. Nous avons des affaires à traiter. » C'est le plus jeune qui parle ; au-dessus de ses épaules, son visage trop allongé évoque un ballon de football américain. Il offre un billet de vingt pesos à *la Señora*.

« Non, intervient *le Nairobi*, ce monsieur est quelqu'un du quartier, il est de confiance. Ici nous traitons les voisins avec beaucoup de respect. »

La Señora ne se sent pas visé. Sans les regarder il trempe une galette dans la sauce des sardines. L'odeur de la tomate et du poisson en conserve lui rappelle son enfance et un soir où, avec une boîte pareille à celle-ci, il a tranché le cou d'une commerçante qu'on surnommait *la Tigresa*. Ça s'est passé à cet endroit même, à côté de *La Tiendita*.

La Tiendita est le nom sous lequel les voisins connaissent le local où se tient à présent cette brève conversation d'affaires.

« Respecte les anciens, crétin, ajoute sèchement l'homme au blouson noir et au pantalon chiné, l'un des avocats employés par *le Nairobi* pour défendre ses acolytes quand ils sont arrêtés.

— Désolé, vieux, je vous offre les sardines. Je voulais pas vous offenser. »

Journal *El Universal.* Date : samedi 13 septembre.

Exécutions en masse à La Marquesa. On en compte 24. Ils portent le coup de grâce. Hier, journée la plus violente de l'année : 41 tués par le crime organisé. D'après la PGR[1], les premiers indices révèlent que les 24 personnes sont des hommes âgés de 25 à 35 ans. Ils portent des vêtements légers, de ceux qu'on utilise dans les régions chaudes, les cheveux très courts, et tous ont reçu le coup de grâce, mais aucun n'a été décapité.

Les feuilles du journal sont éparpillées par terre près du chien qui a fini par rester tranquille. *La Señora* ne se souvient pas d'une exécution pareille. Par chance, Tepito est un territoire trop accidenté pour une guerre à ciel ouvert.

« Pas un sou, tu leur donnes rien, dit brusquement *le Nairobi*, comme s'il se réveillait à minuit, la tête remplie d'obsessions. Ils savaient que nous on fait pas dans les séquestrations.

— Les parents veulent de l'argent pour leurs enfants, ils disent que c'est juste. Pour éduquer ceux qui leur restent.

— Éduquer ? Ils vont dépenser l'argent en vices et pour procréer d'autres truands.

— C'est toi qui ordonnes, *Nairobi.*

— Tu es pour séquestrer des gens ? demande *le Nairobi* en fixant son employé dans les yeux.

— Je m'en fiche, mais il est clair que tu l'as interdit. Donc…

1. PGR : *Procuraduría General de la República*, police judiciaire.

— Et qui est ce sale gamin ? interroge sévèrement *le Nairobi* en regardant le jeune de travers.

— C'est mon neveu, il veut se marier et il sait tout faire. Il étudie le droit, il sait se servir des armes, il a de bons yeux, il est habile de ses mains.

— Se marier ? Putain, que d'amour ! Écoute, gamin, à ton âge il faut se concentrer pour pas éjaculer, mais si tu te maries, au bout de cinq ans tu devras te concentrer pour bander cinq minutes. Qu'on vienne pas me dire que je t'ai refusé un conseil. »

Le jeune sourit, pas du tout convaincu par une philosophie qui va à l'encontre de sa romance passionnée.

« Dis merci au monsieur, ordonne l'avocat.

— Merci, j'en tiendrai compte.

— Dans un mois on changera d'hôtel, on commence à préparer le déménagement, poursuit *le Nairobi* en se tournant vers l'avocat. J'ai déjà repéré un autre hôtel dans Belisandro Domínguez. Qu'est-ce que tu en penses ? C'est ton tour maintenant de me donner un conseil.

— Je pense que l'Isabel est le plus sûr. Dans le Centre, tout le monde croit que c'est un repaire de hippies. Ça revient à garder de l'argent dans un autre pays.

— Oui, c'est un autre pays, mais ça fait trop longtemps qu'on y est. Déjà, même les putains de femmes de chambre veulent aussi se marier. Ne dis rien. Ce qu'il faudra, c'est faire très attention quand on sortira les meubles. Tout ira bien. J'y réfléchis encore, je te préviendrai.

— Qui d'autre est au courant de ces changements ? » La question de l'avocat pesait sur tous, savoir *cela* braquait un revolver sur la tempe de ceux qui savaient.

« Nous, personne d'autre. Et ce putain de gamin qui est avec toi.

— Il est de pierre. Et ton petit vieux ? dit l'avocat en montrant de son menton presque métallique l'endroit où *la Señora* racle la boîte avec le bord d'une galette.

— Le monsieur est sourd. Pourquoi tu crois qu'on le laisse manger en paix ?

— Moi je suis en train de perdre cette oreille (l'avocat tire sur son oreille gauche). T'as pas peur de vieillir ?

— Je m'en fichais quand j'étais jeune, et encore plus maintenant, répond *le Nairobi*. Quand on a pas d'enfants, on devient jamais vieux.

— T'as pas d'enfants, *Nairobi* ? C'est pour ça qu'on te voit partout. Tu es le père et les fils en même temps. Bon exercice.

— J'ai failli adopter un Chinois, mais ils coûtent très cher », conclut *le Nairobi* avant de faire signe à ses compagnons qu'il est temps de se séparer.

La rafle dans les rues centrales de Tepito est terminée, un silence sidéral emplit de nouveau les allées du marché. Quand les invités s'en vont, *la Señora* se lève lentement de sa chaise, il donne une tape dans le dos du *Nairobi* et entreprend de rentrer chez lui tout en se demandant : « De quelle poubelle ce crétin peut-il bien tirer ses hommes ? »

12

Bref souvenir de Mariana

Je crois qu'aux yeux de Mariana, ma sœur, je suis un homme important qui n'attend les applaudissements d'aucun public et n'en a pas besoin ; on peut être important et renoncer à la compétence. J'aurais dû supplier Mariana d'accepter que nous vivions ensemble, l'inceste est un amour réel et elle, c'est une femme qui me connaît depuis l'enfance, à quoi bon fuir le village pour s'enfoncer dans une forêt pleine d'animaux dangereux ? Des siècles de mauvaises habitudes humaines m'ont laissé seul ; sans le poids de ces siècles, elle aurait été ma femme. Où peut bien se trouver Mariana dans les moments où elle ne pense pas à moi ? L'inceste, une chance de me sauver d'une ville qui, plus elle construit de ponts, plus elle sombre au fond du lac. Dans quelques minutes il y aura du soleil aux fenêtres, mais je ne suis prêt pour aucun lever du jour, je dois retrouver en rêve la femme désirée, je ne l'ai pas trouvée rue Vizcaínas, pas plus qu'à l'hôtel Isabel, ma sœur m'a abandonné et cette crétine vieillit en tournant le dos à la raison.

Le cognac coule encore dans mes veines, mais mon sperme se tient tranquille. Aucune femme n'est consciente du fait que je pourrais être plus que ce que je suis ou parais être, un journaliste qui méprise le journalisme, un pestiféré du monde cybernétique, un artiste surnommé *l'Artiste* en signe de moquerie, un homme qui… n'importe quoi, mais couché dans un lit tout habillé, sur le ventre, respirant avec la tranquillité d'un caméléon, je dors sans qu'aucune femme s'apitoie et me déshabille. Je ne demande pas plus aux femmes, seulement qu'elles se penchent une fois par jour pour me retirer mes chaussures quand je suis fatigué. Avant quoi il sera impossible de parler de dignité.

13

Au temps du pharaon

Je compte les jours passés à l'hôtel, je recompte mon argent et refuse d'imaginer ce qui se passera ensuite. Je me douche en espérant que l'eau va me rendre quelques miettes de ma mémoire perdue, mais aussi le courage. De nouveau je prie : « Ne laisse pas le désordre s'installer en toi », je suis le chef d'orchestre, le métronome, la baguette du chef qui frappe mon crâne de façon répétée. Une naïveté regrettable ! Croire à la liberté ! Je descends lentement l'escalier, j'ai besoin d'une bière glacée, peu importe où, au bar de l'hôtel qui ouvre justement à midi, comme s'il y avait une heure exacte pour ces nécessités : les hôpitaux, les tavernes, il n'est pas raisonnable qu'ils ferment leurs portes ou imposent des horaires, cela empoisonne la santé et permet le désordre qui mène à la folie. C'est midi et j'ai besoin d'une bière ! Midi ! Le réceptionniste me demande combien de jours encore je vais rester à l'hôtel et je réponds : « Deux ou trois, je n'ai pas fait de plan. » Pour qui se prend cette contrefaçon d'homme gesticulant derrière un comptoir ? « Je suis Frank Henestrosa, un monsieur, je ne rendrai compte de mes actes à personne », je murmure sans être écouté et je marche, maître du monde l'espace de quelques secondes, jusqu'au moment où l'inespéré se produit. L'inespéré est ridicule, toujours, qu'il apporte de bonnes ou de mauvaises nouvelles, ridicule parce que même les regards les plus idiots concentrent leur attention sur le nouvel événement et que cette observation démesurée déforme les objets et les rend grotesques.

Comme si une lampe se détachait du plafond et tombait tout à coup à mes pieds, Laura Gibellini s'interpose sur mon chemin en direction du bar. Elle se plaint de mon absence au petit déjeuner. « Je t'ai attendu, je voulais t'entendre répéter ce que tu m'as dit hier soir. » Sa réclamation est décochée au milieu du salon, sans pause, comme un tour dans l'air ou un coup de fouet. De quoi parle-t-elle ? Cette femme choisit-elle midi pour apostropher les clients ? Je reste muet, essayant de me remémorer les faits de la veille, bar rue Gante, Susana Servín, une bouteille de Hennessy. Et brusquement tout me revient. Je l'avais oublié, l'infâme ivrogne. Hier soir, après avoir rendu visite à Susana puis être revenu à l'hôtel comme un bison halluciné, je me suis retrouvé nez à nez avec Laura Gibellini au milieu de l'escalier ; faisant fi des présentations et des préambules polis, je lui ai dit :

« Hé, où vas-tu si vite ? Je viens de rendre visite à une femme qui ne peut pas marcher aussi vite que toi, tu t'es déjà imaginée avec une jambe en moins ? Non, c'est évident. Bon, qu'est-ce que c'est après tout qu'une jambe ? Rien, la moitié de quelque chose qui se déplace. »

Ce n'est pas que j'avais préparé un discours pour le prononcer au milieu de l'escalier, mais hier soir, à cause du cognac, les tendons de ma mâchoire remuaient tout seuls. Gibellini m'a alors repoussé comme un ressort :

« Si tu n'étais pas bourré comme un coing tu n'oserais pas m'adresser la parole, et ça, depuis l'époque du pharaon, ça s'appelle de la lâcheté. Que je sois maudite, où suis-je venue me fourrer ?

— Demain, sobre, je te dirai la même chose. Je dirai la même chose tous les jours de ma vie, que tu sois là ou pas, que je sois bourré ou pas, alors, mieux vaut que tu t'y habitues. Cette femme, Susana, s'est habituée à vivre sans la moitié de quelque chose, et toi ? Je le répéterai toujours, qu'est-ce que ça peut faire ?

— Je ne crois pas, demain tu ne te souviendras de rien. Des hommes soûls ? Me fais pas rire, ils sont comme des sardines, tous pareils », a-t-elle conclu, et elle a accéléré le pas pour me fuir.

Telle a été la rencontre d'hier soir, mais aujourd'hui, à midi, je ne déplace pas mes pions avec autant de superbe. Le seul fait de ramener cette scène à ma mémoire suffit pour que je me sente honteux et abattu. Une nouvelle de longue date : le cognac me transforme en un superman, en un dominateur des avatars humains, un expert des états d'âme. Ensuite vient l'inquiétude, lorsque je trouve en moi un être réduit, un miniman qui n'entre même pas dans ses propres chaussures.

« Je suis vraiment désolé, je me suis comporté comme un rustre, un insolent, c'est vrai, j'ai oublié mes paroles, j'espère ne pas avoir été trop…

— Tu n'as pas besoin de mémoire, je suis là pour ça : tu m'as demandé si je m'imaginais boiteuse, bancroche, une question des plus curieuses, non ? Je reconnais qu'elle m'a surprise ; après toutes les aberrations qu'on entend tous les jours, celle-ci est pour le moins mystérieuse. À cause de toi j'ai fait un cauchemar : en fauteuil roulant, moi ? Mince, moi qui ne pourrais pas vivre sans aller d'un côté et de l'autre. »

Pour ma part, je peux reconnaître quand je suscite la sympathie chez une autre personne et j'en profite pour tirer sur la corde. Le moment est venu de tirer le câble, de tendre les muscles : le paresseux s'étire. Nous nous trouvons maintenant dans le bar de l'hôtel, comme je n'ai jamais imaginé que cela pourrait arriver. Laura Gibellini et moi dans le bar ! Malcolm Lowry et ses hallucinations. Ce n'est pas un délire, on a droit aux femmes, n'est-ce pas ce que je me disais ce matin, baigné de sueur, en pleine exaltation ? Le droit divin lui-même n'approche pas en importance le droit qu'ont les hommes d'avoir une femme, et si cette femme est espagnole son corps d'asperge est la preuve qu'elle a gracieusement évité de grossir pour venir me rejoindre ; mais quelle idée idiote ai-je des Espagnoles ? Rocío Dúrcal s'est transformée en Penélope Cruz, les jambes, en asperges, mon esprit, en cacahuète.

« J'ai rendu visite à une amie sans savoir qu'elle avait eu un accident, je suppose que cela m'a ébranlé ; ça, plus un peu de vin. Je suis vraiment désolé, je n'ai pas l'habitude d'embêter les gens.

— Laisse tomber, tu ne m'as pas donné l'impression d'être une personne souffrante, tu avais plutôt l'air défoncé ou euphorique, mais avec vous il n'est pas facile de savoir. Les Mexicains devraient avoir sur eux un mode d'emploi ou un manuel pour qu'on les comprenne. Bon, la première chose c'est de savoir s'il existe une personne capable de les comprendre, et j'en doute fort.

— Je ne souffrais pas, j'étais déconcerté, maintenant elle marche avec difficulté et elle vit près d'une école de danse. Des danseuses au-dessus de son appartement, à toute heure. Savoir cela a suffi pour que le cognac… »

Nous sommes debout d'un côté du comptoir. Le sol empeste encore le désinfectant et le patron va d'un côté et de l'autre pour se chauffer les muscles.

« Il n'y a pas encore si longtemps je suivais des cours de danse contemporaine, continue Laura, je sais que c'est une manière prétentieuse d'appeler la danse, mais qu'est-ce qu'on peut y faire ? Si j'avais écouté mes parents, je me serais consacrée au flamenco, mais ça c'est une chose que j'ai en horreur, trop d'explosion tout autour, je déteste les planches, j'ai grandi en entendant la moitié de l'humanité donner des coups de talons. Si au moins le diable nous entendait. Si plus tard je me sens en confiance, je te raconterai pour quelles raisons j'ai définitivement arrêté la danse.

— Plus tard ?

— Je remets toujours à plus tard, c'est comme ça. À moins que tu ne veuilles plus me revoir ? »

(« Le corps profite de n'importe quelle scène pour se présenter comme ce qu'il est, désir sexuel, exhibitionnisme, besoin d'être regardé, touché, désiré, mais moi je préfère le corps qui souffre à celui qui s'exhibe, celui qui garde le silence, dans sa nature de pierre, d'eau, et au lieu de danser sur une estrade je préférerais coucher avec vingt marins et mourir en perdant tout mon sang, bon, mais ça je peux pas le raconter à un inconnu. »)

« Je suis plutôt timide sur les scènes artificielles, pas dans la rue, dans la rue je m'en prends à n'importe quel couillon qui me suit, mais qu'est-ce que tu fais avec ceux qui s'assoient dans le fauteuil d'un théâtre pour te regarder ? C'est là qu'on trouve les pires.

14

La Chica Lomelí fait son apparition

Il est midi et Stefan ne sait pas combien d'heures ont passé depuis que sa conscience a commencé à reprendre le contrôle de ses idées. La position horizontale est celle qu'il préfère, s'il pouvait il prendrait ses repas au lit, se raserait allongé par terre, urinerait couché sur le ventre. De nouveau ses narines s'enflamment et c'est à peine s'il peut respirer, deux petits hippopotames blancs dorment là-dedans, des grumeaux pâteux de cocaïne. Son ivresse est aussi douloureuse qu'une autopsie pratiquée sur un corps vivant. Stefan regarde le bistouri séparer ses pectoraux et, encore couché sur la planche de la morgue, il ne regrette pas les deux grammes de cocaïne consommés. Lui, oui, est un athlète accompli, il jouerait le meilleur des rôles aux jeux Olympiques. Il fait des efforts pour se concentrer et éviter que la douleur de l'ivresse ne s'insinue dans ses os.

Les rares fois où j'ai par hasard croisé le chemin de Stefan, une question a jailli du néant : pourquoi les gens voyagent-ils ? Pourquoi sont-ils si sûrs de retourner à l'endroit d'où ils sont partis ? Je ne suis pas sédentaire en raison d'une solide conviction, mais par lâcheté, et aussi parce que je ne crois pas qu'existe quelque part au monde une seule personne qui m'attende. Personne n'attend l'arrivée de Frank Henestrosa. C'est un fait. Selon moi, le District fédéral est idéal pour se construire un passé, tout ce qui naît vient mort et l'on passe son temps à fouiller l'origine de la tragédie, mais je me demande quel passé va construire Wimer dans cette ville. Il doit retourner chez lui dans quelques jours. Un avion de la Lufthansa le ramènera à Berlin, sa terre, et il se voit déjà assis après une journée de travail sur une chaise branlante, prenant sa troisième bière au Morgen Rot, dans la Kastanienallee.

Stefan n'est pas venu au District fédéral pour fuir le climat inhospitalier de son pays. Lui, l'hiver le stimule et il se réjouit de la mine défaite des vieux incapables de supporter une gelée de plus. En hiver les *Biergarten* sont fermés, les vélos immobiles, les lacs couverts d'une couche de glace grise qui ressemble beaucoup à l'échine d'une loutre. Comment ne s'en réjouirait-il pas ?

Le fait qui suit a eu lieu deux nuits plus tôt dans un bar de la rue Medellín, pratiquement à l'angle de Zacatecas, dans l'arrondissement de Roma. *La Chica* Lomelí soupçonnait Stefan de prendre un accent dans le seul but de lui faire bonne impression.

« Tu es étranger ? Me raconte pas d'histoires, petit père, j'ai connu des blonds comme toi au nord du Chihuahua. Il y en a des tas. À Chipilo aussi vivent un tas de blonds. Oui, un tas... »

La scène : une caverne bruyante obscurcie par un nuage de fumée, humide des sueurs que l'on subit à l'aube sous l'effet de trois ou quatre drogues. Ce bar se laisse définir comme un nid de cafards, et il a même un nom : *Bull Pen.* J'y suis allé une ou deux fois, mais n'y suis jamais retourné. Dans ce cachot on vit constamment en état d'exaltation, la musique se répand dans la rue et les vendeurs de drogue se font passer pour des placeurs de voitures. Ce ne sont pas des territoires dominés par *la Señora*, mais par une bande qui occupe Roma depuis une dizaine d'années. Stefan n'a pas besoin de leur acheter de la cocaïne, il est bien approvisionné, il est prévoyant et pourrait supporter plus de deux malheurs sans appeler à l'aide. Il cherche un succédané de Morgen Rot et le trouve à la lisière de Roma, au *Bull Pen.* L'explorateur faubourien, von Humboldt savant en quête de nouvelles espèces, a cru trouver une caverne à la taille de sa mélancolie. *La Chica* Lomelí a visité deux fois la prison sud. Malgré de tels antécédents, elle est toujours en vie, elle a trente-cinq ans, elle n'a tué personne (bon, une fois en légitime défense, mais ça, ce n'est pas tuer, c'est se défendre) et elle n'éprouve aucune gêne à parler avec le blond assis à côté d'elle. Stefan n'a même pas demandé la permission de s'installer près de la Lomelí. Il l'a fait avec un sourire de brigand et de bébé à la fois.

« Ha, ha, ha, femme, je suis esquimau, je viens des pôles. Et je te trouve très belle. Là, tu vas sûrement être d'accord avec moi, ha, ha, ha.

— Comme tu es aimable, bébé, tu devrais apprendre les bonnes manières à tous les cochons de ce pays. Où donnes-tu des cours ? »

Pourquoi *la Chica* Lomelí demandait-elle une chose pareille ? À cette heure du petit matin rien n'avait de sens ni de direction.

« Je donne des cours particuliers quand je suis soûl. Quand je suis sobre, je passe mon temps à dormir… et à rêver que je suis réveillé.

— Tu passes ton temps à mentir, voilà. Allemand, toi ? Tes grands-parents vont sûrement te croire, mec, ça crève les yeux que t'es un gringo, mais ça n'a pas d'importance, ici on prend soin de toi, entre tous, et on te change tes couches. »

La Chica Lomelí fixe avec curiosité et attention les pupilles glauques de Stefan. « Celui-là, il me trompera pas, c'est un gringo qui parle bien l'espagnol, putain, comment ils font pour apprendre si vite ? » Elle est brune, une frange noire cache la moitié de son front, ses yeux philippins sont sa présentation, elle a une cicatrice au cou dans laquelle pourrait tenir une pièce de dix pesos. C'est une jolie cicatrice, apprécie Stefan, aussi jolie que la vie. Le comptoir est si modeste qu'il entrerait dans un appartement de pauvres, et le vieux qui le tient pense encore que le bar sera un jour fréquenté par des personnes élégantes parfaitement éduquées qui arriveront en voiture et demanderont une bière le plus normalement du monde. *La Chica* Lomelí ne cache pas non plus son étonnement devant la diversité de la clientèle qui comprend diverses classes sociales et des âges différents, mais elle en connaît les raisons : la cocaïne, le crack ; l'exil de trois heures du matin pousse des animaux d'autres grottes à venir renifler par ici. Et elle le vérifie.

« Ça va, tu veux que je sois sincère ? Je viens de Berlin, une ville allemande où on n'aime pas les Allemands. Et on ne ressemble en rien à tes crétins de voisins gringos. »

Wimer a souffert qu'on le prenne pour un Smith. La conversation continue, entrecoupée, tous deux sont obligés de rapprocher leurs visages pour parvenir à s'entendre. Elle ne sent pas mauvais, elle s'est douchée à neuf heures du soir et ses cheveux exhalent encore le parfum de pêche ; l'étiquette du shampooing disait vrai : « Bois de pêchers ». Tandis que la cocaïne se promène dans son estomac, Stefan imagine une poignée de champs fleuris entourés de sombres et épais marécages. Lui, il échangerait les pêchers contre des lilas noirs.

« C'est ici que tu as acheté des vitamines ? » demande-t-elle, et elle effleure son nez de l'index de sa main droite pour se faire mieux comprendre : elle n'a pas séjourné en prison pour rien. Lomelí jure qu'elle s'est rangée, elle garde un amant qui l'a installée dans un appartement où il lui rend visite les lundis et les jeudis.

« Non, j'ai les miennes. Tu en veux un peu ?

— Attention à ceux-là (*la Chica* Lomelí indique les placeurs de voitures qui furètent depuis l'entrée du bar), ils te vendent du crack et aussitôt après ils vont le raconter à la patrouille. Après, les policiers te suivent chez toi. Dès que tu ouvres la porte, ils te sautent dessus et trouvent le paquet. Tu es foutu, mais comme tu as peur et que tu veux pas aller en prison, tu leur donnes jusqu'aux fauteuils, c'est des salauds, les plus cyniques viennent même avec un camion de déménagement pour te plumer. Les fils de leur putain de mère.

— Je vis à l'hôtel, tout ce que je peux leur donner, c'est une troisième nuit gratuite ou un petit déjeuner continental. »

Stefan éclate d'un rire sonore : il interprète un Viking dans un film à petit budget. La méchanceté fait partout son nid, pense Stefan, et ses manifestations superficielles, voler, assassiner, ne lui causent pas de surprise, si encore la méchanceté humaine ne se concentrait que dans ces actions ! Alors, au moment où *la Chica* Lomelí pose sa main sur la cuisse de Wimer et que la cicatrice de son cou s'ouvre et se ferme comme un vagin nerveux, on entend un coup de feu suivi d'une rafale de silence.

« C'était un coup de feu ? demande Wimer.

— C'est rien, de temps en temps un salaud devient fou. À quel hôtel tu es ? Au Radisson, au Marriott ?

— À l'hôtel Isabel, l'hôtel le plus chic au monde.

— Eh bien je te crois, tu es de Berlin, d'Allemagne, en Europe, tu vis de l'autre côté de la mare.

— Eh oui, ma petite sirène.

— Un de ces jours j'irai te rendre visite. Attends-moi. »

15

Apparition de la vierge

Depuis ma place au comptoir du bar, la silhouette d'un colibri attire mon attention, ça alors, c'est une apparition, une véritable apparition. Le temps a confirmé que ma décision de dépenser cinq mille pesos pour passer quelques jours à l'hôtel Isabel a été heureuse à plus d'un titre. Quand on va dans la jungle, on espère voir des lions ou des singes accrochés à une liane, mais si on loge à l'hôtel Isabel on espère rencontrer de belles étrangères. Quelque chose change dans mon humeur sombre, une assurance passagère vient soudain habiter mon âme. Quand on a accumulé quarante ans de vie, on a l'obligation morale de rester de très mauvaise humeur, que les pauvres d'esprit sachent que je suis d'humeur noire ! Et c'est sérieux !

L'apparition a un nom : Sofía Sandler, je l'ai vue passer devant l'entrée du bar avant de se diriger vers la réception. Elle parle à haute voix avec Pablo Paolo. Pour quelle raison cette voix d'adolescente émane-t-elle d'une femme de vingt ans ? En a-t-il toujours été ainsi ? Les grand-mères ne parlaient pas sur ce ton de miel lorsqu'elles avaient vingt ans. Qui sait quelle méfiance aurait suscitée une voix comme celle-ci en

1910, à l'époque où a éclaté la Révolution mexicaine ? Les compagnes des révolutionnaires bavardant comme des barbies tandis qu'elles chargeaient l'arme de leur mari : impensable. Que s'est-il passé depuis ? Sofía cherche à se renseigner, à savoir si son cousin Gabriel Sandler se trouve à l'hôtel Isabel.

« C'est un artiste très important, il est grand et il a une barbe. Je suis sûre qu'il est venu ici. C'est mon cousin.

— Sur le registre nous avons un Gavrilo. Il est sorti il y a deux heures, il ne nous a pas dit où il allait, il nous a juste laissé sa clé, nous ne demandons pas aux clients de nous donner le détail de leur itinéraire, il arrive qu'on nous prévienne, mais c'est rarement le cas, ou alors ce sont des personnes qui se sentent seules.

Pablo Paolo lâche les premiers mots qui lui passent par la tête. Il gagne du temps tandis qu'il se remet du choc que lui a causé cette beauté inattendue, et parce qu'il a envie de la garder quelques minutes de plus en face de lui.

« Un artiste important ? Nous ne savions pas, il vient beaucoup d'artistes ici, des musiciens surtout, des Argentins, des Espagnols. Si ça continue, c'est nous qui remettrons le prochain Grammy. Sur sa fiche d'enregistrement, Gavrilo a écrit qu'il était pompier, je me suis rendu compte de la plaisanterie, mais si ça lui fait plaisir, pas de problème. Il n'y a pas de restrictions pour les artistes à l'hôtel Isabel. Il est bon d'avoir un pompier sous la main à cette époque de l'année.

— Je suis sa cousine, j'ai séjourné dans cet hôtel une fois, il y a longtemps. » Sur le visage ovale de

Sofía point une préoccupation que Pablo Paolo ne parvient pas à déchiffrer. Elle est si belle que le réceptionniste a envie de pleurer. « Quand Gabriel est-il arrivé ? Vous savez s'il est accompagné ?

— Ça va être sa troisième nuit. Il est seul et il semble d'humeur plutôt égale. Donnez-moi votre nom pour que je l'avertisse que vous êtes venue à sa recherche. Si vous voulez je peux lui laisser un message, mais pas trop long, car la mémoire d'un réceptionniste est dans ses yeux. Ou alors écrivez-le ici, votre écriture ne peut pas être pire que la mienne. Ma calligraphie est si déplorable qu'on m'a dit que j'écrivais en hébreu.

— En hébreu ? Je peux écrire plusieurs mots en hébreu.

— Eh bien alors nous sommes deux.

— Je vais l'attendre au restaurant, ou plutôt dans ce fauteuil qui a l'air confortable, je ne bouge pas d'ici. » Sofía se balance, un vent imaginaire pousse son corps élancé et sa chevelure couleur de blé.

« Il peut tarder, dans le Centre on se distrait facilement.

— Ça ne fait rien. Le fauteuil paraît confortable. Je ne peux pas partir avant d'avoir vu mon cousin. Si la nuit tombe, j'irai l'attendre dans sa chambre. Ça pose un problème ? Je peux payer un supplément s'il le faut.

— Je regrette vraiment, mais il est impossible d'ouvrir sa chambre avant son retour. Vous voulez un café en attendant ? J'en commande un tout de suite. Ou préférez-vous un Coca-Cola ? »

Pourquoi ne communique-t-on pas à Pablo Paolo l'information suivante : il n'est pas dans les responsabilités de la réception d'offrir un café aux visiteurs des clients ?

C'est à peine si je parviens à écouter leur conversation depuis le bar. Peu importe : « Les collines se perdent dans le lointain, quand tu regardes voler un oiseau ses ailes semblent toucher la ligne d'horizon. Les montagnes ne se savent pas montagnes, leur contour est ondulé, patient, comme si elles attendaient le retour de l'eau qui s'est évaporée au fil du temps. Le matin je m'assois sur un banc que les arbres ont construit avec leurs racines sur l'un des sentiers qui t'emmène loin du village. Là j'imagine les personnes que je ne connaîtrai jamais. Je touche mes chevilles et je me demande si elles supporteraient une randonnée de plusieurs jours. Je désire voir le lac, me mouiller les pieds, oublier qu'ils sont couverts d'eau. » Tels sont les mots que j'imagine jaillir des lèvres de Sofía, mais je suis un pédant, elle ne s'exprimerait pas de cette façon. Quand je sors de ma transe, Sofía, assise dans un fauteuil, a quitté mon champ de vision. Le fauteuil se trouve derrière un mur qui la cache à ma vue. Tout de suite après, le déchet. Qu'y a-t-il de plus désagréable, après avoir contemplé l'apparition de Sofía, que de me retrouver devant le visage reptilien du *Boomerang* Riaño ? Tragédie insolite, retour aux égouts : un type de mon espèce m'offre une bière. C'est naturel, quand une beauté apparaît les bêtes commencent à rôder, il en sera ainsi jusqu'au dernier jour de la vie sur terre. La bête Riaño respire à côté de moi :

« Me dis pas que tu vas vivre dans cet hôtel jusqu'à ta mort », m'apostrophe-t-il. Et je choisis de dire la vérité.

« Je m'en vais dans deux jours. Mes vacances se terminent, Riaño.

— Vivre à l'hôtel, c'est pas une mauvaise idée. Pour commencer, tu vois pas la tête des mêmes éternels voisins. Je leur couperais la tête à tous. Dans mon immeuble, on vit comme des esclaves, au début du siècle passé ils avaient tous des maisons ou des propriétés, même les plus déshérités. Maintenant tes assassins vivent dans l'appartement d'à côté. J'ai un voisin qui baisse les yeux chaque fois que je le croise dans l'escalier, j'ai jamais vu ses yeux. Le jour où je les verrai c'est qu'il m'aura enfoncé un poignard dans le ventre.

— Pourquoi ne vis-tu pas ici, à l'hôtel, si ça te plaît tellement ?

— Je veux pas être déçu. À notre âge, il nous reste peu d'illusions. Tu as vu cette merveille ? Je pourrais pas dormir dans l'hôtel où elle dort. Trop de tentations.

— Je m'en vais. Je n'ai plus d'argent, sinon je resterais plus longtemps. »

En d'autres circonstances, j'aurais regretté d'avouer ma pauvreté aux quatre vents, pourtant, cette fois, cela m'a été facile. Avoir de l'argent, ne pas en avoir, qu'est-ce que ça peut faire ? Maintenant je me trouve d'un côté, demain je serai de l'autre.

« Reste quelques jours de plus, je te prête cet argent sans aucun engagement, à notre âge, mon très cher Henestrosa, on devient solidaire sans y penser, par force je veux dire. Refuse pas, tu m'offenserais. »

Ce n'est pas une mauvaise idée, il me faut juste connaître le coût réel de ce prêt. Le boomerang reviendra toujours dans les mains de son propriétaire.

Le prix ne doit pas être élevé, Riaño a toujours été un petit joueur et son argent m'offre l'occasion de rester un peu plus longtemps auprès de Laura. Vais-je m'humilier devant ce freluquet ? Rester à l'hôtel quelques jours de plus… Que sont, après tout, ces minuscules pauses d'éternité qu'on appelle des *jours* ? Être là en attendant de ne plus y être, de nouveau la putain de nuit, la lumière bébête de l'aube, un chien qui hurle sa faim et se lève pour renifler la poubelle, trois, quatre jours de plus, voyons ce que nous offre *le Boomerang…*

« Je te le paierai en vingt ans, lui dis-je, si je ne meurs pas avant. Une dette est une maladie, tu la laisses croître et elle devient cancer.

— Tu me paies rien du tout, tu me rends juste un service (ici la voix de Riaño s'évapore dans l'odeur de sa lavande bon marché). Je sais que tu aurais aimé être un homme de lettres, un super journaliste, tu renies tes origines, salaud d'Henestrosa, mais tu as du talent pour reconnaître tous les coquins de cette ville, les coquins en uniforme, les gros bonnets, les médisants.

— Tu les connais autant que moi et même mieux. La bonne nouvelle, c'est que je me suis éloigné de ces urinoirs.

— Deux faucons surveillent mieux qu'un seul. Et ton imagination est suffisante pour découvrir les faux personnages. Je te fais confiance.

— Surveiller ? Je ne comprends pas, Riaño. L'autre jour tu m'as envoyé un maquereau dans ma chambre pour me montrer le menu.

— Non, tu te trompes. Mes affaires sont d'une autre espèce. Je ne t'ai envoyé aucun maquereau, mais j'ai ma petite idée d'où il est sorti. On va très vite le remettre à sa place.

— Alors, qui doit-on surveiller ?

— Il se passe des choses dans cet hôtel, c'est le flair du journaliste qui te parle. Si tu remarques un événement qui sort de l'ordinaire, tu me préviens, tu travailles comme informateur, après, toi tu écris ton roman et moi je publie un article dans le journal, qu'est-ce que tu en penses ? À la sortie, tu gagnes plus d'argent que moi. Ton roman se mijote dans cet hôtel, Henestrosa, le laisse pas échapper.

— Je vois seulement des étrangers et quelques abrutis. Le seul bizarre ici, c'est toi.

— Me fais pas faux bond, *l'Artiste*. Je te prête trois mille pesos.

— Cinq.

— Cinq ? Tu vas ouvrir un commerce de peaux ? Je vois, tu veux t'acheter un Hugo Boss.

— J'ai le même costume depuis dix ans, la seule chose que je m'achète, ce sont des caleçons. Si j'ai un infarctus, je ne veux pas qu'on me voie avec des caleçons troués. Et je ne suis pas un homme de lettres, *Boomerang*, viens pas me flatter avec ça. Tu devrais me dire la vérité, qu'est-ce qui se passe ici, putain ? Drogue ? Prostitution ? Crois-moi, je suis entré dans cet hôtel par hasard. J'avais un peu d'argent en poche et je suis venu passer quelques jours à l'Isabel, c'est tout. J'ai besoin de repos. Si j'étais plus jeune je chercherais une histoire, je serais intrigué et je voudrais connaître le motif de tes inquiétudes, mais aujourd'hui je m'en fiche. Un politicien vient commercer avec des vierges ? C'est ça que tu attends que je découvre ? Je te laisse l'information.

— Salaud d'Henestrosa. Je te prête l'argent et quand tu peux tu me le rends. C'est tout. J'ai le pressentiment que ce sera une bonne affaire pour moi. À un certain âge, quoi que tu fasses, toutes les affaires sont bonnes. Si tu remarques quelque chose d'anormal, tu me le dis, rien de plus… C'est le prix.

— Comptes-y. »

Je lâche prise. Effectivement, il s'agit d'une bonne affaire.

Sofía se lève du fauteuil et va fureter dans le bar, il est possible que Gabriel soit en train de rôder autour du comptoir : « Sofía, l'amour est pire qu'un enlèvement », lui avait jeté Gabriel à la figure des mois plus tôt ; d'après Sofía, ces phrases abruptes et pédantes de l'artiste Sandler, le vrai, l'avant-gardiste, la jeune célébrité, son cousin, étaient pleines de raison. Sofía, la divine apparition, a jeté un bref coup d'œil à l'intérieur du bar, où elle n'a vu que le patron debout en train de feuilleter une revue et deux hommes, également debout, près du comptoir ; l'un d'eux, Riaño, l'a regardée, fixant sur sa bouche son regard noir, éphémère, puis il est retourné à ses affaires. La soirée ne sera pas longue pour Sofía.

16

Les ânes de la prairie

J'ai accepté l'argent des mains du *Boomerang*, je vivrai une semaine supplémentaire à l'hôtel. C'est fou le bien que peuvent faire les négoces impromptus à un médiocre comme moi ! La sérénité qui s'installe parfois dans mon âme et qui est si proche de la résignation révèle mon stigmate le plus profond : éprouver de la nostalgie pour un monde non connu. C'est une maladie encore plus prétentieuse et plus pénible que le cancer, car elle occupe totalement la conscience et peut durer toute la vie. Vouloir être ce que je ne serai jamais, telle est mon infirmité. Je ne vais plus m'inquiéter pour ça, je serai comme un âne des prairies, ces animaux qui ne savent pas où ils vont et à qui tout paraît identique. Je connais le comportement des ânes des prairies parce que je les ai vus dans un documentaire, l'un des très nombreux que je regarde quand je suis allongé sur mon lit en face de l'écran, à quel moment ai-je changé les livres pour les documentaires ? Difficile de le savoir. Les ânes errent en troupeaux immenses à la recherche d'une oasis, quand enfin ils trouvent de l'eau ils s'abreuvent pendant quelques minutes et s'en vont tout de suite après. Où ? Ils n'ont pas d'itinéraire, le plus probable est qu'ils partent à la recherche d'une autre oasis ; et pourquoi ne restent-ils pas près du lac s'ils n'ont de toute façon aucune raison de partir vers d'autres territoires ? Quelle vie mystérieuse que celle des ânes des prairies !

Gabriel Sandler m'adresse une grimace en guise de salut et continue sans s'arrêter pour occuper la table du bar la plus à l'écart. Sa compagne, Sofía, fait de même, sans se douter que son sourire ouvrira un sillon dans mon cœur, semblable à une traînée de pisse sur un champ de neige. *Le Boomerang* feint de se concentrer sur son journal : « Le fils d'un entrepreneur est délivré », annonce le titre d'*El Universal.* Riaño a été surpris que la princesse adolescente me salue, en d'autres temps il aurait éprouvé de l'envie. Aujourd'hui, il se contente de remplir son rôle de sentinelle, l'une des nombreuses paires d'yeux que *la Señora* possède pour veiller sur son embarcation. *La Señora* ? Des racontars du *Nairobi* pour contrôler ses négoces, soupçonne *le Boomerang.* « Je suis trop vieux pour gober ces histoires, d'ailleurs qu'est-ce que ça peut me faire ? Tant qu'ils me paient je peux continuer à adorer leur Sainte Mort, je m'en fiche. » Le patron du bar, un être invisible aussi vieux qu'un conifère du Mexique, demande si les jeunes gens qui viennent d'arriver désirent boire une bière. « Deux brunes », répond Gabriel en faisant le V de la victoire.

Gabriel observe sa cousine, curieux, et déconcerté, il n'a aucun mépris pour la ténacité avec laquelle elle a entrepris de le chercher et l'a trouvé, retranché dans cet hôtel, mais le ravissement stupide qui apparaît dans son regard l'inquiète, il vit dans sa chair le harcèlement de sa cousine adolescente. Sandler, l'artiste de l'actualité, la nouvelle étoile des arts visuels, représente un abîme irrésistible pour Sofía, un héros dans tous les sens du terme, un être qui d'un revers de la main, avec arrogance, fait table rase de sa vie quand il le désire. Sofía le met au courant des dernières nouvelles et Gabriel minimise le fait que ses parents clôturent ses comptes bancaires ; il sait que sa mère battra résolument ses chiens à cause de l'absence inopinée de son fils. L'exposition de Sandler à New York ? Sa présence aux Émirats arabes ? « Au diable toutes ces saloperies. »

« Sofía, écoute-moi avec attention (il lui met la main sur l'épaule), je sais que tu ne diras à personne que tu m'as trouvé, tu ne le feras pas parce que je te le demande, n'est-ce pas ? Nous sommes cousins et nous nous aimons, on va au lit quand tu veux, je te traiterai bien, tout ce que tu voudras, mais ne me regarde pas avec ces yeux amoureux, ça me met de très mauvaise humeur.

— C'est ma manière de regarder, Gabriel, mais si tu veux je ferme les yeux. Ils sont tous devenus fous, ils pensent qu'on t'a séquestré. Ils savent déjà que tu n'es pas à Acapulco. Ton père se demande s'il doit appeler la police. Ils ont bloqué tes comptes et ma tante n'arrête pas d'avaler des cachets pour dormir. Je lui ai volé une boîte de Valium et je l'ai apportée, au cas où tu en aurais besoin toi aussi.

— Sacrée Sofía, cesse d'avaler des médicaments. » L'artiste véritable s'est soudain troublé, mais il se reprend aussitôt. « Enfin, si tu as l'intention de rester avec moi, comme j'en ai peur, pas question de téléphones portables ou d'appels en cachette. Et si tu prends des médocs, préviens-moi.

— Mes cartes de crédit fonctionnent, mes parents rentrent d'Europe dans deux semaines. Tu es content que je sois venue te chercher, ou tu es en colère ?

— Je suis content parce que tu me plais, c'est tout.

— Toi aussi tu me plais.

— J'ai très envie de toi, Sofía.

— Moi aussi j'ai très envie de toi.

— Je vais t'avouer quelque chose, j'ai un plan pour nous débarrasser de Dieu. Tu n'en as pas marre d'être juive ? Moi j'en ai jusque-là. L'autre jour un vieux m'a demandé si pour se convertir au judaïsme il était obligé de se faire circoncire, à son âge, tu imagines ? Le pénis du vieux doit être réduit au prépuce. Oublie ça, écoute mon argument : si tu meurs tu ne peux pas savoir que tu es mort, impossible, tu es mort et par conséquent tu ne peux pas dire “je suis mort”, tu comprends ?

— Oui, Gavrilo.

— Si tu pouvais savoir que tu es mort, c'est que d'une manière ou d'une autre tu serais vivant, tu me suis ?

— Oui, Gavrilo. » Sofía fait des efforts méritoires pour suivre le raisonnement de son cousin.

« Les autres se rendent compte que tu n'existes plus, mais c'est leur problème, on s'en fiche, le fait est que lorsque tu meurs tu ne sais pas que tu es mort puisque tu as cessé d'exister. N'est-ce pas évident ?

— Oui, Gavrilo, c'est évident.

— Ma conclusion, c'est que nous sommes éternels, nous ne saurons jamais si nous sommes morts, en revanche si nous sommes vivants il est impossible de ne pas savoir que nous sommes vivants, et dans ce cas pourquoi avons-nous besoin de Dieu ? Pour rien.

— Ça, je ne le comprends pas, à quel moment as-tu éliminé Dieu ? Tu n'as jamais parlé de ça.

— On n'en a pas besoin pour qu'il nous explique l'éternité, n'est-ce pas ? C'est de ça que ma prochaine production traitera. Dans cet hôtel, il y a quelque chose... il me vient des idées bizarres. C'est super. »

Les yeux fixés sur les genoux de Gabriel, Sofía se repasse les arguments théologiques de son cousin, mais si elle baisse la tête c'est surtout pour ne pas le regarder en face. Jamais rien, jamais personne n'éloignera Gavrilo d'elle, son cher Socrate avant-gardiste, le héros qui en moins de deux a résolu les mystères de la mort et de l'éternité. L'anxiété, un rongeur agité parcourt la peau de Gabriel Sandler. « Allons dans ma chambre, propose-t-il. — Ils ne vont pas me laisser entrer, dit-elle. — Ne t'inquiète pas, la chambre est double, et je peux faire ce que je veux, putain d'hôtel de merde. » Tous deux se lèvent en abandonnant leurs chopes à moitié pleines. Sandler fait deux pas, dépose un billet sur le comptoir, me donne une petite tape amicale dans le dos. Sofía me dit au revoir et tous deux sortent du bar en direction de l'escalier. Pablo Paolo les regarde passer sans dire un mot, mais son regard les suit jusqu'à ce qu'on n'entende plus leurs pas. Personne ne sait ce qu'il pense.

17

Le vol

Laura Gibellini a été victime d'un vol. Le galopin ne devait pas avoir plus de onze ans et avant que le sourire de l'Espagnole s'efface il lui a arraché la médaille d'argent qu'elle portait au cou. Son butin dans les mains, l'assaillant s'enfuit par une rue étroite en direction du Palacio de las Vizcaínas. Laura palpe son cou nu et scrute autour d'elle, personne ne s'est aperçu du vol, les passants n'ont pas d'yeux, les deux infirmières assises sur le banc devant l'église Regina Coelli se regardent l'une l'autre comme si elles observaient leur propre reflet, la marchande de journaux plonge avec résignation sa cuillère dans une assiette de soupe. Quelques secondes après cette foudroyante expérience, l'idée de la mort secoue la tête de Laura ; elle a eu de la chance, mais la mort a imprégné l'atmosphère de son arôme profond. Alors la peur se réveille. La mort surviendra avec la même ridicule célérité qu'une comédie d'Harold Lloyd : mais au contraire, il n'existe pas un seul vol sur terre qu'on ne se repasse au ralenti. Après les faits, on balaie mentalement la scène, rassemble tous les détails, remonte le film avant de se le projeter plan par plan. C'est ce qu'on appelle la torture.

Épuisée, Laura décide de retourner à l'hôtel, elle n'a rien perdu, une chaîne achetée par ennui, qui n'a aucune valeur symbolique ; pourtant, comme elle aurait aimé se venger en volant le sac d'une vieille dame ou le chapeau d'un paralytique, cracher dans la soupe de la marchande de journaux, barbouiller les infirmières d'excrément de chien, tout ça à la fois ; non, la vengeance la satisfait encore à son âge ? Elle doit se calmer, ce n'est rien de plus qu'un fait, un seul, le suivant dans une longue chaîne qui la conduira jusqu'à un cimetière de Cadix. Elle s'abstient de regarder le ciel teint d'une sournoise coloration brune : elle n'a aucune intention de permettre à Dieu de se vanter qu'une touriste solitaire implore sa miséricorde, elle est gaditaine et dans son sang coule un virus phénicien habitué à esquiver les pires tempêtes : si Dieu existe, qu'il prenne un fauteuil d'orchestre et ne s'arroge pas des prétentions de protecteur. Le vol se réduit à un fait inattendu, sans conséquences. « Je n'ai pas peur de toi », murmure Laura à son Dieu. Les choses auraient été différentes si elle avait eu un homme à ses côtés, l'un de ces orangs-outangs capables d'imposer le respect à d'autres orangs-outangs.

Tout à coup, voilà que mon visage se précipite dans son esprit, comme s'il provenait d'une gouttière. Je suis l'orang-outang qu'il lui faut ! C'est un fait : elle va venir me chercher et essayer de se rapprocher de moi, une amitié occasionnelle, une trêve à sa vanité, voilà ce dont elle a besoin. Son cou nu a été mordu par une chauve-souris de onze ans : la peur, l'orphelinage l'ont de nouveau mise à la merci de la jungle. Les canines enfoncées dans son cou, elle s'approche de la réception et demande à Pablo Paolo si M. Frank Hinojosa loge encore à l'hôtel.

« Oui, mais j'imagine qu'il ne va pas tarder à s'en aller. Il n'a pas beaucoup de bagages et il semble s'ennuyer. Ça ne me regarde pas, mais je parierais qu'il attend une nouvelle. Je peux reconnaître ceux qui attendent une nouvelle, surtout si c'en est une mauvaise. Ici nous sommes des experts pour les reconnaître, sérieusement. Vous avez besoin d'aide ?

— Non, vous êtes vraiment très aimable. » Laura n'a pas l'habitude de proférer des phrases comme « vous êtes vraiment très aimable », et son attitude commence à lui paraître stupide ; mais elle continue tout de même : « Je vous serais reconnaissante de me mettre en communication avec sa chambre. Je ne crois pas être la mauvaise nouvelle qu'il attend, mais il s'en contentera.

— Je vous le passe tout de suite, laissez-moi seulement vous informer que ce monsieur ne s'appelle pas Hinojosa, mais Henestrosa.

— Pardon, monsieur, de toute façon passez-moi cet Henestrosa ou quel que soit son nom. »

Pablo Paolo saisit le combiné avec solennité. Il aurait pu permettre à la cliente de communiquer personnellement avec *l'Artiste*, mais il a des curiosités qu'il lui est difficile de cacher.

« Vous apprenez les noms de tous les clients ? demande Laura.

— Oui, c'est comme prendre des cours de langue, nous avons reçu des Thompson, des Müller et des Sandler. Le plus compliqué, c'est la prononciation, au début je me trompe et ils me corrigent eux-mêmes, d'autres s'en fichent ou ça les fait rire. C'est l'un des avantages de travailler ici, le pire c'est quand viennent des Chinois : je ne peux pas m'empêcher de rire quand je prononce leurs noms. Monsieur Henestrosa ? Je vous passe Laura Gibellini, un moment je vous prie. »

Assis sur mon lit je suis comme un point d'interrogation à la renverse, je tiens le combiné à la main et j'entends la voix de Laura sans bien comprendre le sens de son appel. « Je vais rester quelques instants au bar, si tu n'as rien de spécial à faire j'aimerais te demander ton avis sur certaines choses », me dit-elle. De nouveau elle se sent stupide, mais comme toujours quand cela lui arrive, elle puise des forces dans la réserve féminine, c'est-à-dire au centre de la terre encore en flammes. Je remets mes chaussures et je répartis cinq mille pesos dans les poches de mon pantalon et de ma veste. Où que je mette la main je trouverai des billets neufs. Belle et honteuse feinte !

Laura m'attend au bar. J'imagine qu'elle est une mince silhouette de marbre et je la regarde quelques secondes, timide. Quand elle m'aperçoit elle se lève, vient vers moi et me propose d'aller marcher – « allons ailleurs », ordonne-t-elle d'un ton autoritaire. Ces cinq mille pesos dans mes poches ont fait de moi quelqu'un de réel. Flora a lavé et repassé mon pantalon et ma chemise, elle l'a fait si rapidement, en seulement vingt minutes, que cela a réveillé chez moi une reconnaissance canine ; si j'avais une longue queue je la remuerais d'un côté et de l'autre pour lui signifier ma considération : que de discours idiots seraient évités avec une queue faisant des tours comme un moulinet !

« C'est un problème qui me poursuit depuis que je suis petite (la conversation a lieu dans une baraque en bois patiné à la Puerta del Sol, une vieille taverne à six pâtés de maisons de l'hôtel). J'ai la mauvaise habitude de m'expliquer. Si je restais muette ce serait les autres qui expliqueraient les choses à ma place. » Laura commence à se remettre de l'impression que lui a causée le vol. Ses mains sont belles, comme tout dans sa personne.

« Il n'est pas bon de profiter du silence des autres, lui dis-je, peut-être sans penser que moi, justement, je passe mon temps à ça, garder le silence et attendre que les autres prennent les rênes.

— Je ne suis pas venue te chercher pour autre chose, pour bavarder et pour que tu me racontes encore une de tes histoires où apparaissent des femmes sans jambes », me dit Laura. Aussitôt elle se convainc que se moquer lourdement d'un inconnu n'est pas très prudent. « Ce n'est pas vrai, Frank, je vais te raconter ce qui se passe : cet après-midi j'ai été victime d'un vol et je me suis sentie inconsolable. Un peu de compagnie me fait du bien, j'espère que tu ne m'as pas trouvée trop brusque ou blessante. Parfois je ne supporte pas ce culot que j'ai.

— On t'a fait du mal ?

— Mais non, rien de grave.

— Dans le Centre, les vols à la tire sont fréquents, surtout dans la journée. Les touristes, on les respecte un peu. Tu n'as pas eu de chance.

— Écoute, mec, si un enfant me vole après m'avoir fait un sourire, le sol se dérobe irrémédiablement sous mes pieds. Il y a des années, il m'est arrivé la même chose à Milan, mais après l'agression mon sentiment était très différent, ça ne m'avait rien fait du tout. Plusieurs enfants m'ont entourée, ils m'ont couverte de caresses, comme si j'étais le pape, et ils ont pris mon sac avant de disparaître. Ici, au contraire, je n'ai presque rien perdu, dans quelle sorte de monde est-ce que je crois vivre ? Ma vie aussi est comme ça, sans fondations du début à la fin. »

Que dois-je ajouter à tout cela ? Rien, un homme timide ne doit pas prendre trop de risques quand ce n'est pas strictement nécessaire. Il pourrait apparaître comme un homme incomplet, ou pire : un type sans expérience qui ose partager sa table avec une femme du monde. L'homme timide doit attendre l'occasion de montrer que son intérieur est une mine de vertus et, parfois aussi, de cruautés, une fourmilière où l'on vit en paix jusqu'à ce qu'arrive un intrus qui met tout en désordre. Mais allons donc, moi, un timide ? Je ne sais pas, j'écoute Laura et j'essaie d'être un compagnon parfait, je suis un peu guindé, j'en fais trop tandis que ma tête tisse un écheveau d'effronteries, la ville est pour moi une chambre trop étroite, la respiration des policiers qui séquestrent et assassinent flotte dans l'atmosphère tel un nuage qui ne se dissipera jamais. Je me considère comme un mort qui a trop d'années de vie sur le dos. Et l'enfant qui court avec la médaille de Laura dans son poing apprendra le crime de la main d'un Dieu calculateur, ne serait-il pas plus honorable de vivre sous la crainte d'une maladie comme la peste ou la malaria ? Je me réponds que oui. Et je bredouille :

« Cette ville non plus n'a pas de fondations, on vit au milieu des ruines.

— Tu as probablement raison, Frank, mais les socialistes font encore mieux. Si dans un pays pauvre tu acceptes la démocratie, tu ne peux pas laisser la droite gouverner. C'est une stupidité monumentale. La démocratie est de gauche ou elle ne sert à rien. Tu me trouves sentimentale ?

— Ce pays est différent, les pauvres détestent le socialisme, ils voudraient avoir un roi.

— Tu te moques de moi. Quand je suis née, la monarchie était déjà renversée. »

Je commence à m'habituer aux gestes secs de Laura, à ses coudes sur la table tandis qu'elle remue les mains. À sa naissance, quelqu'un a dû tirer sur son nez pour lui donner la forme d'une aile d'oiseau.

« Je ne plaisante pas, ici il y en a beaucoup qui voudraient être roi des cafards. Les gens ne comprennent pas la démocratie, ils ne savent pas ce que c'est. Les Aztèques ne sont pas partis, ils continuent à boire du sang, à manger des galettes de maïs en souhaitant le retour de leur empereur. »

Si je commence avec le brandy je ne terminerai pas avant de m'enfoncer comme une bestiole dans les fentes des murs de la cuisine. Si je commande un verre, aussitôt viendra le second, puis le troisième, et après les vodkas, alors la langue sortira de sa cellule et m'étranglera. Impensable, ce serait une très mauvaise décision, Laura se rendrait compte que je n'ai jamais voyagé et que le destin ne m'a rien préparé d'intéressant. Le destin garde sur le banc les meilleurs joueurs, je me console pour me donner des forces et ne pas tomber. Aussitôt je me lamente sur mes idées : « Encore ton autocompassion, pauvre artiste, pire qu'un cafard, quand auras-tu un peu de dignité ? Tu tiens compagnie à cette belle femme parce qu'elle l'a décidé, non à cause de ton élégance anachronique un peu guindée. Ce sont les Espagnols, pas les Mexicains, qui sont partis de Cadix vers ta terre pour déplumer les canards, bâtir des églises et manger des sauterelles. Tu n'as pas le droit de prendre l'initiative. Tu dois attendre son prochain mouvement. Et prier pour qu'elle ne décide pas de te jeter dans un puits. »

« Les statistiques disent que, parmi les Européens, ce sont les Espagnols qui voyagent le plus, comme au XVIe siècle, tu vois ? Je suis une voyageuse tout ce qu'il y a de plus ordinaire. Qu'est-ce que cette proportion signifie ? Que nous détestons l'endroit où nous sommes nés, ou quoi ? insiste Laura.

— Je ne me fie pas aux statistiques, ici on les utilise pour dissimuler les crimes.

— Ça ne m'étonne pas, tu connais l'Espagne ? » Gibellini trouve chez moi un cou robuste et de longs doigts. De plus, ma réserve semble lui plaire. Je m'en rends compte. Mais je me trompe lourdement.

« Si je monte à bord d'un avion, il tombe. »

C'est certain, je ne pourrais pas traverser un océan ni me laver les dents au lavabo d'un hôtel en Turquie, à cette seule pensée mon estomac se réduit à la taille d'une noix. Comme quelle sorte d'homme puis-je me considérer ? Question peu sérieuse qui ne vaut pas la peine de s'y arrêter. Mais peut-on être *quelque chose* dans le District fédéral ? Non, dans mon cas juste un ver complexé et rancunier qui pour survivre mange la moitié de son corps sans la vomir, si bien que je suis toujours complet, une sorte de métaphore sans conséquences. Alors ? Pourquoi est-ce que j'occupe un espace ? Avant de prendre congé de Laura, nous convenons d'un rendez-vous pour dîner le lendemain soir, un rendez-vous, quel sentimentalisme provoque brusquement ce mot dans mon âme ! La première chose que j'imagine, c'est un lit et le corps nu de Laura, et moi au-dessus de ce corps. Et mes doigts en elle, et mes testicules comme des braises et… effectivement, je suis un ver.

18

Professeur de mathématiques

De retour à l'hôtel je tombe sur eux. Pour une raison ou une autre ils réveillent en moi une tristesse passagère : j'ai l'impression que tous deux, épuisés, ont enlevé leur masque avant la fin du carnaval. L'homme est quelque peu arrogant, un gandin. Elle, c'est la Voie lactée. Ils m'ont salué en découvrant que je suis plus qu'une ombre, ça y est, c'est la proximité de Laura, c'est l'imminence d'un rendez-vous qui de nouveau a fait de moi un homme concret, un monsieur, un chevalier qui se dirige vers le bar pour boire un cognac, se détendre et se débarrasser un moment de ses obligations importantes. Je leur rends leur salut tandis que je regarde deux hommes sortir d'un pas pressé par l'entrée principale, ils viennent des chambres qui se trouvent à l'opposé de l'aile où je loge, j'en déduis que ce sont des malfrats, j'en suis sûr, mon instinct le sait ; comme le supposait Riaño, un poisson de cette taille ne peut pas se promener devant mon nez sans que je le remarque. Depuis son repaire, à la réception, Samuel examine les clients avec des pupilles de pierre et pour la première fois il échange un regard avec moi. Chacun découvre chez l'autre un probable soupçon. Il sait que je sais. Comme l'hôtel change le soir ! Le bois de la rampe s'assombrit, la lumière hâve est celle d'un musée de cire.

Roberto Davison me sourit car il est possible que je sois un admirateur. Avoir été la vedette de centaines de publicités suppose une certaine responsabilité, surtout à une époque où vendre et acheter sont des verbes divins. Il pourrait supporter son malaise, mais la honte que lui cause le fait de ne pas être à la hauteur de sa femme le rend nerveux. C'est l'énorme inconvénient de se considérer comme un optimiste, comme un homme qui sourit aux personnes avec la plus grande sincérité. Il est certain que sa relation est permise par les religions qui valorisent la vie, mais il ignore quels sont les sentiments de Gloria quand elle le voit partir en piqué. Il y a quelques heures il s'est finalement rendu au rendez-vous ajourné avec Tomás Gómez, son découvreur et agent.

« Tu as l'air en forme, pas comme sur les photos que tu nous as envoyées. Je t'avoue que c'est pas exactement celles qui conviennent le mieux. » Ainsi s'exprime Tomás Gómez avant d'annoncer les mauvaises nouvelles.

« Oublie ces images, tu me connais depuis longtemps et tu sais aussi comment je vieillirai. En ce moment je suis bien parce que je fais un peu plus d'exercice, je peux pousser jusqu'à cent pompes par jour. Qu'est-ce que tu en penses ? La vérité c'est que ça ne sert à rien, c'est une thérapie. L'exercice est nécessaire à mon âge, je le sais, mais ça aide plus l'esprit que le corps. »

Roberto fait des tours, assis dans un fauteuil giratoire ; est-ce qu'il s'amuse ? Gloria a préféré l'attendre à l'hôtel. La réalité, c'est qu'elle ne supporte pas

Gómez et qu'il ne lui est pas facile de cacher sa haine pour l'agent : « Un agent ? C'est un fossoyeur qui utilise sa langue en guise de pelle », affirme la Manson.

« Excellent, mon garçon. Avec des soldats comme toi on peut gagner n'importe quelle guerre. Pendant longtemps j'ai été tenté de te proposer comme associé de l'agence, tu connais l'affaire, tu pourrais facilement encourager les débutants, ils croiraient tout ce que tu leur dis, car tu es un être noble.

— Je préfère être mannequin ou continuer dans la publicité, Tomás, j'ai su le faire dans l'avant-garde et je le ferai dans l'arrière-garde. Comment se présentent les affaires ?

— Je vais être sincère avec toi, comme toujours. Il n'y a aucun uniforme pour toi en ce moment. Je t'ai proposé pour la campagne des héros dentaires, beaucoup d'argent, mais ils veulent quelqu'un de jeune. Tu sais comme la dentition est importante dans ce pays d'obèses. On ne cache pas la laideur, mais on peut l'atténuer avec de belles dents. Je leur ai dit : “Monsieur Davison a les dents longues” et ils n'ont même pas compris la plaisanterie. Tu le sais, maintenant nous sommes entourés de mioches pédants qui ont atrophié leur sens de l'humour en regardant des séries télévisées. Je t'ai proposé pour la publicité du Viagra, tu es dans le créneau, mais il y a de la concurrence.

— Du Viagra ? Je n'ai jamais eu besoin de ces foutaises.

— Notre pays occupe la deuxième place mondiale par le nombre d'impuissants, tu savais ça ? Ce sont des chiffres sérieux, Roberto. Des millions de quadragénaires et de quinquagénaires avalent cette petite pilule. Tu as entendu parler de ces chewing-gums qui provoquent une érection ? Attends un ou deux ans et tu en entendras parler.

— Mâcher du chewing-gum pendant que tu baises ? Encore une idiotie, tu t'occupes d'une chose ou de l'autre.

— Il y a un casting dans deux semaines pour un feuilleton télévisé sur les adolescents à problèmes. J'ai pensé à toi pour interpréter le prof de math.

— Un casting, Tomás ? Je n'ai pas besoin d'argent. » Roberto n'a aucun talent pour mentir. « Ma spécialité, c'est les publicités, deux jours d'enregistrement et on passe à autre chose.

— Les gamines, ça te dit pas ? Tu serais le professeur, Roberto, rien moins que le professeur d'un troupeau de gamines appétissantes.

— Non, moi j'aime les femmes adultes, surtout si elles ont de la cellulite ou des varices. » Roberto soupçonne Tomás de le mener en bateau. Il n'y a ni rôle ni feuilleton télévisé pour lui.

« Je respecte tes goûts, mon garçon. Enfin... ce n'est pas une mauvaise opportunité.

— Chaque fois que je me mets dans une file on me renvoie à la fin. C'est comme ça depuis mon enfance, mais je ne me plains pas parce qu'être derrière a des avantages. Tu vois le paysage avec plus de clarté, je crois...

— Oh, te voilà philosophe à présent, je trouve ça bien, Roberto. Comme ça tu me comprendras. J'ai fait ta carrière, bon, nous l'avons faite tous les deux, même si moi aussi je suis un peu passé de mode. Mes artistes sont comme des boxeurs à la retraite, et je ne veux pas les envoyer placer des chaises, de la dignité avant tout. » Les boucles dorées cachent une partie de son visage, et sa veste Armani est un peu large pour lui.

Tomás tient un crayon qu'il brandit comme s'il allait le planter dans l'œil de sa victime. Ils se trouvent dans un bureau étroit au mobilier réduit, rue de Tíber. Chaque fois que quelqu'un s'assoit dans le siège pivotant, c'est pour recevoir de mauvaises nouvelles. Par cette scénographie sans attrait, Tomás tente de dire à Roberto : « Tu n'as rien perdu, nous sommes tous de pauvres diables. »

« Qu'est-ce que je vais dire à Gloria ? Donne-moi un conseil. Je lui ai assuré que j'obtiendrais un rôle. En fait, nous logeons à l'hôtel en attendant les nouvelles… Je ne sais pas, je ne crois pas mériter ça. Surtout, Gloria ne le mérite pas, tu l'as vue ? Elle est plus belle que jamais.

— Gloria est une déesse, mais quand tu n'es pas à côté d'elle son mauvais caractère reprend le dessus. Ce que cette fille fait pour toi est inappréciable. Je vais te donner un chèque de douze mille pesos, accepte-le s'il te plaît. Dis-lui que c'est une avance. Dis-lui ce que tu veux. Et on se revoit dans un mois. Je pressens qu'il y aura quelque chose d'important, mon garçon. Sais-tu l'âge que j'ai ? Cinquante-deux ans. Quand j'ai su apprécier le vin, mon foie a commencé à grogner, tu vois ? Moi aussi je suis devenu philosophe. Il m'a fallu beaucoup de temps pour apprendre à faire la différence entre un cabernet sauvignon et un pinot noir, et maintenant je ne supporte plus le vin. Et qu'est-ce que je fais ? Rien, je bois du thé, je m'adapte, je souffre, oui, mais je m'adapte. Retourne auprès de cette belle femme et dis-lui que dans un mois une nouvelle vie commence, montre-lui le chèque, elle t'aime, elle te croira. »

Quand Roberto rentre à l'hôtel il trouve sa femme dans le salon en train de lire une revue. Ils retournent en silence dans la chambre 7. Gloria n'enlève pas ses bottes, il ne le supporterait pas. Ce serait la marque la plus évidente de fatigue et de défaite. Il a sur lui un chèque de douze mille pesos, il est urgent de rentrer au plus vite à Cuernavaca. Pour quoi faire ? En tout cas, il est plus salutaire de rester encore quelques jours à l'hôtel Isabel, pour se remettre des mauvaises nouvelles, forniquer, faire des projets qui ne se réaliseront jamais.

19

Dieu mord la queue

Ce matin, une armée de consommateurs d'aliments a envahi le restaurant de l'hôtel Isabel. On ne trouve pas une seule table libre, à l'espace s'ajoutent même d'autres chaises qui ont été prises à la réception afin que personne ne reste debout. Les serveurs, deux hommes trapus agiles et réservés, sont parfois désagréables, mais on voit de loin qu'ils ont bon cœur, car lorsqu'ils découvrent une personne debout ils n'ont de cesse de la voir assise. Ils considèrent qu'être assis est infiniment supérieur à être debout, du moins à l'heure du petit déjeuner. Et personne ne les persuadera du contraire.

Le défilé des chaises et le murmure des clients contaminent l'atmosphère d'une humeur villageoise : seuls manquent les oiseaux. Je suis arrivé plus tôt que d'habitude parce qu'une fois de plus les cauchemars m'ont secoué et tiré hors du lit dès le lever du jour. Ces cauchemars ont un seul argument : une femme nue se transforme en un calmar géant sur lequel apparaissent des lèvres peintes en rouge. Ce calmar me poursuit, il le fait jusqu'à ce qu'il me noie dans son encre noire. Pour le reste, le restaurant a été en grande partie occupé par un groupe de vendeurs de billets de loterie. Qu'est-ce qu'ils foutent là ? Ils déjeunent et célèbrent quelque chose avant d'aller proposer leurs billets jusque dans les canalisations. Quand l'un d'eux élève la voix le silence s'empare de la salle à manger et les vendeurs, des hommes et des femmes de tous âges, font des efforts pour écouter ce que raconte l'histoire. Les voix vont et viennent. Moi aussi je dresse l'oreille.

« Mon devoir est de rendre les autres millionnaires, mais moi, regardez-moi, je n'ai même pas de quoi m'acheter un chapeau neuf.

— Voilà ce qui arrive quand on est généreux. Moi, la générosité, j'ai hérité ça de mon père... Je bois un verre et, quelle que soit la somme d'argent que j'ai, un seul verre suffit à me vider les poches. C'est ma faute, dès que je me soûle, je me mets à inviter, "j'offre cette tournée, commandez ce que vous voulez, c'est sur mon compte", voilà ce que je dis, et maintenant mes parents croient que c'est une obligation pour moi. Ils me demandent même plus, ils boivent à mes frais. Les humains sont comme ça, si tu es généreux une fois, ils exigent que tu le sois toujours. Sinon, ils te crucifient.

— Envoie-les paître, s'ils peuvent pas payer leurs consommations, qu'ils restent chez eux.

— Mon ulcère m'empêche de boire de l'alcool, j'ai un rat mort dans l'estomac.

— Il y a une semaine on m'a invité à déjeuner dans un restaurant très ordinaire, il faisait chaud et j'ai demandé au serveur de m'apporter un peu d'eau, qu'est-ce qu'il y a de mal ? Vous n'imaginez pas la réponse de l'impertinent. « Où est votre chien pour vous la servir ? » Il faisait le malin et il me connaît même pas, ce malheureux. Moi, j'interdirais les pourboires. Tu leur donnes un pourboire et ils arrêtent de faire leur boulot, ils se croient indispensables, s'ils veulent, je vais moi-même à la cuisine et je me sers. Ah merde alors, comment ça, non ?

— N'y va surtout pas, si tu entres dans la cuisine tu vas vomir. Une fois, je me suis perdu et je suis entré dans la cuisine d'un restaurant, eh bien j'ai trouvé un chien en train de chier. Je pourrais le jurer. »

Les voix se multiplient comme les pains et, malgré leur amertume, la bonne humeur règne. Une voix en moi me dit : « N'achète rien à ces salauds. » Ce matin-là, le calmar a laissé des traumatismes, c'est sûr. La somme d'argent récoltée par tous ces vendeurs au long de leur vie suffirait à payer la dette publique du pays.

« Si tu gagnes plus d'un million tu deviens la cible des kidnappeurs. C'est une liste choisie. Tu veux y entrer ?

— Pour moins d'un million ils te coupent une main.

— Si je touche le gros lot je le dépense en une semaine, avant qu'on me séquestre, et après, eh bien je continue à souffrir. »

Cette dernière phrase est attrapée au vol par Gloria Manson lorsqu'elle lève les yeux sur le visage exténué d'un serveur qui ne sait plus où donner de la tête… « S'il vous plaît, je voudrais encore un peu de café. » Serait-elle dans cet endroit si elle avait eu un enfant ? Pourquoi dessine-t-elle un enfant sur la serviette ? Les décisions que l'on prend au cours de toute une vie sont les seules possibles : on vend des billets de loterie ou on devient un acteur passé de mode, non parce qu'on prend de bonnes ou de mauvaises décisions, mais parce que le temps met peu à peu les choses à leur place. C'est ce que croit Gloria Manson. Elle imagine le temps comme une couche de fumée blanche qui en se dissipant fait apparaître ce qui est là depuis toujours. Il n'y a qu'à attendre que l'épais mur blanc s'évapore, alors elle pourra apercevoir jusqu'à son propre enterrement. Roberto Davison sommeille dans son ventre, tel un fœtus au parfum de lavande, et parfois, quand ce fœtus se réveille, il lui embrasse le nombril ou lui caresse les fesses comme un enfant qui ne se contente pas de toucher, mais veut goûter et entrer dans l'obscurité où on lui dit que des fantômes vivent. Il n'y a pas un seul pore de sa peau où l'enfant ne se soit pas arrêté pour flairer, pleurer ou dormir enroulé comme un idiot se reposant au milieu d'une guerre qui peut recommencer à tout moment. Eh bien les choses sont ainsi, et rien ne peut être évité parce qu'il n'y a eu absolument aucune erreur. À côté du dessin de l'enfant, sur la même serviette, Gloria écrit un nom qu'elle efface aussitôt en le maculant de grosses gouttes de café.

Gloria s'imagine souvent dans les bras d'hommes jeunes, mais il n'est pas nécessaire qu'elle se livre à eux, il lui suffit de fermer les yeux et de sentir entre ses jambes tous les pénis de l'univers, y compris les pénis des singes, ceux des bisons, des hippopotames, des renards et des taureaux musqués. Elle a décidé d'appartenir à Roberto, c'est cette décision qui compte, croire que l'on domine sa volonté. En plus, ce n'est pas un ivrogne. Et si un homme ne se soûle pas, c'est une bénédiction. Il en sera toujours ainsi. Le serveur retourne pour la millième fois sur ses pas, la cafetière à la main, et ce n'est qu'à ce moment-là que Manson découvre à une table à l'écart le beau jeune homme avec lequel elle a bavardé deux jours plus tôt. Il semble complètement absorbé en lui-même malgré la compagnie d'une jeune fille pâle qui s'obstine à couper un morceau de jambon avec le bord de sa fourchette.

« Depuis que j'ai acheté le fauteuil roulant je vends deux fois plus de billets et je trompe personne. S'asseoir dans un fauteuil roulant veut pas dire qu'on est paralytique, je m'épuise parce que je suis vieille, c'est tout, le fauteuil roulant est plus confortable qu'un banc en bois.

— Un homme mangeait au *Salón Luz*, il m'a dit : “J'ai pas l'habitude de jouer. — Il s'agit pas d'un jeu monsieur, je lui ai répondu, le hasard est ce qu'il y a de plus sérieux dans la vie, j'ai connu mon mari par hasard et j'ai été heureuse.” Il a fini par m'acheter toute la série et il m'a raconté que sa femme le trompait, que c'était une pute. Il avait bu une bouteille de whisky à lui tout seul.

— Et il a sûrement rien gagné, c'est comme ça, chienne de vie.

— Oui, on est quelques-uns à avoir une vie de chien, on est des chiens et Dieu nous mord la queue.

— Tu veux vendre le gros lot ? Vends le billet à un riche. »

À une autre table :

« Tu t'ennuies avec moi, Gabriel ? » Sofía prononce ces mots sans lever les yeux de son assiette. Elle connaît la réponse.

« Oui, je m'ennuie. Tu es une vraie patate, un putain de légume. Et en plus tu me poses tous les jours les mêmes questions. »

Des tas d'idées trottent dans la tête de Sandler à cet instant, des chevaux, des villes, des lapins en train de forniquer, un fleuve arrêté, une source qui débouche dans une piscine. Et de toutes ces images perdues il n'en repêchera qu'une qu'il tentera de communiquer aux êtres humains. S'il essayait de décrire ses idées, de sa bouche ne sortiraient que des phrases stupides parfaitement banales. L'art ne s'explique pas, il se réalise, et quand Sandler met en mots l'un de ses projets, celui-ci devient moins intéressant, il perd son sens de même que son effet de surprise. Telle est la théorie de Gabriel Sandler. Ce qui est drôle, c'est d'imaginer le résultat sans le décrire avec des mots. Fermer les yeux, sauter dans le vide, la chute est l'oubli, et l'œuvre naît dans l'oubli des mots. C'est cela qu'il veut ? Non, en définitive, « suis-je donc un misérable bouddhiste ? »

« Au moins je te plais, non ? » insiste Sofía. Elle est dans son droit. C'est une femme élancée au cou délicat, jolie depuis l'instant où elle a respiré pour la première fois.

« Nous sommes cousins, Sofía, chaque fois que tu m'emmerderas je te le rappellerai. Quand on fait la noce, c'est différent, mais on n'est pas un ménage.

— C'est sans importance, tu es Gabriel Sandler, tu peux faire tout ce que tu veux. Pour ta prochaine œuvre, à New York, tu n'as qu'à dire que c'est un inceste avec ta cousine Sofía Sandler sur un lit de cellophane. Et ils vont même te payer pour ça. » Sofía fait des efforts pour paraître agréable. Elle n'a pas envie d'être un légume dans l'assiette de son cousin.

« Si tu prononces encore une fois les mots New York ou art, je te renvoie chez toi. Non seulement j'ai perdu mon exposition de Jew York, mais aussi celle de Dubaï. Les Arabes avaient le projet de créer tout un pavillon pour moi.

— Tu as encore le temps. Il suffit que tu passes un coup de fil.

— Bien sûr que non.

— Tu ne m'as pas dit si je te plaisais.

— Toi ? Tu es ma cousine, Sofía, il est de mon devoir que toutes mes cousines me plaisent. Et ne parlons pas, j'ai encore de la cocaïne dans les cheveux. Je me sens horriblement mal. » La peau de Gabriel a viré au vert, comme une bette. La veille ils ont bu une bouteille entière de genièvre dans un bar de Filomeno Mata et ils ont consommé de la cocaïne jusqu'au petit matin. En outre ils ont parlé.

« Si ça t'ennuie que je discute avec d'autres personnes que toi, dis-le-moi et je me coupe la langue.

— Fais ce que tu veux, je ne suis pas jaloux, mais je préférerais que tu ne t'adresses qu'aux murs. De quoi est-ce que tu parlais hier soir avec ce crétin ?

— De rien, des histoires d'avions, il disait qu'il avait été pilote et il m'a révélé les endroits les plus sûrs dans un avion.

— Putain, ils te vendent de la cocaïne et il faut que tu écoutes leurs balivernes. Il n'y a pas d'endroit sûr dans un avion, s'il tombe tu meurs, c'est tout.

— S'il éprouve le besoin de s'épancher, ça m'est égal, tant que la cocaïne est bonne. D'après lui, tu as plus de chance de t'en sortir si tu voyages dans les fauteuils de queue, dans ceux qui donnent sur l'allée ou ceux qui sont situés près des issues de secours. Il m'a donné des renseignements, il était ennuyeux, pas moyen de l'arrêter.

— Tu vois cette dame, là-bas ? (Gabriel montre discrètement la Manson.) Tu seras comme elle dans vingt ans. Ça ne te fait pas peur ? Regarde-la, c'est toi dans vingt ans, ou moins.

— Grosse ?

— Ne dis pas de bêtises, Sofía, elle n'est pas grosse. Les filles qui ont un corps de haricot vert ne seront bientôt plus à la mode, tu verras. Dans ma prochaine exposition je n'inviterai aucune fille maigre, je mettrai une bascule à l'entrée et les femmes devront peser plus de soixante kilos pour entrer !

Gabriel les imagine toutes les deux, Sofía et Gloria, au lit, nues, tandis qu'il les prend photos et qu'autour du lit cinq Arabes regardent. Il sait qu'il y a beaucoup de vérité dans les paroles de sa cousine ; dans le monde de l'art on devrait accepter toutes ses propositions, vouloir être trop malin dans un pays habitué aux canailleries est idéal pour un artiste comme Sandler, pas question de faire des chichis, de demander une autorisation ou de prêter attention aux œuvres des autres artistes ; selon lui, le talent est semblable à une structure osseuse, un os pour frapper les moutons qui s'approprient un curriculum en rassemblant ses miettes. « Allons dormir un moment », propose-t-il à Sofía, et tous deux, tels des spectres unis par une chaîne invisible, quittent la salle à manger. À la réception, un amoncellement de valises sert de barricades à cinq jeunes Argentins, de nouveaux clients. En silence, leurs longs cheveux blonds tranquilles, ils attendent que Pablo Paolo termine ses calculs et leur assigne deux chambres. « Il ne manquait plus que ça, souffle Gabriel Sanler à l'oreille de Sofía, un groupe de rock. »

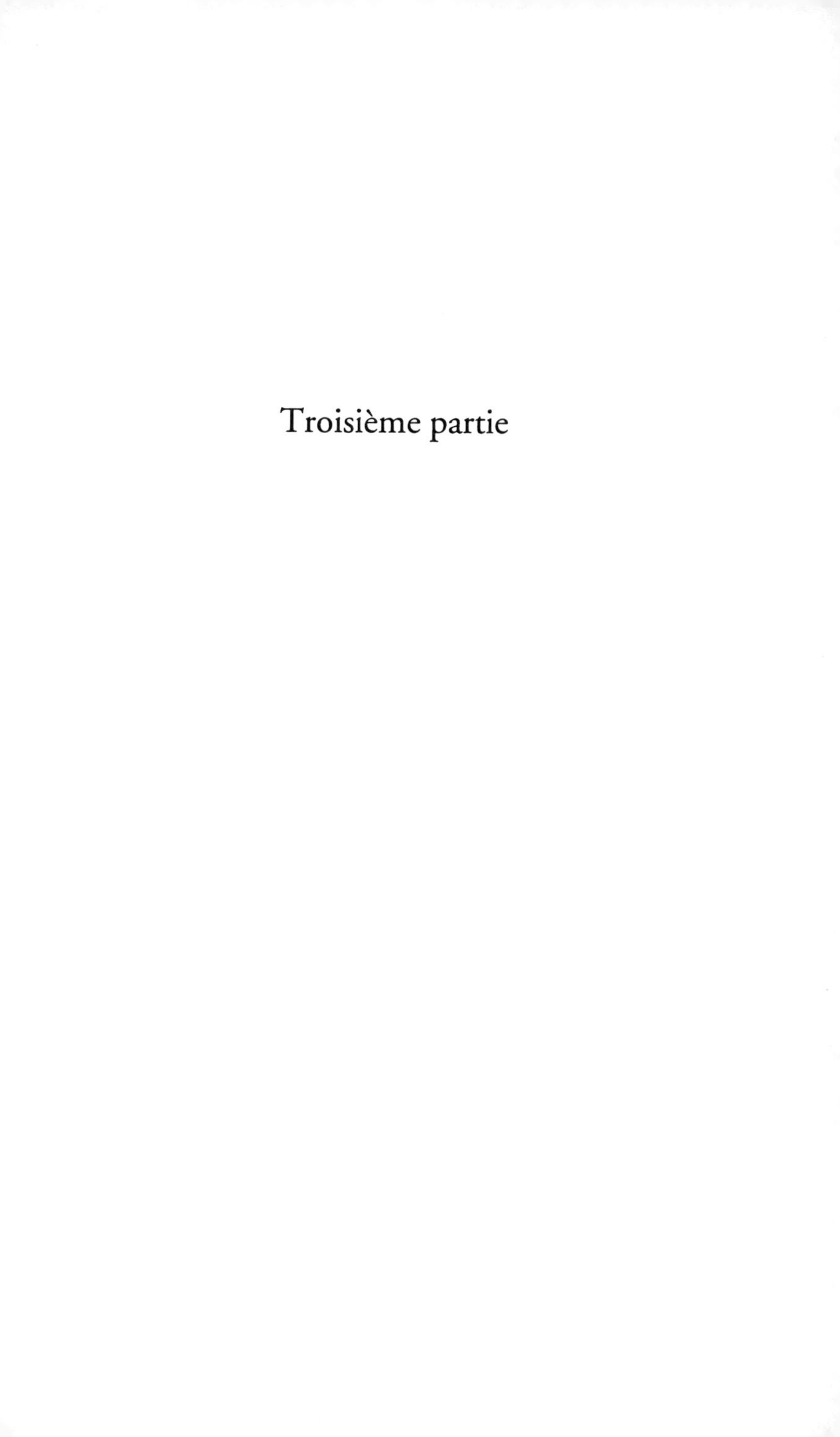

Troisième partie

1

Camila Salinas

Aucun hôtel dans la ville n'a de chambre semblable à la numéro 14 de l'hôtel Isabel. Je suis né un 14 novembre et c'est à quatorze ans que pour la première fois j'ai serré une femme nue dans mes bras. Elle n'avait pas quatorze ans, mais vingt-huit. De mon point de vue, le 14 est un nombre sérieux. Dans cette chambre, deux malfrats payés par *le Nairobi* montent la garde en permanence derrière la porte. Cette porte ne s'ouvre qu'à de rares occasions et une femme est chargée de surveiller que tout marche bien en ce qui concerne le nettoyage. Ce n'est pas Flora, dont le travail consiste à faire le ménage des étages de l'aile nord de l'hôtel. C'est Camila Salinas, femme au squelette compact et à la chair ferme qui sait rester silencieuse dans la salle des tortures, au lit, n'importe où l'on sollicite le poids de son caractère. Sur le même rang se situe Samuel, son mari, réceptionniste de nuit, bagarreur et bon père. Que de divin déchet réuni pour veiller sur la virginité de la chambre 14 ! C'est ainsi, les rufians ont construit ici, disons, leur siège financier, une chambre forte avec deux lits matrimoniaux, l'eau chaude, la télévision et de gros paquets de billets qui représentent plus de cinquante millions de pesos. Dans deux chambres contiguës reposent les veilleurs de la fortune, les nourrices, les hommes de main sur le qui-vive, fidèles à leur instinct et à leurs oreilles. De la chambre 14 sort l'argent pour les achats à grande échelle, les subornations, la paie des assassins et les gains d'une entreprise qui compte près de deux cents personnes. Un vol éveillerait les soupçons de *la Señora* et plusieurs personnes mourraient sur-le-champ.

On en a assez de compter les morts au Mexique. Une tâche soporifique, semblable à celle d'un liftier qui voit des visages monter, descendre, s'en aller. Le vieux qui surveille les œuvres d'art dans la salle d'un musée s'ennuie moins que nous, les témoins de tant de morts. En revanche, les yeux du *Boomerang* Riaño sont capables de pressentir jusqu'au soupir d'une souris, il connaît la méthode pour prévenir les mouvements imprévus et son flair fait des trous dans les murs tandis que les autres somnolent. Les lois balbutiantes de la probabilité me disent qu'un jour les infaillibles peuvent se tromper et qu'une crevasse s'ouvrira dans le sol, la première, la seule importante, car elle annonce la fin. Il ne se passera pas longtemps avant que cela se produise. Il suffit d'attendre une distraction du *Nairobi*, du *Boomerang* ou même de Samuel et Camila Salinas. La bénédiction de *la Señora* ne pourra pas les protéger ni les mettre à l'abri de leur stupidité. Le sang ne va pas changer de couleur, tant s'en faut. La benne à ordures ménagères s'arrêtera au coin d'une rue pendant plus de deux heures, des sacs de cinquante kilos, remplis de chair pourrie et de plastique, seront jetés à l'intérieur ; des cuisines souterraines sortiront des poubelles purulentes, des hôtels, des serviettes tachées, des magasins, des sacs en plastique, des cafards morts d'une overdose d'insecticide et des mouches auxquelles notre pédante humanité n'en finit pas de s'habituer. Dans cent ans reviendra la jeune brune qui a hérité du visage de sa mère, et un employé regardera ses fesses avec une lascivité ne prêtant à aucun doute. Cela, bien entendu, ne revêt pour moi aucune importance, car j'ai rendez-vous avec une femme du monde ; en attendant je me suis remis à boire du cognac, puis, au passage, à méditer sur divers aspects de ma propre vie.

Riaño fait maintenant partie d'une bande criminelle, je le comprends. Je n'ai aucun mépris pour lui, bien au contraire : devenir un délinquant est un vrai progrès, un progrès substantiel, pas un simple accident. Quel peut être exactement le rôle de Riaño, je me le demande, mais avant de me répondre et d'entrer par la porte principale je la vois depuis la rue, appuyée au comptoir de la réception. C'est elle ! Non pas la femme du monde qui fait naître en moi tant d'excitation, pas exactement elle. Je m'enfuis atterré, victime d'une énorme confusion. Effrayé, je continue sans m'arrêter. Comment a-t-elle pu se présenter à l'hôtel ? Mon ancienne maîtresse, Susana Servín. On peut donc marcher avec une jambe de bois d'un côté à l'autre de la terre. Je tourne à gauche dans República de El Salvador, je sonde mes sentiments de pacotille et j'en profite pour me demander une fois de plus si, après tout ce que j'ai vécu, je suis un homme à qui l'on peut faire confiance. Susana a absolument le droit de me rendre ma visite, tout aussi imprévue, tout aussi ridicule. J'imagine le regard de réprobation de Laura Gibellini, la femme du monde, mon amour transatlantique. « C'est comme ça que vous êtes, vous les hommes, des glands, retourne et demande à cette femme ce qu'elle cherche, tu as honte d'elle ? Fils de pute. » J'hésite, je dois retourner et accepter que cela arrive parce qu'un idiot singulier s'amuse à nos dépens. Et une fois de plus je reviens sur mes pas.

« Monsieur Henestrosa n'est pas dans sa chambre. Je ne le lui reproche pas, c'est l'une des plus belles journées de ce mois-ci. Vous avez vu ? À présent oui, les étrangers peuvent imaginer comment serait notre ville si elle avait un peu plus de chance », dit Pablo Paolo. Susana se résigne, mais elle ajoute :

« Vous savez s'il reviendra bientôt ?

— Je l'ignore. Ici tous les clients sont imprévisibles, ce n'est pas un hôtel quelconque.

— J'imagine qu'il va tarder, surtout par une si belle journée.

— Vous savez ce que vous devriez faire ? (Pablo Paolo ne s'est pas encore aperçu que Susana s'appuie sur une canne discrète.) Vous promener dans Chapultepec, louer un canot et aller au milieu du lac prendre le soleil. C'est ce que je faisais quand j'étais au lycée.

— Je ne peux pas, dans mon état c'est impossible. » Pour donner plus de poids à ses paroles, Susana pose sa canne sur le comptoir devant Pablo Paolo. C'est justement par une journée ensoleillée comme celle-ci que le trolleybus est passé sur la jambe galbée de Susana Servín.

« Je suis désolé, mademoiselle, pourquoi n'attendez-vous pas M. Henestrosa dans le fauteuil ? propose le réceptionniste, et il montre le divan avec ses coussins moelleux près de l'entrée du restaurant. Le temps passe vite.

— Je crois que pour moi le temps est déjà passé, répond-elle, on ne remarque aucun soupçon de tragédie dans ses paroles, elle sourit même et ment. Dites à M. Henestrosa que Susana Servín est venue le voir, qu'il m'a fallu une heure pour faire le trajet de chez moi jusqu'à cet hôtel. Ce n'est pas un reproche, je veux qu'il sache que j'ai très envie de le revoir. En plus, j'ai un objet qui lui appartient et que je ne peux lui remettre qu'en mains propres. »

2

Les Argentins : nous ne sommes là pour personne

Pablo Paolo regarde s'éloigner Susana Servín. Sa canne frappe doucement le sol, comme si elle craignait de rester coincée dans une fente. À ce moment, il voit descendre dans l'escalier trois des cinq membres du groupe de rock qui se sont installés dans deux chambres. Pablo Paolo est un peu ému à cause de la présence des musiciens ; bien qu'il n'ait pas écouté leurs disques, il reconnaît la chanson qui a fait d'eux des artistes assez célèbres : « Nous ne sommes là pour personne », tel est le titre de la chanson. Et les paroles disent à peu près : « Nous ne sommes là pour personne, nous avons décidé de partir, le plus triste matin de ce siècle, nous nous sommes soudain sentis vides et nous avons décidé de partir, nous ne sommes là pour personne, oh, oh, oh. » Il ne pourrait les différencier, ils sont tous minces comme des manches à balai, en salopette, avec des cheveux raides, une barbe naissante, de petits yeux timides. Deux admirateurs qui ont attendu qu'ils viennent à la porte s'approchent pour demander un autographe. Pablo Paolo est témoin de la scène, ravi.

Susana Servín avance à petits pas et reprend son souffle avant d'entreprendre le pèlerinage jusqu'à son appartement. À quelques mètres d'elle, sur le point de traverser la rue, je suis revenu sur mes pas. Revenir sur mes pas, dans mon cas, est une gymnastique et un destin. Revenir là où je suis revenu sur mes pas est ce que je fais toujours. Mon temps file ainsi. Je découvre Susana pour la deuxième fois, j'hésite, je ne sais si je dois courir me présenter ou aller dans le sens opposé, mon estomac ne cesse pas de se convulser. C'est mon estomac qui reçoit toutes les décharges électriques de la journée, un vrai paratonnerre. Susana, concentrée pour éviter les obstacles propres à une rue très fréquentée, ne s'aperçoit pas que je suis tout près. C'est la mort, Susana Servín se fait visible sous le visage de la mort, appuyée sur une canne sombre tirée d'un film de Hitchcock. Je suis tenté de la suivre, telle une souris discrète à la recherche de nourriture qui flaire la prothèse, dépitée lorsqu'elle donne un coup de dent. Obnubilé par la vision du malheur, j'en déduis que c'est la visite d'un corbeau noir. Si c'était possible, je me joindrais au groupe de musiciens argentins, nouveaux clients de l'hôtel. Je leur dirais : « Moi aussi je suis un artiste et vous avez le devoir de m'accepter dans vos rangs. » Il me serait facile d'ajouter une strophe à « Nous ne sommes là pour personne », quelque chose de sensuel comme : « Nous avons décidé de partir, en traînant un bâton noir, sur la poussière de la ville, la mort appelée Susana est venue nous rendre visite, elle pleurera notre chute, nous ne sommes là pour personne, oh, oh, oh. » Je choisis de remettre le cognac à plus tard, de me réfugier dans ma chambre, de pleurer comme lorsque j'étais un enfant timide et craintif. J'entre dans l'hôtel en frôlant de mon épaule le dos d'un garçon à cheveux raides qui, empreint d'un sérieux imposant, signe la couverture de son disque. En m'approchant du bar, j'ai l'impression de voir Laura Gibellini bavarder avec Stefan Wimer. Je n'ai pas envie de m'en assurer. Je me le reproche : « Tu as un rendez-vous, animal, demi-tour et tiens ta parole ! » Je fais tout le contraire, j'accélère le pas et en montant les marches je reconnais des gouttes de sang séché sur une veine de la rampe. « Fuis, *Artiste* ! Ne laisse pas le désordre s'installer dans ton âme », dit la voix paranoïaque qui me harcèle depuis que j'ai ouvert les yeux dans la petite clinique de Calzada de Tlalpan.

À la porte de ma chambre un homme m'attend, est-ce *le Boomerang* Riaño ? Non, je me suis trompé, ce n'est pas ma porte, ni moi qu'il attend. J'entre enfin dans ma chambre et vomis dans le minuscule cabinet de la salle de bains, je m'allonge sur le lit et médite sur le cas de Susana, quelle belle journée pour une visite imprévue ! J'essaie de conduire mon esprit vers le néant, dormir, chercher dans mes rêves la couleur blanche, le blanc des loutres, des panthères, le blanc de l'obscurité.

3

Désirs d'aboyer

Les Français font ronronner les femmes, mais ce sont les Allemands qui mettent le pain sur la table : choix compliqué pour les dames qui voudraient tout avoir à la fois. Et ce ne sont pas l'oisiveté ou la pulsion sexuelle qui poussent les Allemands à penser aux femmes, mais l'inévitable envie de mettre du pain sur leur table. D'où est-ce que je tire ces conclusions ? D'un mauvais roman, sans doute.

Stefan s'est approché de Laura. Il bavarde avec elle au bar de l'hôtel et lui sourit en montrant ses dents serrées et régulières. Ils sont devant le comptoir. Laura reste calme, c'est elle qui dirige, habituée qu'elle est à passer la moitié de son temps à dire des sottises ou à vitupérer au comptoir d'un bar. Dans les tavernes, les sujets importants se traitent debout, mais « les Mexicains veulent toujours s'asseoir, comme s'ils étaient fatigués ». C'est ce qu'elle dit, de but en blanc, à Stefan.

« Je ne suis pas de cet avis, réplique Stefan le savant, tu n'as pas compris ces gens. Ils s'assoient parce qu'ils ne savent pas combien de temps ils vont rester à table. Ils prennent les choses avec calme. Quand ils boivent, ils peuvent passer sept heures à discuter sur un sujet ou un autre. Il y a quelques jours j'ai dîné avec plusieurs Mexicains et je ne me suis levé qu'au petit matin le lendemain, ça, on ne peut pas le faire debout. Bon, certains Espagnols oui, mais...

— Je ne sais pas ce que font les Espagnols, interrompt Laura, et je m'en fiche. Moi, si tu me poses la question, je préfère rester debout. Je ne suis pas malade pour passer toute ma journée assise, s'asseoir est une position pas vraiment humaine, les hommes finissent par avoir un cancer de la prostate à cause de ça.

— C'est sûr ?

— Mais oui, tu pensais à quoi ?

— Eh bien, ajoute s'il te plaît une maladie de plus dans mon sac », dit Stefan, et il se met à rire. « Du cul de quel animal peut émaner un sourire aussi alarmant ? » pense Laura.

Stefan abuse de sa bonne humeur. Il respire profondément, savoure sa bière et laisse ses pupilles se poser sur les cuisses de Laura. Il voudrait arrêter pour quelques jours la cascade, le rythme d'une nuit qu'on ne peut contrôler, jusqu'où est-il possible d'entrevoir une fin ? Il se doute que l'aventure s'achèvera quand son visage sera identique à celui de son père, et il se répète encore une fois que lui, Stefan Wimer, ne vivra pas un jour de plus que son géniteur. « Ce serait une bassesse. Vivre plus longtemps que nos parents, est-ce un progrès ? C'est tout le contraire. »

« Tu sais quoi ? dit Stefan soudain sérieux, comme s'il s'apprêtait à révéler une vérité cosmique. Parfois j'ai envie d'aboyer, tu crois que c'est un désir normal ? »

Laura est à côté de lui, à quelques centimètres de distance, elle tourne la tête et pour la première fois scrute ce visage rouge, solaire.

« Mais tu es fou ou quoi, mec ? Fais pas chier, comment ça, tu as envie d'aboyer ?

— Oui, aboyer, me mettre à quatre pattes et aboyer, mais je ne l'ai jamais fait. Si je le faisais je vivrais plus tranquille, je serais comme un anachorète. »

Stefan fait des efforts pour retenir son éclat de rire habituel. L'effarement de Laura a duré de longues secondes. Maintenant elle retourne à sa position précédente et dit :

« Je te crois, presque tous les hommes aboient, même s'ils pensent être en train de parler. J'en sais quelque chose. »

Le trouble de Laura ne vient pas seulement de ce que cet énorme volume jaune lui confesse son désir d'aboyer. Il y a quelques instants, elle m'a vu passer devant le bar sans m'arrêter pour venir à notre rendez-vous. J'ai été découvert en plein hold-up ordinaire. « Le type est parti en courant quand il m'a vue accompagnée. Il ne va pas revenir. Il ne manquait plus que ça, un lâche. » Elle a la certitude que je ne reviendrai pas, mais elle ne va pas rester là jusqu'à ce que la soupe bouille. Elle ne compte pas attendre qu'on lui donne satisfaction, elle viendra me chercher et exigera que je tienne parole. Elle demande la note au serveur et un sourire illumine son visage, le premier de la journée.

« Tu aimes la cocaïne ? demande Stefan à voix basse en approchant son visage de l'oreille de Laura.

— Oui, bien sûr, qu'est-ce que tu crois ? Que tu vas m'impressionner avec ça ? Non, mais dans ce voyage je n'en ai pas besoin. Vraiment pas. Cette ville me suffit amplement pour être défoncée.

— Je sais ce qui se passe, c'est le portrait d'Isabel qui est dans le hall, tu as peur de la vieille reine d'Espagne. Moi, tu me la fais pas. Tu as peur que la reine te punisse parce que tu goûtes à la cocaïne.

— Bonne idée, c'est exactement ça, la reine... »

Les plaisanteries de Stefan n'irritent pas Laura, elle a bu plusieurs bières et la bonne humeur de cet homme inoffensif lui tombe dessus comme une pluie rafraîchissante. « Nous nous reverrons, vicieux Allemand », dit-elle avant de quitter le bar et de filer vers ma chambre. Son aspect est celui d'une jeune femme élastique qui n'hésite pas à grimper aux branches d'un arbre. Sa robe noire serrée ne descend pas au-dessous des genoux et ses cheveux retombent sur ses épaules. Elle porte des chaussures dont les talons ne sont pas très hauts. Moi au contraire, je suis toujours sur mon lit, comme si j'agonisais tandis que mon corps flotte sur un marécage, mon pantalon ne cache pas ses plis, de même que ma chemise et la veste jetée à terre. Mon pantalon froissé me déprime, il me rappelle le visage, le sourire de Mick Jagger. Deux verres de brandy, voilà sans doute un chiffre funeste. C'est un commencement qui n'est le commencement de rien, trois ou quatre verres me font passer de l'autre côté du mur, alors oui je cours, mais pas deux : nombre fatidique, début de la création, la corde à la cheville qui empêche de se déplacer. J'entends les coups discrets. J'ouvre la porte et je balbutie une phrase quelconque. Je me trouve dans une situation où pourrait arriver n'importe quelle idiotie. Et elle arrive.

« Je ne me sentais pas bien, j'allais descendre te retrouver, excuse-moi, dis-je à Laura.

— Tu aimes que les femmes viennent te chercher ? Eh bien voilà. Et maintenant, on fait quoi ? »

4

L'Internet

Cette nuit, l'hôtel Isabel a été le théâtre d'un tas d'événements, en apparence anodins, mais noués dans un filet qui risque de se rompre si on le tend. La chambre 14 est plus que jamais surveillée et le bar reçoit les visites les moins solennelles. Les bars possèdent un aimant dont l'intensité est variable : une semaine ils paraissent vides et un lundi, en milieu d'après-midi, quinze personnes s'y retrouvent pour boire un verre à la même heure ; elles se regardent les unes les autres, effrayées, et pensent : « Ce bar n'était-il pas supposé être toujours vide ? » Elles s'observent avec méfiance, mais après une gorgée survient subitement un bonheur passager, la coïncidence, le destin qui tout à coup les a mises dans le même bateau : encore ce maudit bonheur ! On est frère par coïncidence et cette sensation spontanée fait que les hommes boivent un ou deux verres dans le calme. Ensuite apparaissent les tumeurs.

« Je suis vieux, je le sais, mais vieillir a des avantages, sais-tu d'où sont venus la plupart de mes problèmes ? Du fait de parler avec vérité et de dire aux gens ce qu'ils ne veulent pas entendre. Ici on ne te le pardonne pas, ils ont tous l'air tellement silencieux.

L'honnêteté est une valeur, nous sommes d'accord là-dessus, n'est-ce pas ? Eh bien y a-t-il plus grande honnêteté que de dire les choses à l'instant où elles sortent de l'âme ? C'est une excellente méthode pour gagner à l'hippodrome, tu regardes les jarrets de la bête et tu dis : "Elle me rapportera de l'argent, elle courra pour moi", c'est évident, tu ne vas pas te mettre à regarder son palmarès, c'est ce que font les idiots, l'histoire commence le jour de la course, l'âme des chevaux gagnants se promène sur la piste et peut tout à coup s'incarner dans une rossinante pour laquelle personne ne donnerait cinq centimes. Et on se remplit les poches. Je chie sur Dieu si c'est pas comme ça. »

Celui qui parle est Miguel Llorente, le propriétaire du magasin de massepain et de touron de la rue República de Uruguay. Llorente discute avec un employé de confiance qui est venu boire un verre en sa compagnie. L'employé est jeune, entreprenant, il tente de montrer qu'il est digne de monter en grade. Il n'est pas amateur d'alcool, mais il boit parfois un coup pour ne pas donner l'impression d'être un homme ennuyeux ou prématurément aigri. Son patron, Miguel Llorente, célibataire quinquagénaire, exige qu'il prenne un verre, c'est à ça que servent les employés, à lui tenir compagnie et à écouter ses sermons. *Le Boomerang* Riaño entre dans le bar, il cherche les Maures avec ses yeux de sentinelle puis s'en va. « D'où ont bien pu sortir tous ces gens ? » se demande-t-il, mais les réponses possibles ne l'intéressent pas. Debout sur le trottoir il téléphone de son portable. De nouveau il entre dans le bar et s'installe à un endroit qui paraît réservé à son seul agrément. Riaño a gagné son siège.

Tandis que se déroule ce qui précède, dans la chambre 14 a lieu une conversation. Quatre personnes sont présentes, aucune d'elles ne crie ni ne gesticule, mais l'atmosphère est tendue. D'ailleurs, les malheurs continuent à se rapprocher, si bien que cette conversation laconique n'étonnera personne, encore moins Dieu qui a l'habitude de dormir sur un tas de cadavres : le confort avant tout. Ce soir, le centre de la ville, un ancien îlot sur le lac Texcoco, reste tranquille et la sueur des visages a séché. Juste un peu d'eau sur la figure, du savon sur le corps, et les souvenirs d'un jour parmi d'autres seront oubliés.

« Quand tu nous as demandé de travailler avec nous, qu'est-ce qui s'est passé ?

— Rien, on est là, non ? balbutie le garçon.

— Oui, mais toi tu es venu pour surveiller l'argent, pas pour vendre de la drogue ou proposer des putes à qui que ce soit. » La voix sourde de Camila reste sérieuse et sur un même registre.

Camila regrette ce qui va se passer, mais le chemin s'ouvre sur l'horizon et ne jette pas un regard en arrière : ses cheveux attachés en queue de cheval donnent à son visage rond une note masculine, mais ses jambes galbées par le bon goût du hasard ne laissent place à aucun doute. Allongé sur le lit, ne montrant aucun signe de vouloir s'en mêler, un autre homme croise les bras sur sa poitrine et attend la sentence de son compagnon. Debout, appuyé contre les rideaux, le plus âgé des quatre locataires de cette chambre se frotte le menton, essayant comprendre. Il connaît par cœur ce qui s'approche car, étant le plus vieux, il se trouve dans l'obligation de comprendre et de prédire amplement les événements. Les Grecs ne pensaient-ils pas ainsi lorsqu'ils se pinçaient le menton ? L'accusé, au contraire, un jeune homme brun surnommé *l'Internet*, ne parvient pas à contenir l'inquiétude que lui cause cet interrogatoire auquel il ne s'attendait pas.

« Non, *Internet*, on te paie pas pour vendre de la drogue ni pour faire le trafic des putes, mais pour surveiller l'argent, pour que pas un seul peso soit perdu. Ce travail doit te paraître insignifiant, surveiller de l'argent qui t'appartient pas, mais tu as accepté, je t'ai personnellement énuméré tes responsabilités et ce qui se passerait si tu nous trahissais. Voyons, combien on te paie ?

— Tu le sais, pourquoi tu me le demandes ?

— Dis-moi combien on te paie, espèce de salaud !

— Cinquante.

— Alors ? Tu gagnes dix fois plus que n'importe quel truand de ton âge. Pourquoi vas-tu vendre de la drogue à une gamine ? Ça fait du bruit, bientôt elle va venir taper à la porte. Qu'est-ce qui t'arrive, crétin ?

— Je voulais la draguer, y a pas de mal. C'est tout. C'est bon, non ?

— Je vais essayer d'éviter qu'ils te tuent, rentre chez toi et enferme-toi, parce que le bruit court déjà. Tu sais pas que *le Nairobi* a des oreilles jusque dans les urinoirs ? Prends soin de ta famille. De tes enfants d'abord. Va-t'en vite, marche jusqu'au métro Salto del Agua et là tu fais ce que tu veux. Fais attention, maintenant je peux plus te protéger. Je t'appelle dans quelques jours, réponds à personne d'autre que moi. »

Les voix s'accumulent et passent à travers la porte du bar, les trois jeunes musiciens argentins se réjouissent de ne pas être reconnus – ils se sont débarrassés des groupies ! –, une femme remercie Dieu de n'avoir pas encore quarante ans, le propriétaire de la confiserie continue à faire la leçon à son employé. Il le fait tout haut parce qu'il se fiche que ses opinions soient entendues par d'autres. Miguel Llorente dit :

« Les femmes ont des enfants, les hommes des théories, les théories sont la maison de nos enfants. Qu'est-ce que tu crois ? Nous, les hommes, nous faisons des théories pour que les murs de la maison résistent, pour que les machines fonctionnent, surtout les machines qui donnent de la chaleur, des théories pour développer le commerce, pour avoir des maîtresses, des théories et encore des théories. Tu as été en Europe ? Le froid a quelque chose à nous dire, et nous aussi. Les femmes peuvent accoucher comme des lièvres, nous, nous verrons comment inventer des théories qui justifient le troupeau.

— Beaucoup de femmes n'ont pas d'enfants, elles préfèrent faire des études, ose répondre timidement l'employé.

— Oui, mais ça n'a rien à voir, c'est une mode. Mon père croyait que le monde est simple et il agissait dans ce sens, comme si tout était blanc ou noir. La moitié du temps il se trompait. Moi, je crois que les choses ne sont pas aussi simples et je ne fais jamais confiance. Et si je dis des phrases sans les penser, c'est parce que je les ai trop pensées. Tu me comprends ? Ma sincérité a des fondements, mon âme pense et gagne de l'argent. Écoute-moi bien, parce que bientôt il y aura deux ou trois changements à la confiserie, merde, tu me donnes l'impression d'être un bon garçon, mais on ne sait jamais. Tu vois ces garçons ? (il parle des musiciens argentins, des artistes *pop* qui ont bu une bonne quantité de bière sans que cela se voie trop dans leur sourire), qu'est-ce que tu en penses ? Qu'ils sont au moins des idiots, mais non, nous devons attendre avant de les juger, de les connaître. C'est comme ça qu'on gagne dans la vie, des théories, mon ami.

L'Internet marche vite sur les dalles qui mènent au Palacio de las Vizcaínas. Il a envie de voir son fils, de dîner, de regarder un film sur l'écran plat de son nouveau téléviseur Sony. Camila va arranger les choses. *L'Internet* a une certitude : au moins a-t-il eu assez de cran pour abandonner l'obscurité de la misère, et il a de l'argent à la banque, pas beaucoup, pas autant que les chefs, mais sa jeunesse promet, demain il ira au gymnase pendant que Camila s'occupera de protéger ses arrières. Il n'est pas un voleur, au contraire. « C'est pour ça que je vends de la drogue, parce que je suis pas un voleur, je suis un commerçant. Je pourrais les voler, ils s'en rendraient même pas compte, le vieux passe son temps à roupiller. Ils le savent. Et je veux aussi avoir un autre enfant, les salauds, je vais remplir cette putain de ville de sperme. » *L'Internet* marche comme une ombre adossée à la pierre volcanique rouge, l'obscurité dans son dos, et aussi un homme qui l'attrape par le cou et lui ouvre le flanc avec un poignard. Puis un autre homme, petit – est-ce un nain ? –, achève la sentence en attaquant le ventre. Il fait nuit, un revolver ferait beaucoup de bruit, surtout à Vizcaínas, près de la place Meave, les amoureux qui s'embrassent sur les bancs de la place suspendraient leur idylle, et ça oui ce serait une honte pour tous les habitants de la ville.

Camila donne un coup de pied dans un mur de la chambre 14, l'empreinte de sa chaussure reste marquée sur la surface blanche ; le mur ne bronche pas. « Un autre va venir, dit-elle. — C'est pas la peine, pour quoi faire ? demande le plus âgé, et il ajoute : C'est pas une garderie. » Camila quitte la chambre, elle descend les escaliers et son regard tombe sur les pupilles brillantes de Pablo Paolo.

« Tu es encore là, toi ? » interroge Camila, irritée, cherchant quelqu'un sur qui passer sa mauvaise humeur. Dans ses yeux la colère contenue cherche un chemin pour se manifester.

« Je peux pas partir, Samuel n'est pas arrivé.

— Et pourquoi y a-t-il un tel chahut dans ce bar ? s'étonne Camila.

— C'est toujours pareil, et au moment où on s'y attend le moins. Je crois que demain nous allons avoir une éclipse.

— Ce qui m'importe, c'est ce qui se passe sur la terre, pas dans le ciel.

— Dans le ciel aussi il y a des planètes », ose réfuter Pablo Paolo. Ce n'est pas le bon moment. « S'il y a une vie sur Mars, pour les Martiens nous sommes le ciel.

— Dans le ciel il n'y a qu'un crétin peureux », dit Camila, et elle fait quelques pas, laissant la réception derrière elle.

L'image de la reine Isabelle la Catholique se perçoit derrière les couches de poussière qui couvrent la toile de son portrait. Camila plante son regard dans les yeux d'Isabelle. Elle soupire, une reine, les reines ordonnaient-elles aussi des exécutions ? Camila la Catholique a envie de se signer, mais elle ne le fait pas : l'argent de *la Señora* est à l'abri.

5

Vivent les Sex Pistols !

Le séjour à l'hôtel est devenu assez désagréable. C'est justement aux responsabilités embarrassantes que l'intrépide Gabriel Sandler tente d'échapper. Tout à coup un courant d'air glacé s'introduit dans son corps, orientant son esprit dans une autre direction. Il craint de ne pas avoir pris les bonnes décisions et cela l'inquiète. Il est surtout affecté par son besoin d'uriner si souvent dans la journée. À son âge, on ne doit pas accepter les maladies, impossible, à son âge on est rebelle, ou mélancolique, ou suicidaire, mais pas malade, il soupèse la possibilité d'appeler son médecin en le priant de garder le rendez-vous secret. Hypocondriaque, il imagine le balbutiement de reins fatigués, un pancréas en état d'extinction, une vessie délirante, toutes pièces sanglantes de l'art moderne, des intestins ornant les murs de son musée.

« Elle est bonne, mais je ne comprends pas pourquoi tu achètes de la drogue dans ce putain d'hôtel, Sofía. Ceux qui te la vendent te dénoncent à la police. On n'est pas bourgeois au point de ne pas savoir où on se trouve.

— J'ai pensé que tu serais content, je ne sais jamais comment te faire plaisir, je ne sais pas ce que tu aimes. Je me rends, c'est vrai, et ne va pas te mettre en colère, mais tu n'as pas besoin d'être tout le temps artiste.

— Si on frappe à la porte, attends-toi à être violée. » Sandler opprime le sexe de Sofía avec la paume de sa main.

« Ne me fais pas peur, Gabriel.

— Alors ne sois pas idiote, voyons, faisons une ligne avant d'ouvrir la porte et que quatre narcos, ou policiers, te violent. C'est pareil, tu sentiras la même chose.

— Tais-toi, idiot. Je te déteste. »

La certitude que la jeunesse ne l'abandonnera pas, un jeune décrépit éternel, c'est sûr, autrement dit l'immortalité créée dans l'égoïsme et la démence calculée, font de Gabriel un dieu tombé sur une terre où grouillent les vers, et les dieux déchus possèdent des vestales, des femmes qui sont à leurs côtés pour les consoler. Mais le jeune dieu en chute libre ne se console pas et, bien qu'il en ait besoin, il se fiche de la consolation féminine ; c'est l'unique preuve réelle et digne de foi de son règne. Le reste n'a pas de sang, pas de terre, pas de forme. Sofía n'est pas stupide, seul un aveugle ou un imbécile pourrait faire une déduction pareille, mais il est urgent de le lui dire : « Sofía, tu es une saleté organique sans cervelle, trouver de la cocaïne pour ton dieu déchu en échange du désordre du monde est têtu et parfaitement inutile. » Sandler, l'artiste véritable, n'a pas besoin d'autres preuves de la belle myopie de sa cousine, une fois suffit, cent fois suffisent, mille fois suffisent, mais une de plus ? L'assassinat à coups de couteau de l'éphémère fournisseur de Sofía, de son prétendant fortuit, n'est pas une raison pour s'affliger. *L'Internet* s'est rangé dans la file des morts, il a rejoint une armée destinée à la mort prématurée, il est logique que son tour soit arrivé, mais Sandler le dieu déchu ne parle pas pour le moment d'aventures de tuyauterie ; il se demande si ses rébellions sont infantiles, si la maturité est un état véritable, un état qu'on atteint à un certain moment de sa vie.

Faire son chemin et montrer son génie, imposer ses propres éclats de rire, être considéré comme le rénovateur, le rat le plus sensible, le plus visionnaire, qu'est-ce que cela peut avoir de virtuose ? Rien, essentiellement rien. Une ligne de cocaïne, une glace à la vanille et une bière froide l'ont mis en alerte. Le néant, Gabriel incarne le néant dans le commerce de l'art, le néant réel, impossible à représenter dans un langage quel qu'il soit, il assume le néant et son œuvre est un escalier de secours, un escalier en colimaçon qui ne s'arrête jamais, infini, et ses tennis Converse sont suffisantes pour gravir des millions de marches, mais s'échapper ? Non, en aucune manière, croire incarner le néant est vaniteux, le sujet est facile à décrire pour l'artiste Sandler, son métier consiste à créer un nouveau lieu commun, qui déplace les lieux communs les plus célèbres et les plus visités, l'art est donc cela ? Oui, un nouveau lieu commun doit en définitive scintiller dans le ciel et stimuler le pèlerinage. Une autre chose le préoccupe : doit-il s'occuper de ce qui se passe dans l'esprit d'autres artistes de sa génération, ou seulement de ce qui se passe dans son propre esprit ? Le fait que d'autres aient de meilleures idées que lui l'effraie, ce n'est pas la peine de faire des efforts si dans un autre pays un artiste travaille sur un lieu commun meilleur que le sien. Cela le décourage complètement.

« Si j'ai décidé de m'enfermer dans ce cachot, c'est pour être tranquille quelques jours, dans l'anonymat. Dois-je te fuir toi aussi ?

— Je te suivrai de toute façon, et chaque fois que je le voudrai je te retrouverai. Ce n'est pas une menace, Gabriel, c'est un pressentiment. Tu n'as pas la chair de poule ? Prenons de la drogue et oublions les idées fausses, idiot. Personne ne va entrer par cette porte, il ne va rien nous arriver… pour les siècles des siècles. La coca est vraiment bonne.

— Quand la porte s'ouvrira les mauvaises pensées partiront par un tuyau, tu verras. Nous les juifs, nous sommes capables de sentir la mort, n'es-tu pas juive ? Nous allons avoir notre propre holocauste.

— Celui qui m'a vendu la coca a le même âge que toi, mais il est plus aimable que ton chauffeur et le mien réunis. C'est vraiment un idiot. Il a essayé de jouer les séducteurs, mais c'est normal, il y aura toujours un idiot en train de dire des niaiseries pour coucher avec toi, ils sont plus nombreux que les rats (Sofía rit de sa propre remarque), elle n'est pas bonne cette cocaïne ? Arrête de te plaindre. Il m'a donné un numéro de portable au cas où on en voudrait plus, il m'en vend seulement comme ça, je dois l'appeler sur son portable. Et il m'a dit que si je le rencontre dans la rue ou dans l'hôtel, je ne dois pas le saluer. Je connais plusieurs dealers, aucun ne m'a créé de problèmes, ils me voient comme une super bonne affaire. »

Sofía est assise sur le lit. Les jambes nues croisées, tandis que sa voix douce s'ouvre un chemin jusqu'aux oreilles de son cousin, sur les genoux elle tient la pochette d'un disque qui lui sert de planche pour préparer la cocaïne, un disque de Motörhead qu'elle a dans son sac. Gabriel appuie son dos de sardine contre la tête de lit, une bière à la main. Les volets sont ouverts et un rideau vaporeux couvre la fenêtre.

Dehors, la circulation ingénue de la rue murmure comme dans un village qui a trop grandi. Si on pouvait concentrer dans un point de la ville la plainte des personnes séquestrées, brimées, assassinées, on ouvrirait un cratère assez grand pour contenir un océan.

« Hier je t'ai vu parler avec quelqu'un. Tu cherches aussi des problèmes ? dit Sofía, et elle prend la bière des mains de son cousin.

— Je le rencontre à chaque instant, hier il m'a demandé un cigare et on a échangé quelques mots. C'est un type bizarre, mais il n'est pas dangereux. Il ne vend pas de cocaïne dans les hôtels, comme tes "copains". Il s'appelle Frank, tu sais bien, plus tu es bronzé plus tu cherches un prénom pédant pour faire l'Européen. Il loge ici même et il est très aimable. Mais moi, Sofía, ma petite pute adorée, tu ne me verras jamais échanger un mot avec ces Argentins, les rockers, je vois leur tête et aussitôt j'imagine le genre de groupe qu'ils forment, ils jouent un rock bien gentillet. Je les déteste parce qu'ils ont mon âge. Tu le sais. Si je suis au lit avec toi, c'est que je commence à me sentir vieux. Vivent les Sex Pistols !

— Et tu es avec moi aussi parce que tu m'aimes, fais pas l'idiot. Quand finiras-tu par le reconnaître, sale vaniteux ?

— Oui, c'est toujours important pour les femmes. Je t'aime, bébé, je veux te raser le pubis.

— Pour moi du moins, c'est important, les autres filles, je m'en fiche, je te prépare une autre ligne ?

— Oui, et il faut sortir de ce trou. Allons boire du genièvre et nous en mettre jusqu'au cul.

— Allons où tu veux, Sandler. »

6

Éduquer les taupes

La Señora n'approuve pas la mort des jeunes. Si c'est pour les tuer, pourquoi est-ce qu'ils les embauchent ? Les jeunes, on les garde à distance, et quand ils font des bandes on achète les leaders ou on les torture un peu pour leur apprendre. Le passé de *la Señora* est une garantie de sa sagesse : il n'a pas toujours mangé des galettes salées et des sardines dans une échoppe désolée. Il a été un chef et il a fait front sur le champ de bataille, jusqu'au jour où il a vieilli et s'est converti à l'ascétisme. Peut-on être un ascète quand on a avalé tant d'immondices et commis tant de crimes ? Oui, *la Señora* en est la preuve. Il vit enkysté dans Tepito, qu'il ne considère pas comme son quartier, ni comme une patrie d'égout ou un territoire mythique. Tepito est sa forteresse, un labyrinthe qui s'étend à la fois dans son esprit et dans la géographie de ciment et de briques.

« Vous êtes vraiment des idiots, les enfants on les tue pas, on les éduque », insiste-t-il auprès de ses collègues, sa petite famille, mais les jeunes veulent de l'argent trop vite, ils n'ont ni tête ni scrupules. Ils veulent grossir le plus rapidement possible, manger dans de bons restaurants, se promener avec des artistes de la télévision, conduire de puissantes camionnettes blindées : l'histoire ne finit pas, parce que c'est comme ça qu'elle a commencé. La richesse déçoit *la Señora*, et cette déception prolonge sa vie. Il n'abrite ni rêves rédempteurs ni célébrité ; l'argent déposé à la banque de l'hôtel Isabel est du plasma pour que le monde continue son infâme travail destructeur, du sérum pour les machines humaines, pas pour *la Señora* qui, enfoncé dans son fauteuil, ressemble à un tentacule de calmar mort. Devant lui, assis sur un coussin moelleux, *le Nairobi* fume un cigare à robe sombre. Il est préoccupé.

« Je le vois comme ça, tout ce qu'on fait, c'est pour amasser de l'argent, et si on prend pas soin de cet argent, ce qu'on fait vaut rien du tout, c'est comme si un mort respirait, à quoi ça sert ? On l'a averti dès le début, mais ce salaud n'avait pas d'oreilles. Et il est mort », argumente *le Nairobi*. Le hasard a voulu que, sans le faire exprès, tous les vêtements qu'il porte sont noirs.

« C'était un enfant. Si tu peux pas les éduquer, les embauche pas.

— À son âge, beaucoup meurent d'un cancer ou renversés par une voiture. Je pense au tas d'enfants de pute qui sont pas nés, ils ont pas eu de chance, au moins *l'Internet*, lui, il a fait un tour dans ce monde, il a mangé des *tacos*, il a bu quelques verres, il a eu du fric, il a baisé des filles.

— Qui c'était ?

— Quelqu'un de Camila et Samuel. C'est eux qui s'en occupaient.

— Il faut veiller sur l'argent, pas sur des morveux. Pourquoi est-ce qu'ils les prennent si jeunes ? Pour après les tuer. » *La Señora* ne perd pas le fil de son reproche. *Le Nairobi* commence à se sentir mal à l'aise, et chez lui ce malaise annonce la peur. Il a peur de *la Señora* et il essaie de le cacher.

« Il a croisé une petite blonde et il a perdu la tête.

— Il est pas le seul, ajoute *la Señora*.

— Les blondes nous abîment le personnel, c'est le seul inconvénient de cet hôtel.

— L'inconvénient et l'avantage.

— Oui, c'est pour ça qu'on continue, mais maintenant je sais plus. Je vois la mort de *l'Internet* comme un signe.

— *L'Internet*. Mais qu'est-ce que tu racontes ?

— C'est comme ça que s'appelait le mort, bon, c'était son sobriquet.

— Arrêtez de vous donner des sobriquets, on dirait des gosses. »

Le Nairobi s'abrite dans l'arôme intense de son cigare, il se protège de l'image de *la Señora* ; quand le vieux va-t-il mourir ? Et son surnom, qui le lui a donné ? Il déteste ses manies, mais il serait incapable de le tuer. S'il le faisait, ça provoquerait une guerre qu'il n'est pas sûr de gagner. Et il a peur que la moindre envie de tuer *la Señora* ne se voie dans ses pupilles. *La Señora* a reçu des visites mystérieuses de sa famille dernièrement. *Le Nairobi* n'est pas au courant. Personne ne peut poser de questions à *la Señora*. Il faut attendre.

« Et toi, tu gardes ton argent à la banque ? » interroge *la Señora*. Il fait allusion aux banques commerciales, pas à sa chambre forte privée. Chaque question de *la Señora* équivaut à une tape sur la nuque de ses subordonnés.

« Oui, pour pas éveiller les soupçons. Les comptes sont au nom de mon épouse.

— Je veux pas la connaître, dit *la Señora*, et il regarde son neveu avec une pointe de mépris.

— Je sais, je la prends même pas en photo. J'ai acheté plusieurs camions, pour travailler dans le bâtiment. Je les loue. Ma femme est la patronne de l'affaire.

— Tuer des enfants, c'est pire que séquestrer. Ou pas ? dit *la Señora* d'un ton moqueur.

— C'était pas un enfant. *L'Internet* avait vingt ans et quelques. Vous étiez déjà chef à cet âge, vous vous rappelez ? Et vous avez évité les bêtises, c'est pour ça que vous êtes chef. Au fait, le chef Gaxiola veut vous connaître, qu'est-ce que vous en pensez ?

— Non, je veux pas traiter avec des policiers. Qu'ils te tuent et moi je m'en occupe. Depuis quand tu fumes le cigare ?

— Un vice de plus. On appelle ça le progrès, dit *le Nairobi*, et il sourit pour la première fois.

— Et ta nouvelle épouse, combien de temps elle va durer ? On a déjà été lui raconter que tu aimes les blonds ? » *La Señora* fait ainsi allusion, de façon narquoise, à Stefan Wimer.

« C'est sérieux, il va y avoir deux ans qu'on est ensemble. Je peux pas en demander plus. »

C'est alors que *la Señora*, de manière inhabituelle, pense à lui-même, ce sont à peine quelques secondes qu'il passe à s'ausculter à distance pour revenir aussitôt s'incarner dans cette unité imperturbable qui s'évanouit comme un fantôme ou frappe et tue comme une faux. Dehors, dans la cour, une fillette qui n'a pas trois ans arrache les feuilles d'une revue que sa mère lui a mise entre les mains pour l'occuper. Aux pieds de la petite, le papier détaché montre un sourire qui attire son attention, elle oublie les autres pages et s'attarde sur le visage aux dents blanches. Après avoir contemplé l'image elle se met à la déchirer avec frénésie, comme si son travail consistait à extraire chaque dent des gencives cachées sous les lèvres fines du mannequin. Dans le ciel il n'y a pas d'oiseaux et les nuages s'entrechoquent. À cet instant de compréhension personnelle *la Señora* se dit : « La vieillesse ne fera pas de moi un lâche. »

7

Laura Gibellini et le faux artiste

« Et maintenant, on fait quoi ? » demande Laura. Mais elle n'obtient pas de réponse. En réalité elle a devancé toute réponse en agissant comme si elle était obligée de prendre l'initiative pour ne permettre à personne de faire sa conquête ou de la séduire. Elle s'est introduite dans ma chambre au moment où je m'y attendais le moins et s'y est installée jusqu'à ce que, deux heures plus tard, nous laissions cette histoire derrière nous et décidions de nous mettre en quête d'un bar. Elle, pour se remettre du trouble (ou du dégoût subit) que provoque chez une femme le fait d'avoir couché avec un type inconnu. Moi, parce que je voulais me dédoubler, ficher le camp et laisser l'autre Henestrosa, cet idiot idéaliste, plongé pour toujours dans ce corps mince et fragile.

Excellente décision que d'avoir emménagé à l'hôtel Isabel, je n'y ai pas été plus d'une semaine et déjà je me sens comme si on venait de me descendre d'une croix, de me déposer en terre, ouvert. Je dois être sage et attendre. Laura partira aussi, cette nuit m'a seulement poussé un peu plus vers la fosse, ; à cela se réduit le cours de la vie lorsqu'on le traduit tout entier par un seul mot, *vie*, *bonheur*, *mort*, *maladie*, à un pas vers la fosse obscure où je trouverai un bouillonnement de substances chimiques refaisant le monde une fois de plus. L'argent manquera bientôt et, la queue entre les jambes, je devrai retourner à mon appartement à double serrure dans l'arrondissement d'Álamos, je recommencerai à tourner en rond dans mon trois pièces, à me préparer des œufs brouillés dans la petite cuisine qui est plutôt un placard sentant l'huile et l'humidité des murs. De nouveau je vais nager dans le marécage.

Je plonge la main droite dans la poche de ma veste et je tâte l'argent, comme si le pouce pouvait multiplier par deux le nombre des billets : je ne vais pas lésiner, je vais tout dépenser au cours des prochaines heures. Les sommes que j'élabore dans ma tête n'échappent pas à Laura, qui met tout de suite les choses au point : « Chacun paie sa part, hein, pas question de chevaliers errants et autres bêtises. » Mais aussitôt sa voix intérieure lui reproche : « C'est moi qui devrais l'inviter, car je l'ai presque violé, j'étais pas encore déshabillée que je me trouvais déjà à califourchon sur lui. » Et moi, renfermé à cause de la surprise, déconcerté comme je ne l'ai jamais été, effrayé, je frôle un instant l'impuissance, le mât tombé, fouet de tous les pirates. Comment un squelette aussi grand que le mien fait-il pour s'accoupler avec les petits os de la Gibellini ? Aérodynamique, lois qui ont mis des millénaires à mûrir et qui fonctionnent même dans une chambre d'hôtel.

Laura ne permettra aucune invitation de ma part, elle se sentirait décadente, il faut forniquer avec les autochtones et mettre des billets dans l'élastique de leur caleçon, c'est pour ça qu'elle est là.

« Quel temps magnifique, fait remarquer Laura (la tension se dissipe, les légers nuages de chaleur supplantent le soleil et je commence à me sentir bien), mais il ne faut pas s'y fier, le climat est devenu fou dans le monde par la faute des politiciens et de leurs laquais scientifiques. À un moment ou un autre il va se mettre à neiger en Somalie et les nègres devront porter des burnous.

— Tu rends toujours les politiciens responsables de tout ? » Je lui demande cela d'un ton jovial. Ma curiosité est sincère.

« Pas toujours, mais c'est un bon exercice. Ça me maintient en forme, qu'ils servent à quelque chose ces écœurants glands de merde. »

Nous parcourons Venustiano Carranza en direction du ponant. Dans Bolívar, nous nous arrêtons pour attendre que cesse le flux des voitures. Les magasins de sport ont fermé ou sont sur le point de le faire, un homme à cheveux blancs, debout à côté de nous, nous dit de façon spontanée : « Ils devraient fermer les rues du Centre, plus personne ne veut marcher, c'est pour ça que nous sommes le pays qui compte le plus d'obèses au monde. » Je m'étonne : eh bien, quelle surprise, encore un râleur, encore des statistiques idiotes, pourquoi veut-on me gâcher ce bonheur éphémère ? Tout le monde autour de moi parle du monde comme s'il s'agissait d'un tas de fumier. À un autre moment je serais d'accord, mais là j'ai changé d'avis. Des tas de vieux se promènent dans les rues en quête d'une occasion de bavarder. Les couples d'amoureux sont leur objectif idéal, parce qu'ils sont pressés de faire partager leur amour aux autres et que leur langue se délie à la moindre provocation ; cette fois, pourtant, l'occasion ne s'est pas présentée, la circulation s'est arrêtée et le causeur est resté sans réponse ni commentaire à ses paroles. Le large sourire de Laura me dit qu'elle est d'accord avec le vieil intrus. Quel plaisir pour elle d'entendre un pauvre vieillard déblatérer contre n'importe quoi ! Ses plaintes sont légitimes, pense-t-elle, et en plus : « Pourquoi les oblige-t-on à s'en aller de mauvaise humeur dans l'autre vie ? »

Nous avons choisi une table à la terrasse du *Salón Luz*, un restaurant étroit qui a des allures de taverne allemande. À l'intérieur, deux autres vieux mordillent un psaltérion électronique avec leurs métacarpes et je reconnais aussitôt la mélodie. Les paroles bondissent dans ma tête : « Je vais, sur la piste tropicale, la nuit pleine de quiétude, avec son parfum d'humidité. / Dans la brise qui vient de la mer on entend la rumeur d'une chanson, chanson d'amour et de pitié. / Avec elle soir après soir je suis allé jusqu'à la mer, pour baiser sa bouche fraîche d'amour, et elle m'a juré de m'aimer encore plus, sans jamais oublier cette nuit près de la mer. / Aujourd'hui il ne me reste que le souvenir, mes yeux meurent de pleurer, et l'âme meurt d'attendre. / Pourquoi s'en est-elle allée ? Tu l'as laissée partir, piste tropicale. / Fais-la revenir vers moi, je veux encore baiser sa bouche près de la mer[1]. » Nous sommes bien loin d'une piste tropicale et tout près d'un déversoir débordant de cochonneries, mais je ne veux pas me gâcher la vie, la musique est fondue

1. « Vereda Tropical », chanson de Rigo Tovar (1946-2005), chanteur mexicain.

dans ma mémoire et avec elle le souvenir d'une mère qui, parfois, faisait une trêve et chantait.

Sur l'habit de Pedro de Gante[1] tombe une lumière jaune artificielle, qui outre la sculpture de bronze éclaire la terrasse dont les tables sont installées en pleine rue, à peine protégées par une petite rambarde.

« Le vieux monsieur n'a pas perdu la tête, on ferait bien de fermer les rues du Centre, regarde comme on est bien ici », opine Laura. Sa robe sombre collée comme de l'huile sur sa peau m'incite à me concentrer sur son corps et, l'espace d'un instant, je sens de nouveau ses cuisses athlétiques, sa respiration haletante. « Moi j'irais plus loin, j'interdirais aux gens de sortir de chez eux, si je pouvais, je les empêcherais même de respirer.

— Ici, personne n'interdit rien, Laura, tout se négocie. À mon avis, les radicaux n'ont aucune chance au Mexique, ils ne trouvent chez les gens aucune matière première pour fabriquer leurs bombes.

— Les radicaux obtiennent toujours quelque chose, au moins qu'on les déteste.

— J'ai dîné plusieurs fois ici, j'espère que tu ne seras pas déçue », dis-je sans sourire. Je suis encore étourdi et ne m'en remettrai jamais. Entre-temps, j'essaie d'être aimable. Derrière l'amabilité on peut cacher même une montagne.

« Ça va, si tu dis que c'est bon, ça l'est, et voilà. La moitié d'un bon repas, c'est l'eau froide. Impossible

1. Pedro de Gante (vers 1480-1572), Pierre de Gand en français : moine flamand, premier évangélisateur du Mexique, connu pour sa lutte contre les exactions des colons espagnols et pour la défense des Indiens.

au Mexique, tu dois supplier pour avoir un peu d'eau et en plus on te la fait payer, je déteste ces foutues petites bouteilles en plastique, on les trouve partout. Tu demandes de l'eau et tu as l'impression d'être une délinquante, les serveurs te regardent et ils pensent : "Celle-là, elle n'a pas d'argent, elle vient juste occuper un siège, qu'elle retourne donc dans son pays." J'exagère, c'est partout pareil, mais bon, le pire des endroits est celui où tu te trouves. »

Les tables voisines se remplissent tout de suite après que nous avons commandé une bouteille de vin et de l'eau, surtout beaucoup d'eau. Je jette un coup d'œil à la clientèle. Il y a de tout, mais mon attention est attirée par trois garçons qui boivent de la bière en se disputant le pain bis tartiné de moutarde, des étudiants de l'Université ibéro-américaine ou de l'Institut technologique de Monterrey, la barbe négligée et les jeans troués, mais une seule de leurs chaussettes vaut plus que ma veste, mince, chaque mode me tombe dessus et m'enterre un peu plus, mais comme Laura est à côté de moi je ferai comme si je n'avais rien vu. Les étudiants paraissent un peu soûls, les futures sangsues, surtout le rouquin qui a des favoris et se distrait en furetant de ses yeux de fourmi du côté des tables voisines ; ah si j'avais pu aller étudier à l'étranger, apprendre des langues, être jeune pendant ma jeunesse ! Ces étudiants sont là pour me donner le sentiment que je fais partie de la domesticité ; si l'on organisait un match de football entre les serveurs et les clients je jouerais dans l'équipe des serveurs, et en plus on perdrait trois à un. Laura ne leur prête aucune attention. L'un d'eux l'observe de manière insolente, ce sont donc aussi des séducteurs ?

Bien sûr, et leurs pantalons valent trois vestes comme la mienne, trois buts à un. Mais ce soir la chance est de mon côté : la table qui nous sépare des jeunes faucons est occupée, empêchant tout contact visuel. La paix.

Je palpe de nouveau les billets dans ma poche. Je demanderai plus d'argent au *Boomerang* Riaño, peu importe en échange de quoi, je lui inventerai une histoire, je m'humilierai. J'ai découvert deux délinquants qui se promenaient à la réception de l'hôtel, je sais que la nuit ont lieu des mouvements qui sortent de l'ordinaire et que Samuel est un mafieux de peu d'envergure ; comme si je n'avais pas vécu toute ma vie au milieu de ces ordures. Que l'absence de classe me semble pathétique chez les truands ! Mais il ne s'agit pas d'un roman, il s'agit d'une réalité qui ne laisse pas de place au doute, les criminels sont des hyènes, pas des acteurs italiens, ce sont des rongeurs, pas des vieillards romantiques respectant des codes inventés par des scénaristes, des écrivains ou d'autres. Les écrivains sont coupables d'en faire des personnages et de leur donner une aura de mystère. Des criminels on ne peut attendre que vexations, grognements et violence, il serait ingrat d'exiger autre chose de leur part, une esthétique ou une belle cause. En ce qui concerne Camila, cette femme n'est pas une domestique, comme l'est assurément Flora, elle ne travaille pas à l'hôtel uniquement pour faire les lits ou nettoyer les escaliers : elle a été dans la police ou alors indicateur. La question est : vaut-il la peine de faire part de mes découvertes à Riaño ?

Mes yeux ne voient pas aussi loin que ceux du *Boomerang*. Je soupçonne que derrière Riaño se cache plus d'un chef. Un homme comme Riaño a besoin d'une ombre pour devenir réel. Drogues ? C'est possible. Commerce de prostituées ? C'est quelque chose de secondaire. Le blanchiment d'argent dans un petit hôtel est une hypothèse absurde, quoi d'autre ? Séquestrations ? Non, il est scandaleux et peu courant d'enfermer la victime dans un bâtiment aussi central, mais il ne faut pas l'écarter ; ils gardent de la drogue, c'est ça, des ballots de cocaïne sous le lit, c'est tout, ou des paquets d'argent; et tant de mystère pour une niaiserie pareille ?

Laura refuse de se montrer intéressée par moi, à quoi bon ? Combien de temps durera chez elle la sensation de la chair brune pénétrant son corps ? Si je dormais avec mon pénis en érection elle serait plus heureuse qu'une princesse, elle éviterait les mouvements brusques, le stupide va-et-vient des hanches, les regards extasiés, l'échange de salive : le mouvement primitif « entre et sors » serait banni, à sa place ne resterait que l'épée enterrée dans une pierre d'ambre. Je suis maussade. Quand une personne parle, elle ne sait pas ce qu'elle dit, c'est comme ça, on parle parce qu'on est un idiot, le langage est la preuve que rien ne ressemble à rien.

8

Miguel Llorente, le conservateur

Wimer a trouvé un moment de repos et pour la première fois depuis son arrivée au District fédéral il a dormi quinze heures d'affilée. Son humeur est encline à l'enthousiasme, la lassitude a été exilée dans une autre vie. Parfois, quand la fatigue le rend mélancolique, il se souvient des crépuscules de Berlin à quatre heures de l'après-midi, des gelées sadiques de janvier, de la mauvaise humeur des Berlinois en mars après sept mois de grisaille. « Je préfère le District fédéral, même si je meurs plus jeune. » Le ventre de la mère est une grotte glacée, et c'est pour cette raison que Wimer rit avec une telle fureur. Tout lui est sympathique. Y compris le vendeur de touron, Miguel Llorente, qui de nouveau prend son temps pour faire le pédant devant le patron du bar, son employé et deux musiciens argentins. Ces musiciens ont fait du bar leur refuge où se détendre entre deux rendez-vous pour la promotion de leur disque ; leur agent a vu juste, l'Isabel est l'hôtel idéal pour leur tranquillité. Les musiciens s'approchent du monsieur de la confiserie et ils l'écoutent, attirés et déçus à la fois. *La Chica* Lomelí ne tardera pas à venir chercher Wimer. Quelle excitation quand une femme vient vous chercher à votre hôtel, que peut-on demander de plus chic ? Stefan a passé une partie de son temps à parcourir la ville, guidé par son instinct il a voyagé en métro à des heures où les animaux eux-mêmes protesteraient. Il refuse de prendre des photos, car le passage des ans fait de ces images des objets amers. Il garde deux images de sa famille ; les autres, il les a vendues à un brocanteur du petit marché aux puces de Rathaus Shöneberg : un paquet de soixante photos pour cinq euros. Quand l'acheteur lui a demandé ce qui lui faisait penser que ces images possédaient une valeur au-delà de celle subjective, Wimer a répondu qu'il avait assassiné toutes ces personnes et que tôt ou tard la police offrirait beaucoup d'argent pour les avoir. Le marchand n'a pas trouvé cette histoire drôle, mais il les a tout de même payées cinq euros, car bientôt apparaîtrait un autre idiot prêt à payer trois fois plus pour se faire une nouvelle famille.

Wimer est fatigué de fureter dans Santa María la Ribera, Polanco, Tacuba, Roma et autres alentours. Il sait que cela n'étoffera pas sa culture : les pyramides l'effraient autant que la porte de Brandebourg ou le Reichstag, des sanctuaires de fous, des monuments élevés au prix de millions de colonnes vertébrales. S'il faut choisir, Wimer penche pour les tavernes où boivent les personnes ordinaires. Il est saisi par la nostalgie d'un monde simple : le monde d'avant la dispersion. Les voix dans le bar s'élèvent, elles n'ont pas spécialement envie de chanter des hymnes ; les oreilles ouvrent les portes à n'importe qui et les regards s'enchevêtrent : arrive ce qui arrive, rien de nouveau.

« Je regrette, jeunes gens, mais je suis un conservateur, dit monsieur l'entrepreneur Miguel Llorente, propriétaire de plusieurs confiseries. Être un conservateur, de nos jours, a plus de sens que vous ne l'imaginez. *Conserver* est un verbe que vous appréciez sûrement : conserver son apparence, conserver les personnes qu'on aime, sa santé, son argent. Est-ce que je mens ? Non, messieurs, la vérité de mes paroles est évidente.

— Conserver les injustices et les religions, ce mot peut s'utiliser dans n'importe quelle intention. Toi tu milites à droite, c'est autre chose », dit le bassiste aux cheveux blonds, de Buenos Aires. La bière à la main, il parlait d'une voix douce, dépourvue de tout esprit revendicatif.

« Non, absolument pas. Tu ne me connais pas et tu me penses de droite. Je suis conservateur, ce qui n'a rien à voir avec être de droite. Moi, les avant-gardes, le progrès et autres sobriquets que les gens utilisent pour te passer dessus ne me convainquent pas, mon garçon. Si conserver la vie n'est pas ce qu'il y a de plus urgent pour les êtres humains, alors je n'ai rien compris. »

M. Llorente porte une veste dans les tons ocres, une chemise blanche. Sa cravate est comme la corde sur le point d'être serrée par un bourreau somnolent. Le patron du bar ne prend pas la peine de lui demander s'il veut un autre verre et, toutes les demi-heures environ, dépose un whisky sur le comptoir. Il connaît les manies de son client et ne se trompe pas lorsqu'il prédit que le chef d'entreprise va sortir son portefeuille pour montrer fièrement une image de saint Jude Thaddée et trois minuscules scapulaires.

« Les voici, regardez, je ne cache pas mes croyances, loin de moi cette idée. Ce saint est le plus miraculeux de tous. De quoi parlions-nous ? Conserver ne veut pas dire rester tels que nous sommes, vous êtes des artistes, non ? Alors nous pouvons parler à un certain niveau. Votre bonne éducation saute aux yeux. Et ne venez pas m'inventer que vous êtes du quartier populaire de Boca, je parie que vous avez fait vos études chez les jésuites.

— Je suis musicien et je ne sais pas ce que je ferai demain, signale le bassiste, je respecte les vierges, les saints et les putes. Ce qui m'énerve, c'est qu'au milieu de tant de pauvreté on s'obstine à conserver les choses telles qu'elles sont. Avec tout mon respect, *che*, si on vient au monde, c'est pas pour supporter des injustices et autres idioties. Et qu'importe que tu sois né à Boca ou dans un arbre du parc de la Recoleta, conserver les injustices est une idée de connard.

— Je suis d'accord avec ça ! s'exclame le plus jeune, qui a tout juste vingt ans et porte une salopette noire couverte d'autocollants.

— Et moi aussi, renchérit le chef d'entreprise. Si quelqu'un lance des phrases comme celle que tu viens de prononcer, c'est pour que nous soyons tous d'accord. Qui se réjouit de la pauvreté ? Je fais des tourons, des friandises que peu de gens achètent, c'est pas des friandises bon marché, car les ingrédients sont de bonne qualité, je paie bien mes employés, je suis catholique et je veux le rester jusqu'à la fin de ma vie. Je suis un conservateur, je le répète. Et en plus je vous offre une tournée de ce que vous êtes en train de boire. La première chose que nous devons faire, c'est révolutionner nos goûts. Le reste changera tout seul.

— Je dirais la même chose, répond le bassiste d'un ton goguenard en jetant un coup d'œil assassin à la veste du chef d'entreprise. J'ai un oncle qui fait des macarons, une bonne personne, *che*, mais il a dû fermer boutique parce que pendant la crise la banque lui a pas rendu son argent, tu vois, l'argent qu'il avait économisé toute sa vie.

— Donne-moi les coordonnées de ton oncle, je voudrais exporter mes tourons à Buenos Aires.

— Mon oncle ? Il est mort. Maintenant il vend des bonbons dans l'au-delà.

— Je suis désolé. Il est sûrement parti avec une mauvaise impression de ce monde. Et il avait raison. Avant, les banques étaient plus fiables.

— Des bonnes à rien, voilà ce qu'elles sont.

— Les banquiers et les dictateurs, je les expédie tous en enfer », ajoute le plus jeune, les dents serrées, comme s'il réfléchissait tout seul. Il retrouve aussitôt son calme.

« Les dictateurs ne sont pas si mauvais », lance tout à coup Llorente. Son envie de discuter augmente, pas seulement pour passer le temps ; il veut absolument montrer à ces jeunes progressistes qu'ils peuvent être aussi rétrogrades qu'un catholique. « Si on respecte les libertés et qu'on lutte contre les assassins, qu'est-ce que ça peut me faire qu'un type gouverne cinquante ans ? L'important, c'est qu'il fasse bien son boulot.

— Je vous le disais pas ? Vous êtes plus fasciste que Mussolini. Quel goût ont vos tourons ? Le goût de la mort.

— Au Mexique nous avons la démocratie depuis quinze ans et nous sommes plus mal en point qu'aucun autre pays. Vivent les idiots ! C'est le cri de bataille de notre époque, mes garçons, et je ne m'emporte pas, il est plus facile aux criminels de gouverner dans les démocraties que dans une monarchie. Vous voulez des exemples ?

— Monarchie ? Vous êtes de plus en plus cynique. Maintenant, vous allez nous montrer la photo du roi.

— De saint Ignace de Loyola ? Non, celle-là je l'ai chez moi. »

Des conversations aussi banales que celle qui précède fusent ce soir dans le bar de l'hôtel Isabel. Quelque chose flotte dans l'atmosphère, dans l'air tiède qui stagne sur le Centre historique, les effets d'une chimie létale se font sentir dans les âmes. *La Chica* Lomelí elle-même se vante devant Wimer de l'époque où elle était adolescente.

« Tu me trouves jeune ? Même à la prison j'ai pas vieilli.

— Peu m'importe ton âge, les hommes qui se soucient de l'âge des femmes sont idiots ou médecins, réplique Wimer.

— C'est la première fois que je rentre dans ce bar, mais je connais le réceptionniste ; celui-là, il en a tué plus d'un. Mais là il dit pas un mot, cet hypocrite a fait semblant de pas me connaître quand je l'ai salué », chuchote *la Chica* à l'oreille de Wimer.

Sans le savoir, *la Chica* Lomelí vient de condamner l'étranger. On ne fait pas ce genre de commentaires à la légère. À quoi a-t-il servi de faire de la prison à Lomelí ? Elle a des remords, mais trop tard. Et elle change de sujet. Je m'apprête à prendre un dernier verre avant de m'installer confortablement dans ma chambre et de me convaincre que quelque chose qui ressemble à un destin a montré le bout de son nez dans le cratère malodorant de ma vie actuelle. Laura a préféré aller dormir dans sa chambre. Elle a peur de provoquer la nuit de cette ville, de continuer l'histoire et de se retrouver enceinte de cette méchanceté que l'on respire depuis les pierres les plus profondes des pyramides ensevelies : elle ne va pas engraisser de son sang les marches du Grand Temple. La Gibellini commence ses journée à sept heures du matin, et la bouteille de vin que nous avons bue au *Salón Luz* a réduit ses forces. Dans son vagin se concentre une sensation de vide qui monte jusqu'à ses aisselles et mutile ses bras.

Et *le Boomerang* Riaño ? Il ne pouvait pas s'absenter de la petite soirée, encore moins maintenant qu'un nuage noir arrive des royaumes du nord pour se poser sur l'hôtel qu'il doit surveiller d'un regard de coyote. Il me fait un clin d'œil. Il veut que je l'accompagne au milieu de tant d'inconnus. Il ne supporte pas la rengaine du marchand de touron. « Il est espagnol ou il est pédé ? » se demande-t-il.

« Assieds-toi, *l'Artiste*, tu domines bien les environs, hein ? demande Riaño quand je m'installe, et il fait un signe avec le pouce pour qu'on lui mette un dernier coup sous le menton.

— Je quitterai bientôt cet hôtel, *Boomerang*, mes vacances se terminent.

— Comment tu trouves la faune ?

— Je ne peux pas voir plus que ce que tu vois et sais toi-même.

— C'est possible, en fait ce que tu vois m'intéresse moins que ce que tu peux imaginer. Toi, en réalité, tu es écrivain, Henestrosa, c'est pour ça que tu as pas pu t'adapter aux journaux, ils doivent te faire l'effet de latrines.

— On n'a pas déjà eu cette conversation ?

— Moi, au contraire, un second rôle me convient très bien, ça m'est égal que le directeur du journal m'appelle à trois heures du matin et m'ordonne d'interviewer la pute avec laquelle il couche à ce moment. Des bruits courent sur ton arrogance, mais je respecte le talent, *Artiste*. Bien sûr que je le respecte. Maintenant, avoir des couilles et du talent, je vois guère que Díaz Mirón.

— Je n'ai rien vu de précis. Il est évident qu'il se passe des choses dans cet hôtel, mais j'ai réfléchi et il vaut mieux que je ne t'en dise rien. Juste des hypothèses. Dès que je réunis les pièces, je t'avertis, chef.

— Tu connais la femme qui est avec le blond ? » demande Riaño, et j'observe discrètement *la Chica* Lomelí. Ses chaussures rouges sont le point de mire des regards des hommes.

« Combien y en a-t-il comme celle-là ? Je ne l'avais jamais vue. Elle ressemble à ce que nous avons toujours été. Elle est debout devant ce comptoir depuis cent ans. Celle-là, c'est la complice ou la maîtresse d'un flic.

— Des narcos ?

— C'est pareil. Des compatriotes, qui fait la différence aujourd'hui ? Mais tout me paraît sous contrôle. Chacun fait son boulot. »

C'est le moment d'impressionner *le Boomerang*. Si je ne le fais pas je devrai rentrer chez moi et commencer à organiser ma vie pour les prochains mois. J'ai certaines offres, rien de dramatique, juste rédiger, écrire les discours d'un fonctionnaire, c'est ce que je préfère, écrire des discours pour que les politiciens se montrent, trompent et avancent en couvrant le sol de leur bagout. Je n'ai aucun remords. L'argent reçu en échange d'un bon discours me permettra de connaître une autre Laura Gibellini : chaque fois qu'un de ces cochons montera à la tribune pour lire ses feuillets, Frank Henestrosa rencontrera une nouvelle Gibellini.

Je n'ai pas fait un mauvais calcul, *le Boomerang* Riaño semble un peu déconcerté à présent. Il doit reprendre le contrôle et ne pas me permettre de m'approprier un terrain qui ne m'appartient pas.

« Il n'y a rien, les propriétaires de l'hôtel sont des amis à moi et ils ont des soupçons sur quelques malfaiteurs, c'est tout. Si tu veux commencer à soupçonner tout le monde, achète un hôtel ou un bar. Pourquoi tu restes pas quelques jours de plus ? T'inquiète pas pour la pension, elle est couverte. Quand tu auras réuni les pièces dont tu parles, tu m'avertiras, tu me raconteras ton histoire. Et on sera quittes. »

9

Stefan Wimer et *le Nairobi*

Wimer sait que les tentacules de cette ville – ce n'est pas pour rien qu'il l'aime – vont bientôt s'enrouler autour de son cou. Est-ce donc ce que cherche cet ivrogne d'étranger ? L'aventure, ce n'est ni l'euthanasie ni mettre la tête dans la gueule d'un chien, c'est survivre sur la rive jusqu'à ce qu'on meure de vieillesse. Qui, maintenant, va expliquer à ce Germain aux cheveux dorés et à la chair molle, à cette saucisse aventurière, qu'il ne touchera pas le fond au District fédéral, que la chute est sans fin, que son cœur est nécessaire pour la progression du Soleil et pour qu'une horde d'hallucinés se réconcilie avec ses dieux sanguinaires ? Personne de mieux indiquée que *la Chica* Lomelí pour lui montrer qu'on ne peut atteindre l'autre rive. La méchanceté de Wimer est plus rationnelle que souterraine et il est probable qu'il organisera une armée pour dominer le monde, mais il ne connaît pas la malice qu'inspire le sang.

Le Nairobi sera le premier à savoir que son camarade allemand se fait accompagner de personnes des bas-fonds et il prendra ses décisions. Il n'y a plus qu'à prier. Pour le moment, son affaire de camions de transport le fait apparaître comme un homme installé dans la légalité, un homme d'affaires honnête et travailleur. Les criminels sont les plus aptes à créer des entreprises au Mexique, car ils connaissent à fond la corruption et les fonctionnaires les respectent, ils sont les seuls véritables citoyens de notre pays. Pour donner le change, *le Nairobi* a acheté il y a quelques mois une maison dans l'arrondissement d'Escandón, une bâtisse à l'architecture originale, avec de grandes fenêtres, des volets élégants, une porte d'entrée en bois, des caves. Elle a en plus un détail qui le met pour un moment du côté des gentils : elle respecte l'architecture du début du XXe siècle. *Le Nairobi* s'imagine réincarné en un ministre de don Porfirio[1], mais cet homme ne connaît que l'histoire qu'il fait lui-même. À la différence de *la Señora*, *le Nairobi* a l'obligation de se tromper une ou deux fois dans sa vie. Sa maison d'Escandón donne certes l'impression d'être la demeure d'un maître. Le seul accroc, ce sont ces voitures importées qui entrent et sortent par le grand portail d'entrée, les camionnettes blindées de ses subordonnés, tous les indics et lèche-cul qui croient rendre service au patron et rôdent autour de la maison avec des ruses de buses. Trop de spectacle chez *le Nairobi*. Il n'apprend rien, il refuse de manger des sardines et des galettes salées sur un siège en plastique, comme son patron. Les voisins de la rue Salvador Alvarado se doutent que les narcos ont pris la place et ils se résignent, ils ne peuvent rien faire. Dénoncer ? C'est ridicule, je vous en prie, les patrouilles de police viennent de temps en temps

1. Porfirio Díaz (Oaxaca, 1830-Paris, 1915) : président du Mexique de 1876 à 1911.

présenter leurs respects dans cette maison, un ou deux députés rendent des visites pour toucher un chèque, dénoncer qui ? Le pays entier ? Quel pays ? Tout a été corrompu en 1910, au moment où la Révolution a éclaté. *Le Nairobi* vient de temps à autre dans sa grande maison d'Escandón, il donne des instructions et sort à pied par une porte qui donne dans l'avenue Patriotismo. Comment font ces voleurs pour s'ouvrir un chemin ? Si les moines construisaient des couvents dans les montagnes de l'État de Guerrero, que ne vont obtenir ces hommes sur un sol pavé, avec des services urbains et la police à leur disposition, des augustins de Tierra Caliente[1] en quelque sorte. Les analogies peuvent continuer, toutes sont acceptables. Le gentilhomme propriétaire d'une maison porfirienne ? *Le Nairobi* a vu un film de trop. Il le paiera : chaque chose en son temps.

Le lendemain, *le Boomerang* fait le récit des événements récents. *La Chica* Lomelí a parfaitement reconnu Samuel et *le Boomerang* Riaño, elle a fait un dessin abstrait mais précis de la situation. Il est temps de chercher une autre chambre forte.

« Et cette Lomelí, qui c'est ? s'intéresse *le Nairobi*.

— Elle a fait du trafic, et quelques années de prison. Il est probable qu'elle travaille pour les cousins de la Roma, elle change pas de direction. Elle se prend pour une grande dame, mais c'est pas grand-chose. Quand tu la verras, tu la reconnaîtras à sa cicatrice au cou, dit Riaño, satisfait de servir son patron.

1. Tierra Caliente : l'une des sept régions géographiques et économiques de l'État de Guerrero, au sud du Mexique.

— Putain de blond, d'où est-ce qu'il a tiré cette louve ?

— Samuel dit que la Lomelí a fait cinq ans de prison pour assassinat. Elle a connu Camila en prison.

— Si elle revient par ici, que Samuel s'en occupe. Et mets-toi à la recherche d'un autre petit hôtel. Je commence à compter les morts.

— Quelle zone vous plaît, patron ?

— Je voulais pas sortir du Centre, la protection, tu sais bien... pour ce que nous sert la putain de protection de Gaxiola. J'avais déniché un endroit dans Belisario Domínguez, mais beaucoup de prostituées y crèchent, ça fait pas l'affaire. Cherches-en un près de l'ambassade américaine. Pour voir les gringos depuis la fenêtre.

— À tes ordres, *Nairobi*. Et l'Allemand ?

— Rien, qu'est-ce que tu crois ? Celui-là j'en fais mon affaire. C'est une bonne personne, en plus il est étranger. Nous devons bien le traiter, ou alors quoi ? Si tu le tues les journaux commenceront à fourrer leur nez dans nos affaires. »

10

Gloria Manson : acheter l'avenir

Gloria Manson est assise et feuillette un journal tandis qu'on lui lustre ses bottes à talon. Le cireur de chaussures n'est pas offusqué que ces jambes nues se prosternent cyniquement, comme ça, à quelques centimètres de son visage. Il gagne de l'argent pour nourrir ses enfants et il fait en sorte que son regard ne s'échappe pas au-delà des genoux qui effleurent le bord des bottes. Mais la présence en elle-même est troublante. La chaise surmontée d'un auvent sur laquelle s'assoient ses clients est installée dans la rue Isabel la Católica, près de l'hôtel du même nom : dans le voisinage, tout porte le nom de l'ancienne reine de Castille. Gabriel Sandler passe près de Gloria et sourit, il est un peu étourdi à cause des substances qu'il a consommées et se dirige vers le débit de vins pour acheter une bouteille. Gloria lui rend son sourire en y ajoutant un clin d'œil. La fidélité, quel absurde imbroglio, la Manson tente de s'assurer qu'elle attire encore un beau jeune homme comme l'artiste Sandler. Elle vénère Davison même si elle donne son corps à un autre homme qui, si l'on fait correctement les comptes, pourrait être son fils. Il n'y a que quinze ans d'écart, mais se mettre au lit avec un fils implique une obligation psychologique incontrôlable pour certaines femmes mûres. Sandler reçoit le message et offre ouvertement : « Je vais acheter du vin, tu veux quelque chose ? — Qu'est-ce que tu vas prendre ? — Du vin blanc, c'est juste une envie, il fait chaud. »

C'est le bon moment pour une aventure : sa cousine Sofía est partie chercher d'autres provisions. Davison ne sort pas de sa chambre et ne permet pas que la femme de chambre fasse le ménage. Les hommes ont droit à un colophon, à une épitaphe rédemptrice, à un rôle extraordinaire quand la vie semble dégringoler au bas de la pente. C'est possible, mais existe-t-il quelqu'un d'assez stupide pour croire à ces paroles ?

Quand Davison se montre abattu, Gloria Manson se plaît à émettre des signaux lumineux qui invitent à son entrejambe. C'est comme si certaines femmes flairaient la lâcheté, qu'elles la détestaient et faisaient tout ce qu'il faut pour passer par-dessus les hommes qu'elles aiment, juste parce qu'ils ont fait preuve de lâcheté. Davison ne va pas apprendre la leçon ni s'apercevoir de quoi que ce soit ; à quelques mètres de sa chambre, à quelques murs de distance, sa femme va forniquer avec le jeune Sandler. S'il le savait il en serait reconnaissant, car c'est un homme bon et généreux. « Un homme ne peut pas tout être pour une femme, depuis quand en est-il ainsi ? » se demande la Manson sans le formuler en mots : elle l'accepte et veut incarner le tout plus la différence, et la différence, c'est de caresser un nouveau pénis avant d'être vieille, se laisser monter et prier pour que ça ne finisse jamais : rien d'autre. La même stupide rengaine :

le temps, le temps vient et les brebis courent se cacher ! La Manson ne se connaît pas elle-même, elle voudrait s'arrêter, penser et retourner dans sa chambre. Davison a perdu le sourire depuis son rendez-vous avec Tomás Gómez, son agent. Le roi du sous-vêtement, le héros sympathique des cent publicités est triste. Gloria va le punir, sa maîtresse de l'école primaire va lui donner de bonnes tapes sur la nuque parce qu'il est distrait en classe.

« Tu veux du champagne ? Moi ça m'est égal, ma cousine est partie faire des courses et elle rentrera ce soir. » C'est Sandler qui pose la question, lui il sait comment remettre les choses à leur place, non ? Vous pouvez le demander à tous les curateurs et tous les collectionneurs du monde.

Le cireur de chaussures veut tourner la tête afin de jeter un coup d'œil au propriétaire de cette voix aiguë et arrogante, mais il doit rester prosterné. « À qui peuvent bien appartenir ces bottes ? se demande-t-il. À une actrice ? Un mannequin ? J'ai déjà vu cette figure à la télé. »

« Je n'aime pas le champagne, mais un whisky appelé "la discrétion", tu connais ? Dans une heure je peux me tromper de chambre, je suis distraite, mais seulement, bien sûr, si la porte est ouverte. »

Le cireur de chaussures n'écoute pas, il préfère lever un peu les yeux pour découvrir la lisière de la culotte blanche, un instant, pas plus, et sa mémoire dormira satisfaite. Gabriel continue jusqu'au débit de vins situé à l'angle des rues Uruguay et Bolívar. Devant le comptoir il demande deux bouteilles de vin blanc ainsi qu'un whisky *Etiqueta Negra*. Du néant apparaissent soudain les bras de sa cousine qui entourent sa taille. Sofía l'a suivi et sa pâleur se détache dans la pénombre du local mal éclairé. Ils ont passé plusieurs jours enfermés et elle l'informe qu'elle va s'acheter des vêtements et encore un peu de « futur ». Elle ne va pas raconter à son cousin que l'une des femmes de chambre de l'hôtel lui a recommandé un autre fournisseur. Ce n'est pas la peine de le mettre en colère. Tout se fera en secret. *L'Internet* a laissé des instructions avant de s'en aller vivre en dehors de la ville. Il a demandé à Camila de se charger des affaires rapport à *ça*. Un bon gars, cet *Internet*. De nos jours personne ne peut se méfier d'un type qu'on surnomme *l'Internet*, déduit Sofía. Aujourd'hui, la compagne de l'artiste Gavrilo a envie de fumer du crack. Elle désire plus d'action et Camila lui a dit où en acheter ; d'où est sortie cette Camila, amie de *l'Internet* ? Pourquoi est-elle si aimable et semble-t-elle si bien connaître ses désirs, se demande Sofía. Au diable les réponses, les femmes s'entendent entre elles, elles prennent soin les unes des autres, comme dans les toilettes quand une tache de menstruation mouille leur jupe ou leur pantalon, et qu'aussitôt elles sont alertées par d'autres femmes effrayées à l'idée de vivre la même expérience. « Demande *le Lapin*, à cette adresse. Tu seras traitée comme la reine que tu es », voilà ce qu'a dit Camila.

« Acheter des vêtements ? s'étonne Gabriel. Si tu attends demain je les choisirai pour toi. Tu n'as aucun goût pour t'habiller.

— Habillée par Gabriel Sandler ? Dans quel musée vas-tu m'exposer ? D'accord, tu te chargeras de mes vêtements et moi du reste, compris cousin ? » lui chuchote Sofía à l'oreille, joueuse. Personne ne l'arrêtera sur le chemin de Tepito d'où elle reviendra, pense-t-elle, avec deux belles pierres de crack, et peut-être quelque chose en plus.

« Combien de temps seras-tu absente ? demande Sandler, l'artiste à qui tout tombe du ciel. Je croyais que tu allais chercher des affaires chez toi.

— Je serai de retour dans deux ou trois heures, garde-moi un peu de whisky, et moi je te rapporterai un cadeau, ma vie.

— Ma vie ? D'où sors-tu ces foutues expressions ? Putain de gamine. Tu parles comme une dame.

— Voyez-moi ça. »

11

La fuite

Les propriétaires de l'hôtel ne vivent pas au Mexique ; les comptes leur sont transmis par un bureau d'administration dirigé par un avocat qui voit l'hôtel Isabel comme une chose curieuse : comment peut-il aussi bien marcher avec si peu de gens à son service ? se demande cet avocat. Deux réceptionnistes, trois femmes de chambre, un plombier qui porte aussi les bagages, des employés occasionnels. Quand on a nommé un gérant, il n'a fait que compliquer les choses et il a d'ailleurs disparu de façon mystérieuse. Une bonne partie des chambres sont fermées, mais les ouvrir supposerait un investissement, plus d'employés, plus de femmes de chambre, rien de tout cela ne garantit que ce sera une bonne affaire. Le restaurant et le bar sont loués à des particuliers, Pablo Paolo rend des comptes à Samuel, Samuel rend des comptes au fondé de pouvoir, le fondé de pouvoir rend des comptes aux propriétaires, dont on sait seulement qu'il s'agit d'un couple de vieux Catalans que personne ne connaît personnellement.

Quand il n'y a pas assez de clients, Samuel gonfle un peu les gains réels afin de ne pas éveiller les soupçons. À une époque de consortiums transnationaux, de chaînes hôtelières et de succursales intelligentes, le modeste hôtel Isabel rapporte cent fois plus que le coût de son entretien. Il n'a pas cet air décadent qui induit la mélancolie, mais au moins ses pierres sont nées du sol et son style colonial révèle qu'il n'est pas un intrus au centre de la ville. Il vit pourtant l'une de ses pires époques, car *le Nairobi*, Riaño et leurs troupes ont fermé un étage pour y déposer de l'argent ainsi qu'un certain nombre d'armes. Personne ne se douterait que l'hôtel fonctionne comme une banque surveillée par une dizaine d'yeux expérimentés, encadrée par trois gangsters obéissants. Cette situation provoque une atmosphère trouble qui devient plus oppressante au fur et à mesure que les jours passent. C'est quelque chose que j'ai découvert sans effort. Tout est à la vue de l'imagination. Les étrangers dorment dans leurs chambres et ils ne perçoivent pas la méchanceté parce que, je le suppose, ils ne sont pas venus dans cette ville pour y souffrir, mais pour y vivre des aventures, pour y être plus heureux et plus sages qu'avant. Leurs sens s'orientent donc vers le plaisir et ne prêtent pas attention à la laideur qui suppure des sous-sols.

Que m'importe à moi comment fonctionne ce tas de pierres. Ce que je tente de cacher, c'est le fait qu'une fois de plus je me retrouve seul. On ne peut pas aller contre ce qu'on est ; si Laura a décidé de partir, c'est qu'elle n'a rien trouvé en moi d'attirant. Je veux dire rien qui éveille chez elle les doutes ou le mystère. Ce que je suis est justement ce qu'elle ne désire pas. Toutes les élucubrations érotiques que j'ai élaborées dans ma solitude après que Laura a quitté ma chambre se sont évanouies en un instant. Je suis redevenu le porc que j'ai toujours été. Je ne peux même pas me réjouir d'être de la matière vide, un creux, parce que mon ventre grossit, de même que la conscience de *ne pas avoir existé*, quand je vois une femme je ne peux m'empêcher d'inventer de mauvaises histoires, et il me plaît encore de manger et de boire du cognac.

Gibellini s'est levée très tôt. Elle a fait ses bagages et payé la facture à un Pablo Paolo effrayé qui a osé lui demander la raison de son départ précipité.

« J'en ai assez, je vais chercher un endroit plus retiré », dit Laura. Les paroles du réceptionniste retardent le départ de Gibellini.

« Vous reviendrez. Les clients étrangers reviennent toujours, ou alors c'est leurs amis qui viennent, et ils me disent : "Salut, je suis un ami de Wolfang, il nous a conseillé de loger dans cet hôtel", je déteste mentir, je ne peux pas leur dire : "Bien sûr, Wolfang a été l'un de nos clients les plus sympathiques, il a passé du bon temps ici, quand vous le verrez, embrassez-le de notre part." Et eux ils sont heureux parce qu'ils se sentent comme chez eux. Arriver d'un pays lointain et se sentir chez soi, c'est pas rien. Et les mensonges valent de l'or quand ils permettent aux gens de se sentir bien.

— C'est bon à savoir, j'enverrai une de mes amies et vous lui mentirez en lui racontant que vous vous souvenez très bien de moi.

— Ce sont de pieux mensonges, en plus je me souviens de presque tous, quand vient une femme seule et qu'elle parle espagnol, comme vous, impossible de se tromper. Elles peuvent dire : "Je viens de la part de Laura Gibellini", je saurai de qui il s'agit.

Chaque personne est unique et le cerveau est fait pour reconnaître des milliards de personnes uniques. Il suffit de l'exercer.

— Vous feriez un rabais à mes amis ? Sinon, pourquoi est-ce que je leur conseillerais cet hôtel ?

— L'hôtel est très bon marché, ce n'est pas une question d'économie, mais de se sentir comme en famille.

— En famille. Les grandes chaînes d'hôtels disent la même chose, ça vous emmerde pas ?

— Vous avez raison, mais ici c'est vrai.

— Et vous les laisseriez fumer du haschich dans la chambre ?

— Oui, tant qu'ils ne font pas de tapage. Je peux vous poser une question ? Elle est un peu intime. »

Le visage de Laura se crispe. Elle devient un chat prêt à répondre à une attaque, mais elle reconsidère tout de suite la chose, qu'est-ce qui l'attend encore ? Quoi que ce soit, ça n'a aucune importance. Elle se trouve à quelques mètres de la porte et personne ne l'arrêtera.

« Oui, mais je ne veux pas une conversation. Je dois partir.

— Vous n'allez pas dire au revoir à M. Henestrosa ?

— S'il vous plaît, dites au revoir pour moi à tous les clients, y compris M. Henestrosa.

— Je suis sûr qu'il a prolongé son séjour à l'hôtel seulement à cause de vous. Je connais bien le syndrome de sympathie entre clients. Il a un rapport avec le numéro de la chambre et le mois de l'année, mais je n'ai pas fait de recherches approfondies. Vous voulez me laisser un numéro de téléphone ou une adresse où l'on puisse vous joindre ?

— Si je veux communiquer avec Frank je vous appellerai, mais je ne laisserai pas mes coordonnées. J'ai oublié mon adresse mail. Mon téléphone portable ne marche pas au Mexique. Je veux dire que j'ai tout oublié exprès. Dites-lui au revoir pour moi, je vais vous laisser mon adresse à Cadix et à Madrid, mais je doute que cet homme veuille se déplacer en dehors du Centre. Vous pouvez me rendre le service de la lui remettre ?

— Vous pouvez compter sur moi.

— Et je vous renvoie la question intime, je peux ? dit la Gibellini en ajustant les courroies de son sac à dos et en prenant son sac de la main gauche.

— Bien sûr, mademoiselle Gibellini.

— Ça fait combien de temps que vous êtes pédé ? »

12

Mort de Sofía Sandler

« Si tu files pas droit, sale gamin, les Rois mages t'apporteront pas de jouets.

— Ouin ! Ouin ! »

Sofía marche dans les rues autour de Jesús Carranza, dans le quartier de Tepito, sa beauté ne passe pas inaperçue et son aura de victime entoure sa démarche assurée, prudente. Elle a sur elle un nom et une adresse. La carte, c'est Camila elle-même qui la lui a remise, un laissez-passer pour l'une des boutiques de narcotiques les plus exclusives de la zone, un endroit où elle trouvera des amis qui la comprendront et lui offriront la marchandise qu'il lui faut. La boutique est une maison d'un étage à moitié démolie, qui conserve encore des croûtes de peinture couleur pistache ; pour le reste, des briques et deux grandes fenêtres avec plusieurs vitres cassées. Sofía trouve cruel qu'une mère menace sa fille de l'absence des Rois mages, l'espace d'un instant elle est tentée d'intervenir en pleine rue.

« Et si tu m'aides pas, toi non plus ils t'apporteront rien du tout, idiote », menace de nouveau la mère, mais cette fois elle s'adresse à une fillette de sept ans qui tire par la main l'enfant de deux ans son cadet. Tous deux essaient de suivre le pas pressé de leur mère. Fatiguée de la vie, de ses enfants, des odeurs de solvant, la mère se met à courir, faisant semblant de les abandonner.

« Ouin ! Ouin !

— Toi tu connais même pas les Rois, ils parlent qu'aux enfants, ose dire la fille aînée, habituée aux incartades de sa mère.

— Tu veux parier que si je veux ils vont rien t'apporter du tout ?

— Ouin ! Ouin ! »

Une grosse camionnette est arrêtée à quelques mètres de la maison qu'elle cherche. Sur chaque côté, un énorme panneau publicitaire annonce : « Parce que tu le mérites nous avons décidé de t'offrir une voiture. Il y a une Chevy pour toi et une chance pour tous. » Sofía déteste ce genre de publicité. Elle se demande s'il n'existe pas des lois qui obligent ces idiots à tenir leur promesse. Ils ne trompent personne, ils ne font que rendre la pauvreté encore plus triste. Cette idée lui vient de son père, un architecte et intellectuel qui cultive sa réputation, un homme de gauche, célèbre, couronné par toutes les grandes universités du monde, marié plusieurs fois, l'une d'elles avec la mère de Sofía, une belle juive millionnaire, tante de l'artiste Gabriel Sandler.

Sofía est reçue par un type aux épaules tombantes qui pourrait bien être un adolescent, il est muet et ses yeux s'allument quand il ouvre la porte et se trouve nez à nez avec la silhouette élancée de Sofía. Allez, sale muet, voyons si tu retrouves la parole après cette apparition. Elle sourit en lui remettant la carte que le muet flaire comme si c'était un croûton de pain et lui un chien affamé, il la regarde, l'approche de son nez pour y renifler le parfum de Sofía. Après l'inspection, il s'incline et ouvre la porte plus que nécessaire pour laisser entrer ce corps menu, ces os qui pourraient tenir dans les fentes d'une fenêtre. Sofía avance en évitant quelques bouteilles et des paquets de frites, elle traverse une terrasse étroite et passe dans une pièce plus grande où deux femmes dorment enlacées. Elle ne veut pas faire de bruit, mais ses talons, bien que bas, s'annoncent à chaque pas. Une autre porte s'ouvre sur une pièce dans laquelle un couple regarde la télévision ; elle a près de quarante ans, mais elle donne l'impression d'être une vieille désolée ; lui est plus jeune, brun, il porte un bermuda et des sandales en cuir assez usées. Le muet remet la carte à la vieille prématurée, mais ils l'attendent déjà, ils savent qui c'est, une fille recommandée par Camila, un mort, des problèmes en plus, de l'ordure qui commence à s'accumuler qui sait où et qu'ils doivent faire disparaître. Ils l'invitent à s'asseoir, ils sont aimables, c'est qu'on ne voit pas de l'ordure blanche tous les jours dans ce foyer, de l'ordure qui se précipite dans les égouts métis, qu'est-ce qu'elle veut la reine ? Qu'est-ce qu'elle peut bien vouloir la princesse ? Qu'est-ce qu'elle veut la petite bourgeoise ? Du crack. Du crack ? Eh bien en voilà une surprise ! La femme qui se présente comme Silvia, « je suis Silvia, pour te servir, *le Lapin*, il est pas là, mais je m'occupe de toi, fillette », elle s'absente quelques secondes, revient avec une boîte à chaussures Diesel, une jolie boîte qui contient un tas d'enveloppes transparentes ; elle en prend une et en sort une pierre jaunâtre qu'elle pose sur une courte pipe. Tout le matériel est déjà sur la table et elle demande : « Tu veux un verre ? — Non », dit Sofía, mais en fait oui, elle en veut. « Qu'est-ce que tu m'offres ? » ajoute-t-elle pour qu'ils n'aillent pas penser qu'elle a peur, qu'elle est impressionnée, elle est défoncée et ses yeux ne sont pas aussi exigeants. « De la tequila pour que ça fasse pas mal », dit l'homme jeune qui a cessé de regarder la télévision pour se concentrer sur l'invitée, le muet s'est assis dans un coin et lui aussi regarde Sofía. Pour chauffer la pierre, Silvia utilise une baguette au bout de laquelle brûle une étoupe. Quand l'étoupe languit elle la plonge de nouveau dans un flacon d'alcool. Ils fument tandis que passe le temps qui ne se mesure plus en heures, Sofía marche à l'intérieur d'elle-même vers un plateau de sable tiède, Gabriel Sandler, son cousin, est monté dans un petit tank militaire sur le flanc duquel est écrit : « Je t'offre une Chevy si tu me tailles une pipe. » Ensuite viennent les fameux dialogues entrecoupés, conséquence de plusieurs retours à la vie.

« Mon papa est super.

— Les juifs vont acheter Tepito. Ils vont t'acheter un pénis.

— Qu'est-ce que tu lui as fait à la Camila ?

— Pourquoi est-ce que les pauvres croient baiser mieux que les riches ?

— C'est vraiment des idiots.

— Ouin ! Ouin !

— Ces filles, dans l'autre chambre, il y a trois jours qu'elles sont là, elles se lèvent juste pour reprendre du crack.

— La tequila, allume le briquet avec la tequila.

— On va se piquer maintenant qu'on est amis.

— Réveillez ces putains de filles, c'est pas un hôtel ici !

— Sacré muet, qu'est-ce que tu regardes ?

— Il parle pas, laisse-le au moins regarder.

— Sacré muet, qui sait ce que tu as pu voir pour fermer ton clapet pour toujours ? Ta maman en train de baiser ? Je connais ça.

— Comment je peux rentrer chez moi ?

— Ton cousin est artiste ? Sur quelle chaîne il passe ?

— Ouin ! Ouin !

— Si tu files pas droit, sale gamin, les Rois t'apporteront rien du tout.

— Ouin ! Ouin ! »

Gabriel Sandler ouvre les yeux au petit matin, de sa chambre on entend une sorte de rumeur affamée. Sa cousine n'est pas revenue auprès de lui. L'hôtel est un cimetière, il le constate lorsqu'il va à la réception à la recherche d'un signe et ne trouve pas un seul être vivant. Il est cinq heures du matin. Il retourne dans sa chambre, pensif. Le ridicule exil est terminé, il est l'heure de retourner à la vie de l'art, à l'ombre de sa généalogie. C'est décidé. Il va dormir encore quelques heures avant de reprendre les rênes de son avenir. Sa peau a la couleur d'une pomme de terre qu'on vient d'éplucher. L'argent s'est évaporé et la cuite le fait se sentir plutôt humble. L'humilité n'est pas l'affaire de Sandler, car un artiste humble est un hypocrite, un déchet politique, de la morve, en fait Sandler est capable de balancer un chapelet d'injures à ceux qui osent l'embêter, sans interruption, comme une mitrailleuse ; c'est un talent qui lui vient de sa mère, et quand il commence il lui est impossible de s'arrêter, au premier coup succède la rafale, et cela jusqu'à enterrer « les imbéciles ». Il ne peut pas se plaindre : son balourd de dieu l'a béni en lui accordant le don stimulant de l'insulte.

Sofía a quitté le bateau, spécule Sandler, c'est sans importance, elle l'a supporté trop longtemps, elle en a simplement eu assez de vivre dans un petit hôtel sans classe, sans les commodités auxquelles elle est habituée. Elle est partie, mais ça n'a pas d'importance parce que de toute façon ils vieilliront ensemble, pense-t-il pour la première fois. « Je veux être vieux et garder Sofía près de moi, je ne veux pas être sage, qu'attend-on des vieux ? Qu'ils soient sages, comme on attend des femmes qu'elles écartent les jambes. Un vieux sage est pire qu'un artiste humble, pire que des hémorroïdes, que du vomi de porc, de la diarrhée jaune, un cul desséché. » Oui, les insultes ne parviennent pas à respecter une limite, mais elles le feront bientôt quand, dans quelques heures, Gabriel Sandler apprendra que sa cousine a été retrouvée morte sur un trottoir de la rue Jesús Carranza, morte, violacée, allongée dans le traditionnel quartier de Tepito. Tandis que la nouvelle est en chemin, l'artiste Sandler essaie de trouver le sommeil, à son âge c'est encore possible, l'éternité travestie en insomnie mettra quelques années à se faire présente. Il est loin de se douter qu'un jour plus tard, à la même heure, il sera en train de veiller un cadavre. Il ferme les yeux, s'allonge sur le lit en bois si souvent verni, et dort.

13

Adieu, Stefan Wimer

La Señora a pris ses dispositions comme s'il allait mourir d'un jour à l'autre. Il a décidé de retirer au *Nairobi* une bonne partie du pouvoir absolu qu'il affiche depuis plus de dix ans. Pour cela il lui suffit de faire appel à sa famille, à l'élevage de porcs, combien de délinquants ont-ils des liens de sang avec *la Señora* dans Tepito ? Des dizaines. Lui, tout ce qu'il a à faire, c'est les écouter, les soupeser, les mettre à l'épreuve, il y en aura toujours un qui prendra tout naturellement les rênes ; il en a été et en sera toujours ainsi en matière de guerre et de négoces. Parmi les membres de la famille, un ou deux ont fait des études et mangé des glands, mais cela ne les rendra pas pour autant éligibles. *Le Nairobi* reste aux commandes pendant que trois autres personnes se fortifient dans la couveuse en attendant de prendre sa place, alors *le Nairobi* saura qu'on ne s'en va jamais seul vers la mort. L'hôtel Isabel ne sera plus le dépôt de titres ; de nouvelles méthodes d'accumulation viendront, et sous peu tout cela fera partie du passé.

« Tu vas avoir besoin de jeunes, dit *la Señora*, de beaucoup de jeunes pour qu'ils meurent avant toi.

— Comme ça on est bien, si on commence à croître on est foutus. Tu dois déjà le savoir, mais deux salauds sont arrivés qui veulent commander ici. Ils viennent du nord. Ils ont de bonnes armes et des parrains. Ils vont essayer de nous emmerder, rien de nouveau.

— Ils en ont mis du temps à arriver.

— Gaxiola les tient à l'œil, mais il me demande de plus en plus d'argent. Il faut en tuer quelques-uns pour que les choses reprennent leur cours normal. Gaxiola me donne les noms, nous on s'en occupe.

— Non, il vaut mieux qu'ils attaquent d'abord. Laisse-les, c'est des nôtres que tu dois t'occuper, le premier traître, trempe-le dans l'acide.

— Oui, bien sûr, ce putain de Gaxiola, il nous prend pour ses hommes de main. Un de ces jours, c'est lui qu'on enterre le premier. »

Ils sont tous les deux dans la maison, *la Señora* dans son fauteuil délabré, tandis que *le Nairobi* marche de long en large dans la pièce. Il n'est pas nerveux, mais il croit qu'on réfléchit mieux en marchant. Les idées doivent bouger, pas de façon abstraite mais concrètement, il faut promener la tête d'un endroit à un autre. Pendant un moment il pense à Stefan Wimer, à qui il a parlé la veille. Il l'envie. Stefan prendra un avion dans quelques heures. La police ne va pas lui courir après. Il connaîtra de nouvelles villes, il épousera une belle Allemande aux jambes longues et galbées, et le jour où il en aura envie il reviendra au Mexique pour fanfaronner devant ses amis et faire le macho. « Quelle chance a ce foutu blanc-bec. » Dans sa tête en mouvement viennent des fragments de la conversation qu'il a eue avec Wimer au *León de Oro*, un bar à deux pâtés de maisons de ses bureaux d'Escandón.

Le Nairobi a appelé de bonne heure la chambre de Wimer à l'hôtel Isabel et lui a donné rendez-vous au *León de Oro.* « Les adieux, blondin, deux verres et c'est tout, passe à mon bureau, on ira à pied à la taverne, c'est moi qui invite. » Il ne voulait pas laisser passer l'occasion de faire voir à l'étranger qu'il avait traité avec un « monsieur », un homme qui a des biens et des employés, un puissant. Les laquais du *Nairobi* se sont montrés plutôt surpris en voyant cet homme blond, Stefan, avec son corps de grue, qui cherchait le *tlatoani*[1] en demandant : « Quelqu'un par ici connaît M. Nairobi ? » C'est comme ça que ça s'est passé. À la taverne *le Nairobi* n'a pas cessé un instant d'étaler une attitude supérieure, de se vanter de dominer non seulement autour de lui, mais aussi de recevoir des ambassadeurs de tous les coins de la planète. Et une fois qu'ils ont été installés à une table de beau bois il lui a demandé :

« Wimer, comment ça se fait que tu te montres avec des femmes si dégoûtantes ? *La Chica* Lomelí, où tu as trouvé cette bête ?

— Au *Bull Penn.* Tu as raison, elle est un peu tordue, je sais, mais elle a pas eu de chance. Elle ressemble à une sœur de mon père. La famille me poursuit, voilà ce qui se passe, plaisantait Wimer après avoir perçu le reproche dans les paroles de son compagnon de table. C'est ton ennemie ?

1. *Tlatoani* : « celui qui parle » en nahuatl ; titre du plus haut dirigeant militaire et religieux d'une cité-État chez les Aztèques.

— Moi j'ai pas d'ennemis, si j'en avais je pourrais pas vivre tranquille. Mon père disait la même chose jusqu'au jour où on l'a tué. Si je pouvais choisir, je préférerais ne pas connaître ceux qui voudraient m'éliminer, difficile, je sais, mais ce serait bien qu'ils fassent leur boulot sans avertir, non ?

— La seule façon de ne pas avoir d'ennemis c'est de ne pas avoir d'amis, a dit Wimer, récitant sa maxime. Quelle grande taverne, ça pourrait être un *Biergarten* ! Pourquoi est-ce que personne ne roule à vélo au Mexique ?

— C'est dangereux. Il y aurait des tas d'accidents. Il faudrait se déplacer dans des camions de transport. Tu roules à vélo dans ta ville ?

— Oui, je me sens plus libre que dans un tramway ou au volant d'une voiture.

— Et alors comment se fait-il que tu sois si gros ? » *Nairobi* a célébré sa plaisanterie d'un énorme éclat de rire et d'une tape sur la table.

« C'est pour donner de la stabilité au vélo. *La Chica* dit que l'hôtel Isabel est un repaire de voleurs. Moi j'ai pas cette impression, tu sais quelque chose ? a demandé Wimer, avide de poursuivre la conversation.

— À part toi, je connais pas d'autre délinquant.

— C'est une paranoïa de la Lomelí. Elle se vante d'avoir fait de la prison, mais je crois plutôt qu'elle est folle.

— Elle aurait dû y rester. Si une personne peut rester plus d'un an enfermée sans se suicider, elle a pas de raison d'en sortir, pour quoi faire si elle a trouvé sa place ? On a pas envie de les voir foutre la pagaille ici dehors. Moi, si on m'enferme, je m'échappe ou je me suicide », a affirmé *le Nairobi* de façon péremptoire. Ses mots ont de quoi surprendre, mais il ne faut pas s'y fier, tout ce que veut cet être dégoûtant, immonde, c'est ne pas avoir de concurrence. Combien d'heures reste-t-il à vivre à *la Chica* Lomelí ? « Il faut la remettre dans un espace clos, pourquoi pas dans un cercueil ? » a pensé *le Nairobi*. En attendant, il a continué à faire le moraliste :

« Il y a plusieurs sortes de prisons, la plus confortable est celle où on te donne à manger trois fois par jour et où personne n'a envie que tu sois devant les barreaux. C'est une manière d'être important, d'être vivant et détesté. Ici dehors, c'est plus dangereux. Telles que sont les choses, si tu veux progresser tu dois emmerder les autres, pas moyen autrement. Je sais pas comment c'est en Allemagne, mais ça doit être pareil. » *Le Nairobi* parlait en regardant un couple de vieux boire du rhum à une table à plusieurs mètres de distance. Il voulait que Wimer l'écoute et emmène au loin ses paroles, ses confessions ; depuis quand *le Nairobi* philosophe-t-il ? Il s'est libéré en mettant ses paroles dans le wagon de ce train allemand sur le point de partir.

Stefan s'en va parce que son cher District fédéral commence à devenir réel. S'il restait quelques semaines de plus dans cette ville, les nuages se dissiperaient, ses yeux découvriraient la première tache. Et après, le cancer, la souffrance, la déception, telle une ombre derrière tous les symboles. C'est ainsi que cela se passe avec le corps humain comme avec le corps des villes, la gravité affecte les pierres aussi bien que les os ; le sang et l'eau coulent à la recherche d'une issue.

Nous le savons, et alors ? Le savoir n'empêche pas le mouvement, et pour Stefan les explications sont des inventions, lui vit dans une taverne où les prostituées boivent avec les soldats et les artistes, où les couleurs sont aussi des personnes, où le sol n'est pas recouvert de tapis moelleux ; sous les pas d'un homme il y aura toujours un insecte, un animal qui meurt, n'entendez-vous pas le pleur des crapauds ? Stefan éprouve du plaisir à marcher et il pense exprimer sa liberté lorsqu'il déplace ses pieds à sa guise. La liberté n'est pas de mettre des bêtises sur la toile ou d'avoir une page virtuelle pour que des milliers d'idiots voient ses pommettes rouges comme des cerises gonflées : la tête de Stefan ! Son intention à lui, c'est de se déshabiller au milieu d'une place et d'affronter la police. C'est un romantique qui aime la maladie tant qu'elle n'est pas stupide, c'est-à-dire réelle. Quand tout est contaminé par l'imbécillité, le plus raisonnable est de s'en aller. Où ? Cela n'a aucune importance ! Le mouvement est le véhicule d'une saine maladie : en une seconde, la vie entière se précipite, une hallucination, et la souffrance qui vient après, l'ébriété, est le sillage de la comète, le sang que laisse un corps vivant quand il refuse de mourir.

« Qu'est-ce qu'elle te raconte d'autre, la Lomelí ?

— Rien, elle dit que ce qui lui plaît vraiment, elle, c'est la peinture. Étant jeune elle voulait être une artiste. Elle me dit : "Telle que tu me vois, moi aussi je suis une artiste." Laisse-moi te dire une chose, *Nairobi*, tous les blonds sont pas des artistes, je suis un ivrogne qui élague des jardins à Berlin comme un esclave pour prendre ensuite de belles vacances au Mexique. Voilà ce que je lui ai dit : "Je suis jardinier, tu as pas connu de jardinier allemand ? Eh bien tu en as un devant toi." La femme ne me croyait pas : "Toi, ce que tu es, c'est un malade", elle m'a dit.

— Cette putain de chatte, qu'est-ce qu'elle peut bien savoir des jardins ? Si elle en connaît un, c'est qu'on l'a jetée au milieu des plantes.

— Tu l'aimes pas, qu'est-ce qu'elle t'a fait ?

— Rien, je la connais même pas. C'est une parmi d'autres...

— Chez moi, c'est l'inverse qui se passe, quand je bois beaucoup je commence à croire que tous les visages me sont connus. Les morts en profitent et ils viennent me dire bonjour. Les fauteuils se remplissent.

— Sacré Allemand, crétin, ici on appelle ça "halluciner". »

Le Nairobi entend encore la voix de Wimer tandis qu'il regarde le visage acariâtre de *la Señora*, le chef suprême, l'oracle. Bientôt *le Nairobi* partagera le sceptre avec les plus jeunes, que lui importe ? Si *la Señora* a décidé qu'il partage les pouvoirs, il le fera. Il sait obéir, il sait surtout à qui obéir et cela le pousse à se sentir léger, soulagé.

« Tu te souviens de l'Allemand qui est venu te rendre visite une fois, sans ma permission ? » demande *le Nairobi*. Il en a assez de parler affaires.

« C'est toi qui l'as amené, répond la voix sèche de *la Señora*.

— Oublie-le.

— Qu'est-ce qui se passe ? Tu l'as baisé ou quoi ?

— J'ai failli le tuer, mais j'ai eu des remords, puis il est parti en voyage, comme s'il se doutait de quelque chose. Maintenant on est amis et il m'attend à Berlin.

— À Berlin ? Qu'est-ce que c'est que ça ?

— Une ville, en Allemagne.

— Sacrés pédés », dit *la Señora*, joueur. L'innocence du *Nairobi* éveille en lui de la tendresse.

« Un jour j'enverrai au diable tous les négoces et je m'envolerai pour l'Allemagne. Tu me crois pas ?

— Pédé. »

14

Un porc à l'enterrement

Un enterrement à la manière chrétienne est le mieux pour la fille d'un homme de l'importance et de la situation de l'architecte. Sa famille juive le comprendra. « Nous sommes des Mexicains, pas des juifs, et les Mexicains sont catholiques, si vous leur demandez ce qu'est une synagogue ils ouvriront des yeux comme des soucoupes. » Beaucoup de monde est venu aux obsèques et le silence qui règne dans la salle effraierait un lapin. Le père de Sofía est entouré d'un groupe de personnages célèbres, hommes politiques, artistes, et de la famille, la putain de famille encombrante ! On ne sait pas à quel moment elle va se mettre à brûler et dévaster tout ce que les hommes ont réussi à accumuler seuls en tant qu'individus. Sa fille morte, l'architecte, le compositeur – un artiste de la Renaissance en quelque sorte – ne s'y attendait pas. Ses dessins n'ont pas été suffisamment perspicaces pour anticiper le malheur, mais alors, à quoi sert l'imagination ? L'art ne devrait-il pas être chargé d'annoncer les mouvements cauteleux de la mort ? Dans un coin, Gabriel Sandler observe son oncle : les artistes et les écrivains sont dépassés, il n'y a pas de doute, l'art ne les rend pas supérieurs, et la tristesse qui traque Sandler ne trouve pas d'issue, personne ne vient le consoler, le bruit court qu'il est en grande partie coupable de ce qui est arrivé, que ses excentricités ont entraîné Sofía sur le mauvais chemin ; même sa propre mère le traite avec méfiance. Si son grand-père était vivant il le comprendrait, il saurait qu'il n'y a pas de place pour des âmes nobles et innocentes comme Sofía dans un monde immoral. Sandler souffre tellement qu'il ne peut plus parler et fixe les yeux sur la caisse mortuaire ; il ne s'approchera pas du coûteux cercueil. La veillée funèbre, au début discrète, se remplit peu à peu de personnes qui insistent pour présenter leurs condoléances au père de Sofía Sandler.

Ce qui surprend le plus les visiteurs de la salle 5 des pompes funèbres Gayosso, c'est que Gavrilo soit accompagné d'un porcelet rose, un petit animal aux mouvements timides qui reste tranquillement aux pieds de son maître, un cochon docile, aussi beau que peut l'être un porc. La bête porte une couche autour de l'arrière-train, une cape blanche, immaculée, qui convient à une réunion parmi les humains. Les employés des pompes funèbres ont d'abord refusé de le laisser entrer, mais à la demande du père de Sofía ils ont reculé dans leurs exigences, ils comprennent mal comment quelqu'un peut se présenter ainsi à un enterrement ; ce n'était jamais arrivé ; le règlement ne dit rien de précis à propos des cochons, mais il y a eu des cas de chiens, de chats, et même d'étoles d'astrakan.

Le jeune artiste reste figé dans un coin à côté de son accompagnateur, un faune et son sanglier, une sculpture pâle, absorbée dans ses propres aberrations, la secrétaire d'État à l'Éducation l'observe discrètement. La mère de Gabriel n'échange pas un regard avec lui, son père respire, soulagé, après tout son fils est revenu et son absence a permis de le comprendre ; comme Sofía aurait été fière d'assister à son enterrement ! Son cousin admiré, l'artiste Sandler, a fait des siennes en se présentant à la cérémonie avec un cochon, « tout ce que tu touches est de l'art, Gabriel », lui aurait dit sa cousine, mais lui ne veut pas s'approcher du cercueil dans lequel gît Sofía, belle et rigide, telle une torche de bois résineux qui ne sera jamais allumée, le monde entier souffre parce que meurent ceux qui doivent vivre coûte que coûte, et le rebut survit, heureux, satisfait de son impunité. La mère de Sofía, qui a eu un malaise cardiaque, restée chez elle entourée de médecins et d'infirmières, n'a pas assisté aux obsèques. Le père de Sofía est seul à s'approcher de son neveu Sandler, fatigué des tapes dans le dos, des étreintes, des phrases de commisération, de la curiosité malsaine et cachée. Le cochon ? Ça lui est égal, dans les années 1960 les hippies faisaient ce genre de choses, de quoi les gens de ce maudit pays ont-ils peur ? « D'un cochon ! Ils feraient mieux d'avoir peur du pays de merde qu'ils ont créé. »

« Trop de gens, dit-il, comment peut-on s'habituer à ça ? »

L'architecte est âgé de soixante-dix ans. Ses gestes ne reflètent pas le poids de la tragédie, il se montre empressé, aimable, comme s'il se trouvait dans un cocktail, au dévoilement d'une plaque. Mais son amertume croît au fur et à mesure que passent les minutes.

« Ils l'apprennent et ils viennent, c'est automatique », dit Gavrilo. Le cochon reste pétrifié, aurait-il peur des êtres humains ?

« C'est toujours comme ça, ils savent tout ; pourquoi êtes-vous allés dans cet hôtel ? J'ai été très étonné d'apprendre que vous avez vécu ensemble ces derniers jours.

— Je ne sais pas, elle a voulu m'accompagner. Je suis coupable, je n'ai pas su la protéger. C'est comme ça que les choses se sont passées…

— Coupable ? Non, oublie donc ces bêtises. »

Dans la petite foule, une personne observe les événements avec des yeux apeurés. Les parents la prennent pour une employée des pompes funèbres, ou pour l'une de ces personnes qui assistent aux enterrements des gens célèbres afin de passer à la télévision, et même de demander des autographes. C'est une véritable tradition qu'ont créée ces personnes. Si Gabriel n'était pas aussi désireux de disparaître à côté de son sympathique porcelet, il l'aurait reconnue d'un seul coup d'œil : c'est Camila Salinas, la femme de chambre, tueuse et administratrice du modeste cartel de *la Señora*. Elle entend des rumeurs et des légendes sur *la Señora*, comme tout le monde, mais Camila reçoit directement les ordres de Samuel et du *Nairobi*. Pourquoi cette femme est-elle présente à la cérémonie mortuaire ? Elle l'a appris dans le journal du soir, car la nouvelle s'est vite répandue. Si Camila avait su qu'il s'agissait de la fille d'une célébrité elle aurait eu une frayeur, rien de plus. Camila se demande : « Quel genre de personne est un artiste au juste ? Pourquoi est-il si important d'être architecte ? »

Camila est tentée de s'approcher du cercueil pour jeter un coup d'œil à la jeune morte, mais ce serait prendre trop de risques ; elle a découvert dans un coin, près d'un crachoir en laiton, le jeune homme avec lequel la défunte a partagé une chambre à l'hôtel, pourquoi est-il accompagné d'un cochon, est-ce son animal domestique ? « Maudits riches et fils de pute, ils croient pouvoir se moquer de tout » : le Christ en bois, les croix d'argent, les retables religieux ne sont-ils pas suffisants pour éveiller un peu de respect ? Camila craint la réprimande du *Nairobi*, le scandale inutile, gratuit, mais elle a surtout très envie de voir le corps de Sofía ; sa blondeur ne l'a pas empêchée de mourir, elle aimerait toucher sa chair, passer ses doigts sur ses sourcils couleur d'orge. Mais elle doit se montrer et l'heure est venue de s'en aller. Camila est un visage parmi d'autres dans ce tableau bigarré de Rivera, elle et la mort, et les hautes classes sociales, et les curieux, et l'artiste accompagné d'un cochon.

« Dans un mois Sofía serait partie étudier à Chicago. Elle a voulu passer ses vacances au Mexique, elle t'aimait beaucoup », dit l'oncle de Sandler. Il ne nourrit en vérité aucune rancune à l'égard de son neveu. Au contraire, celui-ci éveille en lui un sentiment de complicité, il connaît la vie et il sait que dans cinquante ans Gabriel sera probablement dans la même situation que lui, célèbre, entouré de gens dont la présence transforme les malheurs en une occasion de distribuer des canapés, donner des rendez-vous et administrer le commerce des vivants.

La secrétaire d'État à l'Éducation s'en va, ce qui cause une certaine confusion parmi les présents, elle s'approche de l'architecte pour prendre congé. « C'est un malheur qui nous afflige pour toujours », dit-elle ; ils s'embrassent et aussitôt après : « Quand tout cela sera passé j'essaierai de te joindre, le président veut te rendre un hommage national et te charger d'un projet pour rénover le Zócalo, mais ne parlons pas de cela maintenant, prends soin de toi, Rafael. » L'architecte se tait, il a l'habitude des honneurs, mais à cet instant il voudrait être un inconnu parmi d'autres et que les particules incolores de son corps le transmuent en un renardeau qui, sans lenteur ni paresse, courrait tenir compagnie au porcelet.

Camila est partie et les yeux du cochon se réduisent à un os noir collé à sa peau rose. Gabriel prend l'animal dans ses bras et se dirige vers la porte de la salle 5 des pompes funèbres Gayosso. La ville est toujours en vie. *La Señora* est au courant de tout, mais il ne lèvera pas le petit doigt pour donner une leçon à Camila, « tu te mets à punir les gens et tu n'en finis jamais », la chaîne doit être coupée avant qu'elle s'enroule là où elle ne doit pas.

Les voix tremblent dans les coins les plus éloignés de la salle mortuaire. Le tableau de Rivera ressemble de plus en plus à une toile de Bacon. La mort concentre l'attention des fanatiques, le football est plus divertissant, la gymnastique est bonne pour le corps, mais dans ces circonstances les veillées funèbres dépassent toutes les attentes. Et les voix qu'on n'écoute pas, mais qu'on entend :

« *Zzzzzz.*

— On dit au revoir et on s'en va.

— Tu vois ces fleurs ? Il y a des guêpes dedans. C'est de mauvaises personnes qui les envoient.

— Ils ont un culot, ils disent que la crise économique vient de l'extérieur, ça revient à dire : "Pardonnez à nos criminels, ils ne sont pas coupables."

— Regarde, ma fille, tu reconnais cet homme ?

— À l'aéroport n'importe quel pauvre diable peut décider si tu prends l'avion ou pas. Dès l'entrée tu es suspect et tu dois démontrer ton innocence.

— *Zzzzzz.*

— Sais-tu combien de fois elle s'est assise sur mes genoux ?

— Le visage, regarde ce visage, c'est un hypocrite.

— Quand tu meurs, tôt ou tard… et quand avons-nous ri ?

— Mes vrais ennemis sont les poulets, pourquoi ? Sais-tu combien de poulets j'ai mangés dans ma vie ?

— Il y a plus de poulets que d'étoiles.

— Ce mois-ci il va à Londres recevoir un *honoris causa*.

— Prépare tout pour l'envoyer à Jesús avec ses grands-parents à Barcelone. Peu importe ce qu'il en pense.

— Tu veux que je te dise une chose ? Le lit lui appartenait.

— *Zzzzzz.*

— Ils permettent à un cochon d'entrer et pas à un prêtre ?

— C'est très bien, au moins le porc ne dit pas de bêtises. »

La ville reste intacte à cette heure, il est presque minuit, dans les pierres la douleur n'existe pas, et dans le béton armé ? Non plus. Et dans le plastique ? Encore moins. Dans une voiture, amaigri et épuisé, Gabriel Sandler rentre chez lui. À un feu rouge, dans

Reforma, le véhicule s'arrête devant le musée d'Art moderne, Gabriel caresse le porcelet tandis qu'il observe attentivement la chemise que porte son chauffeur, est-elle noire ou bleu marine ? « Tu es très élégant, dis-moi, où as-tu acheté cette chemise ? — C'est un cadeau de ton père. — Fais gaffe, il l'a sûrement volée. » L'artiste Sandler a envie de pleurer, mais il n'y arrive pas. Il doit supporter la douleur, en fin de compte il est en train de se créer un mythe, et c'est justement ça le plus important. Alors, comme s'il était un Russe en chemin pour les Lomas de Chapultepec, il dit sans ouvrir la bouche : « Si Sofía est morte, tout est permis. »

15

Déménagement de l'hôtel Isabel

En très peu de temps la physionomie de l'hôtel Isabel a changé. J'ai appris que les musiciens argentins ont décidé de prolonger un peu leur séjour, et même qu'ils vont louer une autre chambre. Il ne m'intéresse pas de savoir pourquoi. Je suis un observateur qui ne pose pas de questions, qui ne fait qu'écouter et se plaint ensuite de ce qu'il entend. Mais que puis-je faire ? La moitié du personnel qui travaille ici est partie du soir au lendemain : Camila, Samuel, les autres délinquants et un plombier qui faisait office d'homme à tout faire ne sont nulle part. Pendant la nuit ils ont déménagé pour une autre demeure en emportant avec eux soixante millions de pesos en billets, des armes et le tableau d'Isabelle la Catholique en souvenir de leur séjour dans cet endroit merveilleux. Ça oui c'est une tragédie. Je suis resté peu de temps à l'hôtel, mais j'ai tendance à m'attacher aux objets accrochés aux murs. Pourquoi ? Je n'en sais rien. C'était une peinture sans valeur artistique, mais un visage qui a incontestablement été le symbole de l'hôtel pendant des décennies – un détail monarchique ! –, personne ne peut nier son importance. Pablo Paolo paraît désespéré et il ne le cache pas, il a demandé à Flora de garder son calme (en réalité, Flora est plus tranquille que jamais) et il est entré en communication avec le fondé de pouvoir et administrateur de l'hôtel, mais celui-ci, sans se troubler le moins du monde, lui a promis qu'on embaucherait très vite de nouveaux employés, il lui a demandé de se charger lui-même des questions administratives, et promis d'envoyer un veilleur de nuit. « Et le tableau ? » a demandé Pablo Paolo. Le fondé de pouvoir ne sait pas de quoi il parle : « Le tableau ? Quel tableau ? Il n'intéresse personne. S'il avait de la valeur il serait à la pinacothèque, pas dans un hôtel minable. »

En fait il ne s'est rien passé d'important à l'hôtel, hormis le temps qui s'écoule de manière bureaucratique et accomplit son train-train, lequel est sa faux la plus précise. Les truands ont fui avant même que le commandant Gaxiola les avertisse. Comme c'était son devoir, le policier a appelé *le Nairobi* pour le mettre au courant de certains événements qui pourraient se produire si on ne prenait pas quelques précautions minimales.

« On raconte que ta bande séquestre un entrepreneur dans cet hôtel, je sais que c'est faux, mais fausses ou pas, les rumeurs font toujours du tort. La famille de l'entrepreneur est puissante, ils vont le chercher jusque dans les oreilles des femmes de chambre.

— Je vous l'ai déjà dit, commandant, nous on fait pas dans la séquestration. Si on vous dit pas la vérité à vous, à qui on va la dire ? Merci de m'avertir, de toute façon on en attend davantage de votre part.

— Pas de problèmes, mais quoi qu'il en soit, mets tes gens à l'abri.

— J'ai pris les devants, commandant, ils peuvent fouiller l'hôtel si ça leur chante. Ils trouveront un pédé à la réception, des abrutis de gringos et des vieilles débraillées qui savent même pas passer un coup de balai. »

16

Roberto Davison, un saint

Le menu suivant pour quatre-vingt-cinq pesos :

Crème d'épinards ou soupe de vermicelles.
Riz à la mexicaine ou haricots verts au vinaigre.
Piment farci ou croquettes au piment.
Capirotada[1] ou macédoine de fruits.
Café
Eau de *horchata*[2]

Gloria Manson et Roberto Davison ont choisi leur menu sur cette carte un peu avant de quitter l'hôtel et de retourner dans leur résidence de Cuernavaca. Je le sais parce que je me trouvais à côté d'eux en train d'examiner le menu moi aussi, mais à une autre table. Leur nappe semblait plus propre que la mienne, mais en raison du départ de Laura il est possible que j'aie commencé à voir des taches partout. Je me sens sale, pas abandonné. Un couple de chiens, c'est ainsi que je vois Roberto et Gloria : lui est un chien doté d'un

1. *Capirotada* : dessert à base de pain, avec du fromage, du sucre et des cacahuètes.

2. *Horchata* : boisson à base de graines de melon ou de riz.

double menton ; elle, une chienne à la peau lisse avec un nez retroussé sur le qui-vive. J'ai coutume d'imaginer les gens comme des animaux. De vieux animaux, jamais des jeunes. Parfois les cages sont tellement déglinguées que les animaux pourraient s'échapper sans trop d'efforts, mais ils ne le font pas. Ils attendent qu'une main aussi vieille que leurs griffes ouvre la cage et leur dépose un peu de nourriture. Est-ce que je ne fais pas la même chose, attendre dans ma cage ?

On peut supposer que si un couple et un individu commencent leur repas en même temps, le couple terminera après l'individu. N'est-ce pas la logique ? À un moment ou un autre, ils suspendront leur ardeur gloutonne pour converser, ou au moins faire une observation, tandis que l'individu solitaire continuera à attaquer son assiette. Eh bien, dans ce cas, c'est le contraire qui s'est passé, avant que le serveur me serve le dessert ils avaient liquidé leur repas. Que m'arrive-t-il ? Peut-être suis-je devenu un contemplatif : pendant qu'ils mangeaient leur riz, je bayais aux corneilles.

Quelques grammes de malice suffiraient pour construire pas à pas la scène suivante : après avoir bu les dernières gorgées de café, le couple monte dans sa chambre en soupirant, chacun à sa manière. Roberto s'imagine dans une voiture, il aperçoit une ligne droite interminable et expire lentement l'air contenu dans ses poumons. Gloria ferme les yeux et caresse ses genoux. Lui réfléchit à la possibilité de l'assassiner, non sans l'avoir frappée et lui avoir fait au préalable avouer ses secrets ; envoyer son âme voyager vers d'autres mondes, mâcher la chair de ses cuisses et, s'il lui reste encore des forces, pleurnicher un peu en léchant ses os. L'épuisante ligne droite de la route le fait délirer. Quiconque soupèsera la silhouette de Davison saura que ce n'est pas un assassin, il n'en a pas l'étoffe, mais tant d'années passées à aimer cette femme en font un expert de l'affaire Manson. S'agissant d'elle, Roberto n'aspire pas à une connaissance superficielle. C'est alors que commencent à jaillir dans son esprit des idées extravagantes, comme la relativité du temps dans la tête d'Einstein, le calcul différentiel dans celle de Leibniz ou la refondation de la métaphysique dans celle de Heidegger. Roberto en est là à cet instant et Gloria ne refuserait sûrement pas de prendre part au modeste laboratoire mental que son mari a bâti en son honneur ; au contraire, elle prend les choses avec assez de sérieux, surtout quand elle est malade et qu'il décide, pour la monter, d'écarter les petits inconvénients : fortes fièvres, nausées, vomissements, luxations. Pour que la représentation continue elle a dû avaler son sperme jaunâtre, y compris quand elle avait mal à l'estomac, ou garder ses bas toute la nuit parce qu'il voulait absolument dormir enlacé à ses jambes comme un poulpe. Boire un litre d'eau cristalline à minuit dans le seul but d'uriner sur le visage de Davison fait partie d'une pièce de théâtre apprise par cœur, ainsi que tenir sa culotte entre ses dents et ne pas crier, même quand son anus aussi étroit qu'un œil d'insecte lutte pour résister à la douleur : d'où vient une douleur pareille ? Ce n'est pas une douleur, c'est comme le fleuve qui heurte les rochers, se brise violemment sur eux, les contourne et continue sa course. Gloria Manson ne va pas se refuser aux désirs de son mari. À quoi bon ?

« S'il veut me fendre en deux, la table est mise, le pain a été créé avec amour et rien sur cette table n'est offert de façon mesquine. » C'est probablement ce que pense cette femme.

La veille, Roberto jouait avec un rasoir entre les mains tout en se demandant si ce serait une bonne idée de se raser. Les hommes savent qu'après s'être rasés ils paraissent tout de suite plus jeunes ; ce qui est décevant, c'est que cette vision ne dure que quelques heures, jusqu'à ce que la peau elle-même se rende compte qu'une fois de plus elle a été flouée. Davison en était là quand, de la salle de bains de sa chambre, il a entendu et reconnu ces pas impossibles à confondre. Alors il a jeté un coup d'œil discret dans le couloir et vu Gloria entrer dans une autre chambre, sur les domaines de cet artiste d'avant-garde qui lui ressemble tellement. Aussitôt il a fait quelques pas silencieux et est resté immobile plus de dix minutes à côté de la porte voisine. Elle, bien sûr, a fait son possible pour qu'il le sache.

Roberto a attendu une journée avant d'exprimer des reproches. Et aujourd'hui, après avoir tranquillement consommé le menu proposé par l'hôtel Isabel, il juge que le moment est venu de bouger ses pions sur le damier décoloré.

« Gloria, je suis très déçu, je ne sais pas si loger dans cet hôtel a été une bonne idée. Je crois même que c'est l'un des choix les plus stupides que nous ayons fait dans notre vie, dit tout à coup Davison, solennel, tel le directeur d'une école primaire pendant le salut au drapeau. Nous allons rentrer à la maison, j'appellerai mon père, il me signera un chèque et je continuerai à attendre l'appel de Tomás.

— La moitié du monde attend un appel qui le renverra au passé, ne sois pas obsédé par ça, mon chéri », dit Gloria, cabotine. Elle est assise au bord du lit. La couleur de l'édredon sur lequel repose Roberto lui rappelle les prunes de pierre[1] que sa mère mettait dans la marmite du punch pour Noël.

« Et toi ?

— Moi quoi ?

— Toi aussi tu attends un appel ?

— Mon téléphone est éteint.

— Je ne t'ai pas perdue de vue une minute, je t'ai suivie...

— Roberto, on n'a plus l'âge d'avoir cette sorte de discussion, pourquoi m'insultes-tu de la sorte ? Que veux-tu faire ? »

L'hôtel Isabel a été pour Gloria un extraordinaire salon de rajeunissement facial ; même les bleus languissants qu'elle a toujours sur les jambes ont commencé à s'estomper. En revanche, mille fins rasoirs ne pourraient remettre de l'ordre dans le visage de Davison.

Dans la chambre arrive le fracas des marteaux piqueurs qui ouvrent un canal dans la rue Mesones. Pour la centième fois, le gouvernement entreprend la rénovation du Centre historique. On cherche surtout à maquiller la gueule du loup, à polir ses canines, à graisser sa peau hirsute.

« Je voudrais changer, mais il est trop tard », soupire Roberto en regardant sa femme du coin de l'œil. Il attend sa réaction comme l'enfant qui fait une bêtise attend que sa mère le réprimande.

1. Prune de pierre : fruit du *tejocote*, aubépine du Mexique (*Crategus mexicana*).

« Si tu n'as pas confiance, échangeons nos téléphones.

— Il y a quelques minutes, quand je me suis rendu compte que la soupe d'épinards était en boîte, j'ai eu envie de pleurer, juste pendant un instant. Et alors j'ai voulu te dire : "Je ne veux plus que tu me voies déprimé, Gloria, à partir de maintenant ce sera différent, j'essaierai d'être optimiste quand tu seras près de moi." Si on pense que l'optimiste est un homme qui manque d'assurance, on se trompe ; moi je pourrais tuer, hein, mais je ne le ferai jamais. Est-ce là un manque d'assurance ? Au contraire. Tu as prêté attention à la musique ? »

Les paroles de Roberto se fraient un passage loin de la partition, comme cent plombs en quête d'un objectif inexistant. Quand un homme délie sa langue, on ne trouvera pas un être plus ordinaire au monde.

« La musique ? Non, quelle musique ?

— Au restaurant ils passaient des chansons que j'écoutais quand j'étais adolescent, Emmanuel, Napoléon, José Luis Perales, Sandro de América. Tu ne sais pas à quel point je porte en moi cette époque. Je les entends aujourd'hui et je comprends mes sentiments d'alors, je comprends combien j'étais sensible. À quel moment suis-je devenu le musée de ces sentiments ?

— Tu as toujours été sensible, Roberto. L'homme le plus sensible qui ait posé le pied sur cette terre.

— Oui, bien sûr, je sais reconnaître quand la soupe d'épinards est en boîte. » Le souvenir de sa femme entrant dans la chambre voisine le rend de nouveau agressif. Gloria Manson pénétrée par la verge pittoresque et avant-gardiste de l'artiste Sandler. Il ne le supporte pas, même s'il sait qu'il s'agit d'un jeu.

« Ne te moque pas, Davison.

— Je ne me moque pas, je sais que tu es une putain et j'aime ça », dit-il. Qu'aurait fait Sandro de América à sa place ? se demande Roberto.

« Il est l'heure de partir. Un jour de plus dans cette ville et je vomis, affirme Gloria en tendant la main pour farfouiller dans l'entrejambe de son mari. Tu veux que je te suce ?

— Non, tu veux que je te crache au visage ?

— Oui, crache-moi au visage et sur les jambes, et aussi ici…

— Je ne le ferai pas, je ne suis pas comme toi.

— Allons à la maison et organisons un dîner avec nos amis, les Martínez. Il est bon d'être entre personnes du même âge, elles savent ce qui nous arrive parce qu'il leur arrive la même chose : elles se font vieilles.

— Je ne suis pas vieux, je suis déçu. C'est très différent. Pourri n'est pas la même chose qu'amer. »

Les marteaux piqueurs continuent obstinément à casser la pierre, des dizaines d'ouvriers font leur travail sans connaître le nom de la rue que leurs mains transforment, on pourrait les mettre dans une rue en Thaïlande qu'ils continueraient à travailler avec la même parcimonie. Ils reçoivent des ordres d'un homme qui mange des pistaches tout en se promenant d'un côté à l'autre du chantier. C'est le chef de chantier, le monsieur important. Une poussière brûlante se répand dans les environs, semblable à de la cendre de volcan, et depuis le balcon d'une maison à un étage en mauvais état un chien aboie chaque fois que le marteau piqueur s'enfonce dans le pavement. Les chiens deviennent les ennemis des objets les plus étranges. Le taxi s'arrête à la porte de l'hôtel Isabel moins d'une minute avant que la Manson et son mari entrent à l'arrière de la voiture. Pablo Paolo arrive sur le trottoir, s'étouffant à moitié, et il tend à Roberto un cahier usé que l'acteur de spots publicitaires reçoit avec le plus beau de ses sourires.

« Ne partez pas sans me laisser un autographe, dit Pablo Paolo tandis qu'il se couvre les oreilles de ses mains et fait une grimace de dégoût. Je ne sais pas pourquoi ils continuent à utiliser des marteaux piqueurs, ils devraient essayer à la dynamite. »

17

La maladie

Il est interdit au monsieur propriétaire de la fabrique de touron et de massepain de boire de l'alcool, si cela venait de sa mère, il n'y verrait aucune objection, mais d'un médecin ? Cela lui pèse autant que s'il portait un ascenseur sur le dos. S'abandonner aux mains d'un médecin, quel manque de discernement ! Il est moins mortel de monter sur un ring et d'échanger des coups avec un boxeur. Il ne trouve qu'un solide obstacle pour s'opposer au funeste diagnostic : les médecins sont l'autorité et lui, citoyen mexicain, descendant de Tolédans catholiques, respecte l'autorité, oui, il la remet en question, il fait des plaisanteries à ses dépens, il pratique la moquerie et l'ironie, mais l'autorité se respecte parce que c'est l'autorité, et tant qu'il ne se passe rien les saints doivent avoir des niches propres, des socles impeccables. Cela, ses parents le savaient, ses employés le savent et lui surtout, don Miguel Llorente, le sait.

« Cirrhose, si vous recommencez à boire vous mourez, l'a condamné un vieil et éminent médecin qui reçoit les après-midi à l'Hôpital espagnol.

— Et vous, comment savez-vous que je vais mourir si je recommence à boire ? Ne dites pas de bêtises.

Je l'admets, je veux bien croire que j'ai une cirrhose, mais mourir ? Ça, ni vous ni personne ne le sait.

— Les miracles existent, nous n'en doutons pas, malheureusement, c'est aux autres qu'ils arrivent, pas à nous », argumente le médecin. Depuis les fenêtres de son cabinet de consultation il regarde un tas d'êtres vivants avancer dans les deux sens de l'avenue.

« Il est évident que vous ne connaissez pas la nature des miracles, si vous la connaissiez vous n'ouvririez pas les personnes à la première occasion. Vous, mon ami, vous utilisez le bistouri, moi au contraire je préfère les scapulaires et je m'en remets au bon soin de saint Jude Thaddée. Si mon saint me donne de mauvais signaux, alors je me mets à trembler, mais les médecins, mince, ne me faites pas rire...

— Ce sont vos croyances et je les respecte, don Miguel, mon diagnostic est que vous devez dire adieu aux alcools et vous soumettre à un traitement rigoureux ; en plus, vous devrez prendre des vitamines et suivre un régime qui éliminera à jamais le boudin de Burgos et les rognons de Madrid. Qu'en pensez-vous ? Si vous suivez mes indications vous aurez votre miracle.

— Faites-moi vos prescriptions, on verra si je les suis. »

Assis sur un banc de son parc préféré, le Parque México, dans l'arrondissement de Condesa, don Miguel Llorente se souvient à présent des phrases nihilistes de son médecin. Le parc a été embelli et on a répandu de l'argile violette sur les étroits sentiers qui le traversent, les fontaines ont rajeuni, les canards font trempette dans les eaux de l'étang, comme n'ont pu le faire leurs récents ancêtres. En revanche, on ne peut plus se promener dans les rues de l'arrondissement, « si Borges vivait, il tomberait tous les cinq mètres sur un idiot en train de manger des spaghettis au milieu de la rue » ; si au moins la nombreuse clientèle qui remplit les restaurants de la Condesa mangeait du massepain au dessert, Miguel Llorente pardonnerait la balourdise dont ce nouveau siècle fait étalage. Ce n'est pas le cas et il se lamente. En plus, il devra supporter son chemin de croix sans boire un seul verre. C'est alors qu'il la voit venir d'un pas discret et maniéré, il ne connaît pas son nom, pourtant son visage lui est familier. Il se décide à se mettre en travers de son chemin et à la saluer en soulevant son chapeau Tardan, Stetson 100, en peau de castor, pour lui présenter ses respects. Après tout, il est un malade de cirrhose inoffensif qui commence à peine à admettre sa défaite. Elle ne semble pas du tout surprise. Elle hausse les sourcils, sourit et dit :

« Je vous reconnais, au bar de l'hôtel Isabel, toujours en train de discuter avec la moitié du monde, bien sûr, que faites-vous dans des parages si éloignés ? demande la Gibellini.

— Ces parages sont également les miens, femme, à mon âge le cimetière aussi fait partie de “mes parages”. Je vis à un pâté de maisons d'ici, dans Cosalá. Une rue tranquille, les cambrioleurs peuvent prendre tout leur temps. Ils font même la sieste, ces mauvais coucheurs.

— Moi, j'ai changé d'hôtel, je retourne à Madrid dans quelques jours, pour me reposer de mes vacances et des émotions non sollicitées. Je suis morte. J'ai du mal à le reconnaître, mais la prochaine fois je viendrai accompagnée. Une femme seule dans le District fédéral, c'est un martyre. Du moins pour quelqu'un comme moi.

— Je ne retournerai pas non plus à l'Isabel, c'est mauvais pour ma santé, je l'enterre avant qu'il m'ensevelisse.

— Quel pessimisme, enterrements, cimetière, vous me paraissez en pleine forme pour un tel vocabulaire. Écoutez, dites-moi une chose, vous ne trouvez pas cet hôtel un peu sordide ?

— Dernièrement il a un peu changé. Certains délinquants, on pourrait les exporter en Chine et on ferait une nouvelle révolution culturelle. Vous, vous retournez à Madrid, mais si vous restiez dans cette ville je vous donnerais ce conseil : prenez deux ou trois verres d'alcool tous les jours et continuez votre chemin sans vous attarder. Ne vous étonnez pas de ce que vous voyez, nous sommes des animaux et nous essayons de survivre.

— Si vous étiez en Espagne vous diriez la même chose. “Nous sommes des animaux et nous essayons de survivre.”

— Moi, on m'a interdit de boire, je ne sais pas ce que je vais faire pour supporter cette ville en restant sobre. Sobre dans le District fédéral ? Seuls les héros ou les idiots en sont capables. Je ne vais dans le Centre qu'une ou deux fois par semaine pour m'assurer que le commerce marche, pas moyen de faire autrement, j'échangerai le comptoir de la taverne contre le banc d'un parc. N'avez-vous pas pitié de moi ?

— Non, pas du tout, laisser ces ambiances vous fera le plus grand bien.

— Où logez-vous à présent ?

— À la Casona, dans la rue Durango.

— Un hôtel calviniste ? Vous êtes une extrémiste, je m'en doutais. Je vous inviterais bien à prendre un verre, mais je suis un homme prudent et timide. »

Ils prennent congé et Miguel Llorente retourne sur son banc du côté est du Parque México. Son seul fils se chargera des tourons, la fin approche, il est temps de ruminer le passé. Il cessera d'aller sur la tombe de sa femme au Cimetière espagnol, pourquoi lui rendre visite si dans quelques mois ou quelques années on doit l'enterrer à côté d'elle ? Il ne parvient pas à définir le sentiment que produit sur lui une jeune et belle femme comme la Gibellini, de trente ans sa cadette. La dernière fois qu'il a été dans un lit en compagnie d'une femme s'est perdue dans sa mémoire. Il l'accepte : les sucreries ont aigri son âme. Il se lève et se met à marcher en direction de nulle part, des enfants lancent une boule de pain blanc entière dans l'étang et ce gros morceau étouffe presque un canard. Ils veulent le nourrir et pour un peu ils le tuent. Un chien est sur le point de sauter dans l'étang pour avaler le canard d'une seule bouchée, mais ses maîtres s'en aperçoivent à temps et l'en dissuadent à coups de pied dans les côtes. Devant cette scène, M. Llorente sourit et continue son chemin.

18

La vraie femme

Se lever de bonne humeur est une bénédiction : avoir rêvé de belles femmes qui m'arrachaient les cheveux et riaient de mes mauvaises plaisanteries, me voir moi-même plein d'allégresse, de vie, voilà qui est une bénédiction. Pour le moment, je ne suis qu'une continuation de mon propre rêve. Dans quelques heures arrivera ce que la vie ordinaire a de grotesque, la marche quotidienne qui, de l'avis de beaucoup, est le sel de la vie et, selon moi, la torture par définition. J'ai appris de la bouche de Pablo Paolo le départ de ma femme. Oui, *ma femme.*

« Elle a laissé pour vous son adresse en Espagne. Elle est partie très tôt. » Le réceptionniste ne cache pas sa curiosité et prend note de chacun de mes battements de paupières. Il ne laissera pas passer une seule page de ce roman de quatre sous.

« Elle a peut-être reçu une nouvelle inattendue. Quand les personnes sont en voyage les parents se mettent à mourir et il ne m'étonnerait pas qu'ils le fassent uniquement par envie », dis-je. Mes conclusions élémentaires ne m'affligent-elles pas ?

« Une nouvelle tragique ? J'en doute. Je lui ai trouvé très bonne mine. D'après ce qu'elle m'a dit, elle préférait un endroit plus éloigné du Centre. Vous avez entendu les marteaux piqueurs ? Ce sont les politiciens qui veulent laisser une trace et ils n'occasionnent que des destructions. Qu'ils ouvrent des trous dans leurs jardins, pas dans les rues !

— Nous parlons parfois des hommes politiques comme s'ils étaient d'une autre planète.

— Ils sont d'une autre planète, monsieur Henestrosa, si seulement ils pouvaient retourner un jour sur la planète d'où ils viennent ! »

La culpabilité et son écœurante armée d'eunuques commencent à s'infiltrer dans mes sentiments. Oui, je me déclare l'unique responsable du départ précipité de Laura. Tandis que pour moi commençait une histoire extraordinaire, pour elle finissait une histoire banale. Les amours spontanées sont des constructions ridicules, rien n'est nouveau en elles, au contraire, c'est ce qui est vieux qui insiste pour s'emparer d'un visage jeune afin de continuer à tromper les naïfs. Moi le premier. Et il y a aussi la logique : Laura n'apprécie pas ma compagnie, elle s'est sentie attirée par un Henestrosa soûl et violent, non par l'homme courtois et timide qui prédomine en état de sobriété. Je l'ai déçue, mais elle ne m'a même pas laissé l'occasion de lui montrer que je suis encore plus timide et insipide qu'elle le croit. Elle est partie et moi je n'ai pas réussi à terminer ma tâche.

« Voici l'adresse écrite de sa propre main, dit fièrement Pablo Paolo, comme s'il était le gardien d'un trésor inestimable. C'est pour vous, elle m'a demandé de vous la remettre. En réalité, ce sont deux adresses, mais je ne m'explique pas...

— Ça ne m'intéresse pas. Si elle est partie sans me prévenir, c'est qu'elle ne veut plus me voir (mes paroles ne parviennent pas à cacher mon dépit). Moi aussi je vais m'en aller, cette nuit est la dernière que je passe ici. Ça suffit.

— Alors tout le monde s'en va ! » s'exclame Pablo Paolo, scandalisé. S'est-il passé quelque chose dont il n'a rien su ? Une nouvelle grippe ? Non, il en a toujours été ainsi à l'hôtel Isabel, on défait les couches des collines pour en former d'autres plus petites, un paysage absurde et en mouvement.

« C'est un hôtel, tôt ou tard tout le monde doit en partir. Et plus on le fera tôt, plus l'image qu'on emportera de son séjour à l'hôtel sera romantique. C'est ce que je vais faire moi aussi.

— Je le sais, monsieur Henestrosa, mais je trouve ça très étrange dans le cas de cet hôtel, beaucoup de clients nous abandonnent brusquement ; le jour où on s'y attend le moins, ils règlent leur note et disparaissent. Je ne veux pas dire que les clients soient hystériques, mais ce ne serait pas un mot tellement impropre ; si je vous disais que Mlle Gibellini m'a même posé des questions sur ma vie intime avant de s'en aller. Je lui pardonne son indiscrétion parce que j'ai l'habitude, croyez-vous que le réceptionniste d'un hôtel cinq étoiles serait aussi prudent que moi ? Non. Ici les étoiles ne comptent pas.

— Excusez-la, elle était nerveuse », dis-je, comme si je parlais de mon épouse, de ma maîtresse de longue date. Quelle façon de faire le fanfaron, de me vanter de ma connaissance du monde féminin !

« Au fait, monsieur Henestrosa, une femme est venue deux fois pour vous mais elle n'a pas voulu laisser de message.

— Une femme ? Je ne vois pas de qui il s'agit.

— Ne vous inquiétez pas, si vous vous retournez vous saurez qui elle est. Elle se tient juste derrière vous.

Je mets quelques secondes à détourner les yeux, mais aucune image ou réponse ne me vient à l'esprit. Je considère encore la possibilité de rencontrer Laura Gibellini dans le futur. Si l'océan est immense, il ne l'est sans doute pas au point que je sombre un jour dans la folie et entreprenne une expédition idiote, comme le sont presque toutes les expéditions. Alors, m'étant fait une raison, je me retourne et n'ai pas besoin d'heures de réflexion ou de méditation pour comprendre le sens d'une plaisanterie qui vient du fond des âges. Le jeu est assez drôle. Exactement ce que je mérite, ni plus ni moins : Susana Servín, à quelques mètres de la réception, m'examine sans dissimuler sa curiosité. Je lui ai donné une bonne raison de déplacer sa prothèse de trois cents mètres, l'emmener en promenade, reprendre un amour passé, trouver dans la mélancolie de ses belles époques une force motrice. « Bienvenue dans la plaisanterie, *l'Artiste*, ne voulais-tu pas un amour inusité ? Une stimulation ? Voici le cadeau de l'hôtel Isabel : la femme véritable », me dis-je en silence.

Susana sourit, hésitant à avancer vers moi. Elle m'a enfin trouvé. Je me dirige vers elle et aucune expression n'apparaît sur mon visage. Une peinture sans auteur, voilà ce que je suis à cet instant.

« Susana, on vient de m'avertir que tu es passée me voir. J'étais occupé et je n'attendais pas de visites. » Occupé ? Oui, à regarder la manière dont les jours s'en vont dans la cuvette des W.-C., mais quelle autre raison puis-je lui donner ?

« Je n'ai pas l'intention de rester chez moi à attendre que tu répares mon congélateur, tu te souviens ? Tu l'as promis. Je suis venu te chercher.

— C'est vrai, je l'avais oublié, le réfrigérateur, quelqu'un doit faire marcher ce machin, les glaçons doivent te manquer, on ne peut pas s'en passer, veux-tu monter dans ma chambre ? Ne me réponds pas, prenons d'abord un verre. »

Ce n'est pas une proposition sensée, et c'est pourquoi j'invite Susana à coucher avec moi, l'urgence de fermer le rideau me consume, je n'ai rien d'autre à offrir et je suis devenu un humble apôtre de sainte Susanne la Boiteuse. Elle ne semble pas du tout déconcertée, au contraire, elle accepte de prendre quelques verres avant de monter dans ma chambre. Pablo Paolo regarde discrètement la fausse jambe dissimulée sous un pantalon noir. Il ne la plaint pas, en fin de compte, la moitié de la population de cette ville est obèse ou impotente. Nous entrons dans le bar, le faux artiste, la femme à la fausse jambe. Le bar solitaire nous reçoit et le vieux patron se ranime lorsqu'il entend ma commande. *Le Boomerang* Riaño a disparu, on ne le verra plus tourner autour de l'hôtel pendant des mois, mais le fabricant de touron, lui, reviendra jusqu'au jour de sa mort : maintenant il est malade, début de cirrhose, diabète pour avoir vécu au milieu de tant de sucre, personne ne regrette le monsieur des tourons, des salauds sans mémoire.

Dans le District fédéral, personne ne regrette personne, chacun souhaite l'absence de l'autre, sa brusque disparition, on verse quelques larmes à cause des pertes, puis vient le bonheur. Susana et moi buvons en silence, bavarder nous démoraliserait, ma mine change au fur et à mesure que passent les minutes. Nous quittons le bar au bout de deux heures et nous dirigeons lentement vers ma chambre, comme si nous avions répété tout cela, le bal dans un palais, l'ascension nuptiale. L'absence de la peinture d'Isabelle la Catholique est évidente ; dans le restaurant les serveurs se reposent en papotant, assis à la table la plus proche de la rue. J'ouvre la porte et je cède le passage à celle qui m'accompagne ; c'est étrange, j'ai assez bu pour me sentir exalté, mais je reste d'humeur égale, je n'ai rien appris. À mon âge, que peut-on apprendre ? Je suis un homme mûr et dans le ciel les pierres continueront à brûler pendant des millions d'années.

Table

Première partie

Deuxième partie

Troisième partie

Réalisation : Nord Compo à Villeneuve-d'Ascq
Impression : CPI Firmin-Didot à Mesnil-sur-l'Estrée
Dépôt légal : février 2012. N° 2146 (108573)
Imprimé en France